U0625865

汉阅史学经典

美国南北战争回忆录

上册

MEMOIRS OF
AMERICAN CIVIL WAR

全彩版

[美] 格兰特 著
ULYSSES SIMPSON GRANT

孔令会 译

吉林出版集团股份有限公司

出版说明

　　《美国南北战争回忆录（上下册）》是根据 U.S. 格兰特总统传世杰作《U.S. 格兰特回忆录》节译而成，全方位、多层次、宽角度地展现了那场硝烟散尽、鼓角远去的内战。为了使读者全面了解本书，现作如下说明：

　　一、关于版本。据不完全统计，《U.S. 格兰特回忆录》英文版多达上百个。其中，以查尔斯·L. 韦伯斯特出版公司于 1885 年出版的版本最具代表性。本书正是根据该版本翻译而成。

　　二、关于插图。南北战争已经过去一个多世纪了。读者可能会问：这场战争的主角和配角长什么样子？将士们穿什么衣服？敌我是如何激战的？……为了让读者更形象地了解这场战争，我们选配了上百幅插图。这些插图包括但不限于油画、版画和照片。我们希望，通过品味插图的艺术之美，读者获得一种不是穿越胜似穿越的强烈体验。

　　三、关于注释。为了确保内容的正确性、权威性，版权方进行了大量的考证工作。考证的结果以注释的形式体现。

四、关于译者。上册由兰州交通大学的孔令会老师翻译，下册由兰州城市学院的刘文艳老师翻译。二位老师治学严谨，文笔优美，为保证本书的质量奉献良多。在此，深表敬意。

　　尽管出版前我们做了许多工作，但不足之处实难避免，欢迎读者朋友多提宝贵意见。

目 录

第一章
即将到来的危机

墨西哥战争期间，我的家人住在东部地区。家里有妻子和两个孩子。我当军官的薪俸根本不足以在太平洋海岸维持他们的生计。于是，我决定退伍，于3月申请休假至当年7月底，并要求休假结束后退伍。我依依不舍地离开了大西洋海岸，满心希望日后能在那里安家。这一直是我心里最强烈的愿望。然而到了1864年冬天，《中将法案》[①]被提交给国会，并获得通过，我得到了晋升。在西海岸安家的愿望终于不了了之。

1854年夏末，我与家人团聚时发现自己多了个素未谋面的儿子。他出生时我在巴拿马地峡，所以我浑然不知。为了养家糊口，我开始了新的奋斗。那时我已32岁。我的妻子在圣路易斯附近有个农场，我们举家迁去，但我却无力添置家畜，还要想办法建所房子。我干活很卖力，天气再糟都决不休息一天，总算让家人过上了中等的生活。实在无事可做的时候，我就用马车拉上一捆柴火去城里卖。在我的苦心经营下，日子过得一帆风顺。可是，1858年我得了疟疾，忽冷忽热。我小时候在俄亥俄也生过很严重的疟疾，好长时间才痊愈。现在这次持续了一年多，我虽然不至于要完全待在家里休养，但很多活都力不从心了。于是，当年秋天，我卖掉了家畜、庄稼和农具，不再务农。

---

① 1864年林肯总统重启中将军衔，将时任少将的尤利西斯·S.格兰特擢升为中将，任联邦军队总司令。那时美国军队中尚无上将军衔，中将就是当时的最高级别军官。——译者注

圣路易斯在 1764 年由法国皮毛商人建立，名字来源于法国国王路
易九世。图为 1896 年的圣路易斯，出自一份报纸上的插画

那年冬天，我和我妻子的表兄哈里·博格斯合伙经营房地产生意。我独自在圣路易斯过的冬，次年春天才把家人接到城里。我要是有机会慢慢把生意做起来，或许也能做得很红火。可是，当时的情形是只有我一个人能打理生意，却要负担起两个家庭的开销，实在难以为继。我在圣路易斯从事房地产行业的时候，曾是县工程师一职的候选人。这个职位既受人尊重，又报酬丰厚，我那时十分心仪。这个职位由一个五人组成的县议会委任。我的竞争对手凭着是本市人的优势（被收养到该市）获得了这个职位。我那时已经退出和博格斯合伙做的生意，后于 1860 年 5 月搬到伊利诺伊州 ① 的加里那，在我父亲的商店里做店员。

住在密苏里州的时候，我第一次有机会在总统选举中投票。我取得少

---

① 伊利诺伊州以印第安人伊利诺伊部落之名命名，位于美国中西部，北接威斯康星州，东北濒密歇根湖，东界印第安纳州，东南邻肯塔基州，西隔密西西比河与密苏里州和艾奥瓦州相望，其首府是斯普林菲尔德。——译者注

校军衔之前在军中多年，尽管从教育方面而言是个辉格党，也极为敬仰克莱先生，却极少考虑政治。可惜还没等我有机会行使选举权，辉格党就寿终正寝了；取而代之的无知党日现颓势；共和党混乱不堪，毫无名望。蓄奴州[①] 境内，除了与自由州接壤的少数地方，根本没有共和党的一席之地。在圣路易斯城里和县区，有一支由弗兰克•P.布莱尔阁下领导的党派，人称自由之士民主党，这就是日后共和党的前身。我的邻居们大都知道我是个有辉格党倾向的军官。他们原来和我立场一致，但现在自己的党派土崩瓦解，很多人便纷纷改投无知党，或者叫美国人党。我的新家附近有一个分会，我受到邀请并接受了，入了会，一周之后参加了一次会议，就再也没去过。

对于做了一星期美国人党的党员，我并不认为有什么不妥。因为时至今日，我仍然认为土生土长的美国人在自己出生的国度里，应该和那些自愿选择以这里为家的人受到同样的保护，享有同样的权利。但是对于任何国家，所有靠诅咒、发誓而结盟的秘密政党都是一种威胁，不管它们成立之初的动机和原则有多么纯洁、多么爱国。如果一个政党成立的初衷是反对思想自由，反对"遵照自己良心的指引"或者"任何宗教派别的信条"而信奉上帝的权力，那么它就不能也不应该存在下去。同样，一个教派若是将其规章置于国家法律之上，一旦两者相悖，无论付出何种代价都应对其坚决抵制。

墨西哥战争之前，几个彻头彻尾的废奴主义者无论是竞选治安官还是美国总统，只要竞选就一概竖起反对奴隶制的大旗。他们声势浩大但实际上为数不多。不过，虽然北方没有奴隶制，但绝大多数北方人都反对这项制度，认为美国任何地方存在奴隶制都是件不幸的事情。他们认为不应该去怪罪蓄奴州，而是应该保护南方将奴隶作为财产的权利，直至找

---

① 蓄奴州是指美国独立后在南部可以任用黑奴为劳动力的州。与之相对的是自由州，即在林肯统治下的黑奴自由解放的州。——译者注

到一种合适的方式消除这个体制。两党都没有把反对奴隶制作为自己的信条。在一些地方，民主党里反对奴隶制的人可能多一些，而另一些地方，辉格党里多一些。然而，随着墨西哥战争的打响，事实上，随着得克萨斯并入美国，"一场不可避免的冲突"就拉开了帷幕。

　　1856年总统选举时，我第一次有机会行使投票权。大选将至，党派情绪高涨。南方和边界各州认为共和党不仅反对扩大奴隶制，而且倾向于对奴隶主不予赔偿就强制废除奴隶制。那些本应该能明辨是非的人却臆想出种种最可怕的景象。而许多饱学之士，其他方面皆通达理智，却头脑简单地认为解放奴隶就意味着社会平等。一时间，背叛政府的言行被大肆宣扬，却无人指摘。我清楚地觉察到，如果1856年选出一位共和党总统的话，南方蓄奴州一定会悉数脱离联邦，发起叛乱。在这种境况下，我不愿眼看着自己的国家被卷入一场无人能预知结局的战争，让一位能阻止或者推迟南方脱离的总统当选，或许是明智之举。如果蓄奴州一致选出的民主党人当上了总统，4年之内他们就没有借口脱离联邦。我极其希望，在此期间民众的情绪能冷静下来，从而避免一场大灾难；即使战争不可避免，我相信国家也将做好充分的准备去应对和抵御。所以，我把选票投给了詹姆斯·布坎南。4年之后，共和党成功地把自己的候选

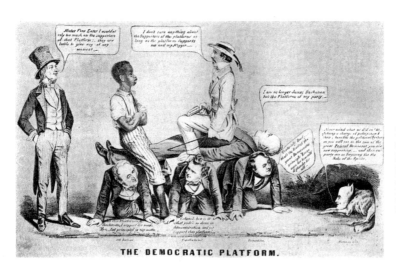

这是1856年美国总统大选期间的一幅漫画：讽刺民主党候选人詹姆斯·布坎南仇视黑人的政策

人送上了总统宝座。今天的文明世界很清楚此事的影响：四百万被作为私人财产的人类得到了解放，获得了选举权，他们的子女能接受国家的免费教育。但是这个国家依旧故我，白人照旧避讳黑人，黑人对白人也避而远之。

在加里那居住期间，我名义上只是个靠固定薪水养家糊口的小店员，而实际的处境并非如此。我父亲从未在加里那住过，但把我的两个弟弟安顿在了那里。大弟弟负责打理生意，小弟弟给他打下手。我去的时候，父亲本来想完全放开手，让 3 个儿子自己经营，可是一手创办起生意的大弟弟当时正害着痨病①，且日渐严重，一时间不好做什么变动。他死于 1861 年 9 月。这种病总是带给病人虚妄的假象。直到临死前，他都以为自己正日渐好转。生意场上没有人比他更正直。而 1861 年 9 月的我，正全身心地投入一项事业。

第一次发出志愿军征兵令时，我在加里那住了 11 个月。我全神贯注于自己的生意，除了顾客和同行之外少有交往。1860 年 11 月竞选开始时，我在伊利诺伊州居住的时间还不够长，没有取得公民身份，因而就不能投票。我当时其实还挺高兴，因为道义要求我必须投票给斯蒂芬·A. 道格拉斯，但他根本无望当选。真正的竞争是在布雷肯里奇先生和林肯先生之间展开的，也就是少数人统治还是多数人统治之争。两者之间，我希望看到林肯先生当选。拉选票期间，群情激昂。竞选期间的许多个夜晚，加里那原本宁静的街道都因手持火把的游行队伍而热闹非凡。我没有参加任何一党的游行，但偶尔会和"完全清醒者"——共和党人——在他们的房中碰面，或者指挥他们操练。从芝加哥提名到拉票结束，共和党候选人的当选显然就是向南方一些州发出了脱离联邦的信号。我当时仍然幻想，一个全然反对奴隶制扩大化的政党第一次提名总统候选人之后

---

① 痨病即结核病，是由结核杆菌感染引起的慢性传染病。结核菌可能侵入人体全身各种器官，但主要侵犯肺脏，被称为肺结核病。——译者注

的 4 年时间，足够让支持奴隶制的极端情绪冷静下来，足够让南方人在采取自己口口声声要挟的可怕举措之前仔细斟酌一下。然而，我错了。

共和党候选人当选了。此后，西北部相当大一部分人，我猜想整个北方地区也有同样比例的人，都感到了形势的严峻，但同时也坚定了决心。人们经常讨论南方是否真会兑现威胁，脱离联邦，组建一个以保护"神圣的"奴隶制为己任的独立政府。因为当时确实有人笃信人类奴隶制的"神圣性"，就像今天仍然有人相信摩门教及其一夫多妻制是上帝

摩门教不属于基督信仰各宗派运动的任何一个分支，自成一派，但其在信仰内容上与基督教有别，该教是后期圣徒运动之中发展规模最大，且最为人所知的一个宗派。图为摩门教徒横穿密西西比河

的旨意。我们谅解他们怀有这些观念，但禁止他们付诸实施。人们普遍认为其间肯定会有波折，南方的一些极端州甚至会通过脱离联邦的法令，但又普遍觉得这一步对于南方而言无异于自取灭亡，所以必成不了气候，不会长久。

毫无疑问，我们政府的缔造者们，至少他们中的大多数，把各殖民

地的联合当作一种试验。每个殖民地都把自己看作自成一体的独立政府；联邦是为了抵御外侮，解决内部争端。如果仍然只有最初的 13 个州，任何一个州想要在任何时候退出契约，我认为不管这个决定可能多么令人惋惜，都不会有人去质疑这种权利。不过，美国宪法在各殖民地一获得通过，情况就变了；增加修订案之后，情况更加不同；宪法获批之后，即便一个州仍然拥有脱离权，也在新的州加入之时废止了，至少这些新加入的州本身不具有这种权利。佛罗里达州和密西西比河以西的各州从来都不曾拥有脱离权，因为它们是举全国之力买来的。得克萨斯州和其他一起并入联邦的领土是用鲜血和金钱一起换来的。单一个得克萨斯就比欧洲除了俄罗斯之外的任何国家都大。我们付出了大量的金钱，作出了巨大的牺牲才将得克萨斯州并入，而其区域内的所有公共用地都被允许作为州财产保留下来。因此，得克萨斯州如果要求从联邦退出，就是最可耻的忘恩负义、背信弃义之举；况且，如果分裂变成现实，基于体制和地理位置的因素，得克萨斯一定会追随南方。脱离联邦既不切实际也不合情理，本质上就是叛乱。

诚然，叛乱是人民固有的权利。如果人民受到政府的压迫，他们自然有权通过这种手段摆脱压迫。如果他们有能力，就可以退出政府，或者推翻旧政府而以一个他们较为认可的政府取而代之。但是，任何一国的人民，或者一部分人民，只要选择了这条道路，就等于把自己的生命、财产以及作为公民享有的种种保护统统拿来做了赌注。要么马到功成，要么任人宰割——这是必然的下场。

南北战争中，如果南方说——"我们不想再和你们北方人待在一起了；我们知道我们的奴隶制让你们深恶痛绝；你们的人数正日益超过我们，将来会对我们的制度造成威胁。只要你们允许我们掌控政府，再有一些北方友好人士的协助，颁布法律让北方为防止我们的财产逃亡站岗放哨，我们愿意和你们待在一起。此前，你们一直遵守着我们的原则；但是现在你们似乎不想再守规矩，我们也无意再留在联邦。"——那么他们说的确实是实情。然而，想退出的州却高呼："别管我们，宪法没有赋予你们干涉我们的权利。"北方的报纸和民众也随声附和。普通的个人或许可以不理会宪法，但是国家不仅自身要遵守宪法，还要按照对其条文最严格的诠释执行宪法，而这种诠释全凭南方人的一面之词。事实上，宪法并不适用于 1861 年至 1865 年这样的非常时期。宪法的制定者们根本想不到会有这样的特殊情况发生。如果他们预见到了，很可能宁愿准予一个或几个州脱离的权利，也不愿让兄弟之间同室操戈。

宪法的制定者们是时代的智者，希望尽最大可能保证自己以及后世子孙的自由与独立。然而，如若认为一个时代的人能为子孙万代立下一套完美的执政之法，可以任世事变迁而亘古不变，即便遇到不可预见的突发情况也能迎刃而解，就太荒谬了。我们的宪法制定之时，人类唯一能驾驭并为自己服务的自然力量只有河里的水和空中的风。当时虽已有了以水为动力的简单机械装置；有了靠风在水上行船的帆——但是利用气流水流让船只逆风逆流而行，让机器做各种工作，人们想都没想过。借助电流把信息瞬间传遍世界各地，在当时很可能认为是巫术或者魔鬼之流。和有形的环境一样，无形的环境也发生了巨大的变化。环境已截然不同，面对着完全出乎预料的紧急情形，我们不能也不应该墨守成规。合众国的缔造者们一定会第一个声明自己的法令并非不可动摇。他们若是活着，看到事态发展到当时的地步，一定会坚决抵制脱离联邦的行为。

1860 年到 1861 年的冬天，我走遍了西北部的许多地区。因为我们的顾客分布在威斯康星州西南部、明尼苏达州东南部和艾奥瓦州东北部的各个小镇。他们都知道我曾在正规军中当过上尉，亲历了墨西哥战争。所以，我不管在哪里过夜，总会有人专门到我投宿的客栈，聊到很晚，讨论未来局势的走向。我当时的观点和西沃特先生日后公开表达的观点是一致的，即"战争将在 90 日之内结束"。夏洛战役结束前，我一直持有这种观点。我现在认为如果当初西部所有的军队由一个统一的司令官指挥，占领多纳尔森堡后能乘胜追击的话，西部的战役就能画上句号了。

　　我现在毫不怀疑南方当时如果能冷静下来，开诚布公地表达看法，不要以威胁相逼，如果每个合法选举人的选票都有同样的分量，那么1860年到1861年南方的主流情绪一定会反对脱离联邦。但是，问题没有得到冷静的讨论。煽风点火的人要么年事已高，即使开战也不用从军；要么就是自视过高，觉得如此重大的事件绝不能没有自己的参与。于是一个个慷慨激昂，猛烈地抨击北方，抨击北方对南方的侵犯，抨击北方对南方的干涉……他们公开谩骂北方人是胆小鬼、懦夫、黑鬼的仰慕者；声称打起仗来一个南方人能顶5个北方人；如果南方肯为自己的权益抗争，北方立刻变成缩头乌龟。在密西西比州脱离联邦前，杰斐逊·戴维斯先生

杰斐逊·戴维斯是美国历史上最有影响力的政治人物之一，于美国内战期间担任美利坚联盟国首任，也是唯一一任总统。图为杰斐逊·戴维斯和他的内阁成员，后排左面站立者为犹大·P.本杰明，右面站立者为斯蒂芬·马洛里；前排坐者从左到右依次为：克里斯多夫·梅明杰、亚历山大·史蒂芬斯、勒罗伊·蒲伯·沃克、杰斐逊·戴维斯、约翰·H.里根、罗伯特·图姆斯

在拉格兰奇的一次演说中扬言，要是真的打起仗来，他愿意喝光洒在梅森－迪克森分界线以南的所有鲜血。那些一旦打仗就要去卖命的年轻人信以

为真，觉得北方人既飞扬跋扈又胆小懦弱。于是，他们也高呼要和北方一刀两断。南方合法选举人中的绝大多数并没有奴隶，基本都住在穷乡僻壤山野之地，子女受教育的条件十分有限，即使基本的读写都难以保障。

奴隶从出生就失去自由，直到死亡，奴隶主可以随便打骂、买卖奴隶。图为美国西弗吉尼亚州首府查尔斯顿的一处奴隶市场，奴隶主正在叫卖自己的奴隶

在这场纷争中，他们几乎无利益可言。就算有任何利益瓜葛，如果他们有能力看清形势的话，也是和北方一致的。他们自己也是需要解放的对象。在旧的体制下，他们在那些维护奴隶主利益的掌权者眼中不过是一群穷鬼白人，只有按照别人的指示投票才会被施舍选举权。

我知道后一种观点可能会遭到质疑，可能会有人举出具体的事例证明在南北战争之前，南方的选举和美国其他任何地方一样没有受到人为干预，但是不管面对什么样的反对声音，我都坚持我的说法。确实，没有人以枪相逼，也没有骑马的蒙面人深夜造访投票者，但是大家都深切感受到每个州都有那么一个阶层大权在握，操控着整个局势的走向。他们不择手段，以这样或那样的方式攫取了控制权。这种胁迫不动声色，却无处不在。

确实，南方各州都有两个人数众多、广受尊重的政党，可是两个党派都效忠于在他们看来凌驾于州甚至国家之上的奴隶制。奴隶主虽然人数不多，但掌控着这两个政党。假如奴隶主和非奴隶主因为政见不同产生了分歧，屈服的将是多数人，否则同室操戈的局面在所难免。我并不认为应该责怪南方人民。曾经一度，奴隶制并没有利润可言，对其优劣的讨论也几乎只局限于有奴隶制存在的地区。弗吉尼亚州和肯塔基州差一点儿主动废除了奴隶制。一个是因为投票时两方势均力敌而未能实施，而另一个万事俱备只差一次投票。但是当奴隶制变得有利可图时，废除的言论立刻在有奴隶制的地方销声匿迹。由于人类的天性使然，自然就要想方设法找出论据支持奴隶制。在奴隶制合理性的问题上，轧棉机[1]可谓功劳大矣。

1860 年到 1861 年的那个冬天，在今天的中年人的印象里一定是个不安分的年月。总统选举结果一出，南卡罗来纳州立刻退出，其他南方各州纷纷扬言要效仿。而有些南方州的亲联邦情绪高涨，不得不以武力镇压。马里兰、特拉华、肯塔基和密苏里都是蓄奴州，没有通过退出法令，但是它们都在所谓的邦联"国会"里有席位。1861 年，密苏里州州长杰克逊和副州长雷诺兹都支持叛乱，和敌军一起叛逃。州长不久就死了，副州长趁机补了空缺，假借州长的名号发表公告，得到邦联政府的认可。他自欺欺人的把戏一直要到叛乱结束。南方宣称拥有邦联的主权，同时又号称有权将他们想要的州，即有奴隶制存在的州，统统纳入他们的邦联之内。他们似乎没有察觉到这种行径的自相矛盾之处。实际上，南方的奴隶主们认为，从某种意义上讲，对奴隶的所有权赋予了他们一种贵族

---

① 这里是指轧棉机出现后，奴隶制经济的利润突然变得丰厚。奴隶主作为既得利益者，努力寻找各种理由证明奴隶制的合理性。——译者注

式的特权——一种无须顾及不具有这种财产的人的利益与意愿的统治权。他们先是说服自己相信这种制度具有至高的神圣性，然后又使自己确信，除了自己，这项制度在任何立法者手中都不安全。

所有这些，布坎南总统的政府只能眼巴巴看着，明确表示最高政府无权干预，国家无权挽救自己的命运。布坎南先生的内阁成员里至少有两人和戴维斯先生或者任何一个南方政客一样热心于——说得好听一点儿的话——脱离联邦的事业。一个是作战部部长弗洛伊德。他有意把兵力分散开，一旦开打，就易于被南方擒获，还把北方军火库的大炮和轻武器在南方广为散发，以备叛乱时使用。海军也被他以同样的方式打乱成一盘散沙。内阁磨刀霍霍准备向政府开战，总统坐视不管，任凭他们把政府的军事资源破坏掉，或者囤积在南方。直到南方组建起一个杰斐逊·戴维斯任总统，亚拉巴马州的蒙哥马利为首都的事实上的政府，这些分裂分子才离开内阁。他们认为在给予自己生命的国度里自己是外国人。忠贞之士填补了他们的位置，才遏制住了政府行政机关里的叛国行为。但是"贼走关门"，损失已经无法挽回。

1860 年到 1861 年冬是个难挨的冬天。南方人有了造反之心，容不得自己的地界上有人表达对立的意见。要站出来公然表示对联邦的忠诚需要非凡的勇气。另外，北方人——有头脸的人物——声称政府无权强迫南方臣服于国家法律；如果北方胆敢举兵南下，那么这些军队就要先从他们的尸体上踏过去。北方的一部分舆论也不断发出类似的论调，以至于总统当选人要去首都宣誓就职时，路上的安全成了大问题。其实不光是当选总统，任何人在路上都不太平。因此，他不光没有总统专列可坐，不能接受沿途站点选民的祝福，还不得不半路下车，偷偷摸摸潜入首都。他在半路上从公众视野中消失了，等到国人再有他的消息的时候，他已经抵达了首都。假如当时在众目睽睽之下进行这段旅程，他无疑会遭到暗杀。

第二章
为政府效力

    1861 年 3 月 4 日这天，亚伯拉罕·林肯宣誓要抗击敌人保卫联邦。一个接一个州退出了联邦，达 11 个之多。4 月 11 日，南方向南卡罗来纳州查尔斯顿港的国防要塞萨姆特堡开火，几天之后将其攻占。邦联宣布自己不是美国人，因此剥夺了自己美国宪法所赋予的一切权利。我们并不认为他们是外国人，但他们仍然自己剥夺了获得更好待遇的权利，把自己置于一个对一个独立的国家发起战争的外族侵略者的位置。萨姆特堡

邦联军占领萨姆特堡。摄于 1861 年

的枪声刚落，林肯总统发出了第一道征兵令，紧接着宣布召开国会特别会议。这次征召志愿兵75000名，服役期90天。如果说萨姆特堡的枪声"响彻寰宇"的话，总统这75000人的征兵令就是响彻了北方各州。如形势需要，北方任何一个人口超过百万的州都能毫不费劲地招募到这么多人，可能他们的武器还没到位，人就已经招齐了。

征集志愿兵的号召一传到加里那，召集居民晚上在县政府开会的海报就张贴出来了。店铺都歇业了，群情激昂，大家摒弃了党派纷争，都成了联邦的保卫者，决心要一雪国旗遭受的耻辱。那天晚上，政府大楼里挤满了人。虽然我相对而言算个外乡人，却被找去主持会议，唯一的原因可能是我曾经当过兵打过仗。我有点儿局促不安，经再三鼓励才宣布了会议的目的。演讲的内容已经准备好了，我很怀疑爱国之外的论调在这个场合是否安全。不过，可能也没有人想说别的话题。主要的演讲人有两个。一个是邮政局局长B.B.霍华德，民主党人，头一年秋天11月的选举中支持布雷肯里奇。另一个是约翰·A.罗林斯，道格拉斯的支持者。我和E.B.沃什伯恩之前并不认识。他进来时会议已经开始。他说了几句话，我事后才领会出其中的话外之音：他很诧异全加里那竟然找不出一个能主持会议的人，还要一个外乡人来撑场面。他走到前面，被引见给众人，然后做了一番很适合会场的爱国主义情绪的演讲。

演讲之后，开始招募志愿军。伊利诺伊州分到六个团的名额，所以加里那只需招一个连。一个连招齐了，军官和军士也在休会前选了出来。投票之前，我回绝了上尉连长之职，但明确表示愿为连队尽我所能，如果打仗，定与他们并肩作战。那次会议之后，我再也没踏进过家里的皮革店，再没有卖过一样东西，也没照管过生意。

加里那的妇女也巾帼不让须眉。她们虽不能扛枪打仗，但决心要让家乡的第一个志愿军连的战士穿着整齐的军装上战场。她们向我问清了美国步兵的军装样式，买好了布料，找裁缝裁剪好，自己亲手缝制。只几天光景，一个连的士兵就整装待发，准备到州首府报到听候调遣。应征后的第二天早上，所有人都到齐了。我负责给他们分班，指挥他们操练。等他们做好准备，我就和他们一起奔赴斯普林菲尔德，等他们被编入团队。

志愿参军的人太多，但名额有限。要谁不要谁，很让州长理查德·耶茨头疼。所幸正值州议会开会，给他解了围。州议会颁布了一项法律，授权州长再从各选区分别接收一个团，共10个团的兵力，期限一个月，由州政府给付报酬，在此期间如再次征兵则参加联邦军。即使如此，州长还是很头疼。战争结束前，他得了假性天花，就像林肯总统那样："他终于有一样东西可以谁想要就随便给了。"

不久，加里那志愿军连编入美国政府军部队，成为伊利诺伊州志愿军第11步兵团的一部分。我觉得自己在斯普林菲尔德的责任已经尽到，就打算乘当晚九点的火车回家。到那时为止，我还没有被引见给耶茨州长，也没和他说过话。但是我认得他，因为我们住在同一家旅店，我经常在吃饭时看见他。要离开首府那天，我先离开餐厅，他出来时我正在前门站着。他和我搭话，以我过去在军中的职务"上尉"称呼我，说他听说我就要走了。我说是的。他说如果我愿意多留一晚，第二天早上去趟州长办公室的话，他将会很高兴。我照做了，他让我担任州人事行政参谋主任，尽我所能。他说我从军的经历会有用武之地。我接受了他的建议。

我的部队生涯确实派上了大用场。我不是去当文官，也不是当文官的材料。我这一辈子，除非把纸放到外套的侧面口袋里，或者让一个比我小心的文员或秘书拿着，否则那纸就再也找不到了。但我曾经在战场上当过军需官、补给官和副官，熟悉军队里的各种表格，能指导文书填写。人事行政参谋主任办公室有一个文员卢米斯先生能补我所短。战争结束时，伊利诺伊州很容易就算清了和联邦政府的账目。面对那么庞大复杂的收支依然高效准确，充分证明他财会方面的才干。他一直兢兢业业地在自己的岗位上干到战争结束。

我前面已经讲过，州议会授权州长再接收10个团。我现在负责把这10个团召入州军。他们在离各自选区最近的铁路运输中心集合。我派军官去召集其中的几个团，但我亲自负责南部的 3 个团。有一个团要在圣路易斯以南 18 英里的贝尔维尔集合。可我到的时候，只来了一两个连。5 天之内这个团都不可能到齐。那几天实在无事可做，我决定去圣路易斯。

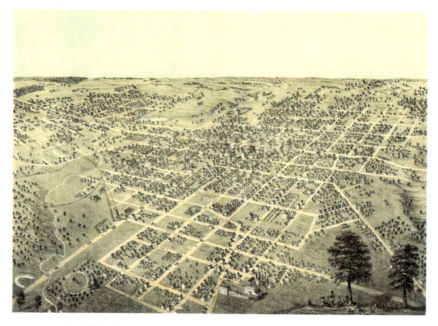

贝尔维尔建于 1819 年，后在该地区发现煤矿，吸引了许多德国移民，
有"德国城"之称。图为 1865 年前后的贝尔维尔

当时，圣路易斯郊外的杰克逊营有一支人数众多的民兵队伍。克莱本·杰克逊州长显然图谋不轨，想让这支队伍攻占国家军火库和圣路易斯城。至于他们为什么没有行动，我不得而知。军火库那里只有一支人数很少的守军，由 N. 莱昂上尉领导，我估计只有两个连。如果不是 F. P. 布莱尔阁下及时增援，圣路易斯和军火库连带所有的武器弹药肯定落入敌手了。

1861 年，布莱尔是圣路易斯联邦支持者们的领袖。当时密苏里的州政府已经不存在了，没有人能批准召集军队或现役军官去保护国家财产。但是布莱尔可能获得了总统的特批，能在密苏里召集军队，整编入国家军队。不管怎么说，他召集了一个团的兵力，自任团长，带着自己的队伍向莱昂上尉报到，听候调遣。有传言说莱昂有了援军，打算攻入杰克逊营，俘获民兵部队。我早上到军火库去看部队开拔。我和莱昂在西点军校[①]和旧军队里有两年的交情。布莱尔我也见过多次。1858 年我曾数次听过他为拉选票做的演讲，不过从没说过话。当时，部队正从军火库的围墙里往外走，布莱尔骑在马上，在外面指挥他们排成行军队列。我向他做了自我介绍，聊了几句，表示赞同他的行动。这是我和 F. P. 布莱尔阁下——日后的布莱尔少将的第一次私人接触。杰克逊营没做任何抵抗就投降了，守卫部队被作为战俘押到军火库。

当时，圣路易斯的反政府力量十分猖獗，而联邦支持者默默地严阵以待。叛乱者的指挥部设在松柏街上靠近第五街的一处重要的公共建筑里，外面明目张胆地挂着叛军的旗帜。联邦支持者们的集会点在城里某个地方，我不知道具体在哪儿，也很怀疑他们是否敢把国旗挂出来和那些反政府势力唱对台戏。然而，攻下杰克逊营的消息一传到城里，局势就发生了变化。拥护联邦的人变得咄咄逼人，容不得半点儿异己。他们公开表达自己的爱国情绪，不允许对联邦有任何不敬。鼓吹脱离联邦的人过去一直仗势欺人，这时却忍气吞声，敢怒不敢言。拥护联邦的人以居高临下的口吻勒令造反派把旗子从松柏街的那栋房子上降下来。他们照办了，并且再也没敢在圣路易斯升起过这面旗子。

我目睹了这一幕。我听说杰克逊营投降了，守备军正在返回军火库的途中。我早上曾去给他们送行，预祝他们马到成功。于是，我决定再到军火库去等他们回来，向他们道贺。我上了一辆停靠在第四大道和松柏街拐角处的公共马车，看见一群人正静悄悄地站在叛乱者的指挥部前，准备把旗子降下来。街上这里那里一小撮一小撮站着些人，也是静悄悄的。

---

① 西点军校是美国历史最悠久的军事学院之一，位于纽约州哈得孙河西岸，在其二百多年的历程中，培养了众多的美国军事人才。——译者注

因为"他们的"旗帜受到了侮辱强压着怒气，小声发泄着愤怒。我坐的车还没开，上来了一个衣着光鲜的小个子——放在今天就叫"花花公子"。他情绪非常激动，口无遮拦地表达着对联邦的蔑视和对那些刚刚践踏了一个自由的民族权利的人的愤慨。他上车时，除了我就只有一个乘客。他愤然离开那些强迫一个"自由的民族"扯下自己所敬仰的旗帜的"下贱坏子"时，显然是想寻求支持和理解的。他面对着我说："一个自由的民族不能选择自己的旗子，真不像话。要是在我们那儿，谁敢帮着联邦说一个字，我们马上就近找棵树把他吊死。"我回答说："不管怎么说，我们在圣路易斯还没有那么狭隘。我从没见过，也没听说过吊死过一个叛乱的人，虽然他们当中有很多人确实该死。"那个年轻人慢慢地坐下去，再没有了刚才的嚣张气焰。我想如果我当时命令他下车的话，他一定会一声不响地下去，心里还悄悄地想："到处受北方佬的欺压。"

那天傍晚，原来保卫杰克逊营的部队都被押到了圣路易斯军火库，成了战俘。第二天，我离开圣路易斯去伊利诺伊的马顿，召集那个选区招募的新兵团。那是伊利诺伊第 21 步兵团，就是我日后任上校的那个团。我随后又召集了一个团，我为州政府所做的事基本就结束了。

我在州政府做事时，时任准将的约翰·波普正驻扎在斯普林菲尔德。他是伊利诺伊人，跟当地大部分有头有脸的人物都很熟悉。而我只是个没有根基的外乡人，认不得几个人。我在斯普林菲尔德公干时，参议员、国会代表、前州长和州立法委员几乎全在首府。我只结识了我所效力的州长，偶尔认识了参议员 S.A. 道格拉斯。认识的国会议员只有沃什伯恩和菲利普·福克。沃什伯恩虽然是我所在选区的代表，也和我同住一城，但我是在加里那招募第一个志愿军连的动员大会上才认识他的。福克是我在圣路易斯时认识的。我和波普在西点一起待了 3 年，墨西哥战争时又曾同在泰勒将军手下短暂共事。我在为州政府办事时经常和他碰面。一次，他说我应该参加国家军队。我说如果打仗的话，我也正有此意。他说自己和州里的知名人士多有交情，能让他们举荐我，给我谋个职位，他愿意为我活动一下。我回绝了。我不愿意经人请托才能获准为自己的祖国而战。

和波普将军谈话后一两天，我回到加里那的家中，给陆军副官长写了下面这封信。

> 伊利诺伊加里那，1861 年 5 月 24 日寄
> 华盛顿特区，美国陆军副官长 L. 托马斯上校收
>
> 阁下：
> 我曾在正规军中十五载，其中四年蒙国家出资受西点教诲，深感为国效力乃不容推辞之责任。我愿以我绵薄之力效忠国家，直至战争结束。如能如愿，深感荣幸。以我之年纪与经验，如蒙总统信任，自认可胜任一团之长。
> 自总统第一次征兵令至今，我一直在州长手下负责组织我州民兵队伍。回信请寄伊利诺伊斯普林菲尔德，即可收到。
>
> 满怀敬意的
> 您顺从的奴仆
> U.S. 格兰特

信寄出后如石沉大海。我估计副官长本人可能根本没看到信，更不可能呈递给上级官员。战后，巴多将军听说了这封信，就向陆军部申请要一个副本，可是根本找不到这封信，也没有人记得见过它。我写信时没有留复件。很久之后，时任陆军副官长的汤森将军在整理文件准备搬办公室时，在一个谁也想不到的地方发现了那封信。信没有被销毁，但也没有按规定归档。

我在推荐自己做上校团长时有些犹豫，不知道自己是否能担当起这

个责任。但是我见过几乎所有从伊利诺伊征募来的团长，还有一些印第安纳的团长。如果他们能指挥得了一个团的话，我也一定会不辱使命。

召集完州立法委授权的最后一个团，我基本无事可做，就向州长请了一个星期的假，去肯塔基的卡温顿看望父母。那里和辛辛那提仅一河之隔。麦克莱伦将军那时已是少将，指挥部就在辛辛那提。我其实是想去找他。我在西点曾和他共事一年，后来又一起参加墨西哥战争，略有交情。我期望他能让我在他的参谋部供职。我接连两天去办公室找他，都未能见着，就回了斯普林菲尔德。

第三章
升任准将

我此次离开州首府期间，总统发出了第二次征兵令。这一次征召30万人，为期3年或整个战争时期。所有原来的州军都成了正规的联邦军。各级军官都已选好，编入正规军队时各自保有原职，只有两个例外。芝加哥第19步兵团团长是个过于年轻的小伙子。上战场前，该团要求重新任命一位团长，原团长任副团长。我在马顿集合的第21步兵团要求原来选出的团长不得担任任何职务，否则就不上战场。我虽然尚未回去，耶茨州长就已任命我为这个团的团长。几天之后，我上任了，率部队在斯普林菲尔德附近的集市扎营。

我的团里的士兵大部分是出身于体面家庭的年轻人。他们的父辈里有农场主、律师、医生、政治家、商人、银行家和牧师，几个年纪较大的自己就曾从事这些行业。当然也有意志不坚定、容易被引入歧途的人。原先选出的那位上校就是个鲁莽轻率之人，谁有什么坏习气都能沾染给他。据说他甚至把哨兵从岗哨上撤下，带他们一起到附近村子通宵达旦地寻欢作乐。如今开战在即，团里的士兵希望换一个人来领导他们。要在几天之内让所有人都规规矩矩不是件容易的事，但大多数人还是希望有纪律约束，于是我只略施军法，大家就严守军纪了。

志愿为州政府服役30天的那10个团当初曾承诺，在此期间如有需要将加入联邦军为国效力。但是，当时政府只要求他们服役90天，而现在却是3年或整个战时。他们认为服役期变了，自己就不必再遵守承诺志愿参军了。我初任团长时，第21步兵团仍在州服役期内。快到应征加入联邦军之时，不想留在军中的人相当多。伊利诺伊州的两位国会议员麦克勒南德和洛根来到首府，我被引见给了他们。我之前没见过这两人，但在报纸上读过很多有关他们的消息，尤其是洛根的消息。他们都是民主党的国会议员。洛根在伊利诺伊南部选区以18000票的优势打败共和党对手而当选。他的选区原先住的是南方来的移民，脱离风潮一起，他们完全和南方站在一边。战争刚一打响，就有人参加了南方军队，更多人摩拳擦掌蠢蠢欲动，还有一些人夜间骑着马四处声讨联邦。形势紧张得不亚于肯塔基或者

美国南北战争期间，麦克勒南德（右）陪同林肯总统（中）视察安蒂特姆河战场。摄于 1862 年

其他南北交界的蓄奴州，政府不得不派军队把守伊利诺伊南部的铁路桥，因为那是联邦军的必经之路。洛根在这个地区深得民心。在当地，他能叫得上教名的人都够组成一个普通规模的选区了。他的选民何去何从全看他的态度。共和党的报纸要求他明确自己在举国关注的问题上到底站在哪一边，一些报纸对他的沉默极尽嘲讽之能事。洛根不是一个一受到胁迫就去开口申辩的人，但他还是在总统就职后召开的国会特别会议休会前，做了一次演讲，表明他对联邦无限的忠诚与热爱。可惜我恰巧没有看到那篇演讲，所以我第一次见洛根时，对他的看法还停留在看到报纸对他的谴责时获得的印象。不过，麦克勒南德早早就表示坚决维护联邦，因此还获得了共和党报纸的赞扬。引见我们双方的人问我是否愿意让他

们两位给我的士兵做一次演讲。我犹豫了一下。再有几天，那些愿意服役 3 年或者整个战时的人就要应征加入联邦军，我不知道洛根的演讲会产生什么效果，但考虑到他是和麦克勒南德一起来的，而后者对这个全民关注的问题态度鲜明，尽人皆知，我同意了这个提议。麦克勒南德先讲，洛根后讲。洛根演讲中的激情与雄辩达到了他自己之后再未企及的高度。字字句句都洋溢着对联邦的忠诚与热爱，我的士兵一个个听得热血沸腾，只要还有人与国家为敌，就心甘情愿留在军中，誓与他们战斗到底。那些士兵几乎一个不少地加入了联邦军。

洛根将军回到选区，积极筹措征兵事宜。那些起初迫使政府要派兵把守伊利诺伊南部要道的人成了联邦的卫士。洛根自己也参军并任团长，

洛根将军和妻子玛丽·坎宁安·洛根、女儿玛丽·伊丽莎白·洛根、
儿子曼宁·亚历山大·洛根的合影。摄于 1870 年前后

很快擢升为少将。他的选区原先号称要与政府作对，现在却圆满完成了每一次征兵任务，从未动用过强制手段。等志愿参军者的人数达不到征兵要求时，政府也不再对那里征兵。那个选区至今在陆军部都享有很高的声誉，因为他们为国家输送的士兵远超过他们分内的任务。

我和我的团在斯普林菲尔德待到 7 月 3 日，此前我接到向伊利诺伊的昆西进发的命令。那时，全团官兵军纪严明，连队训练出色。斯普林菲尔德和昆西之间有直通的铁路交通，但我认为徒步行军是锻炼部队的好机会。我们没有交通工具运输营地和驻地的设施，就雇了马车于 7 月 3 日出发。任务并不紧急，但我们每天都坚持长途行军。渡过伊利诺伊河之后，我收到一封电报，说我们的目的地改为密苏里的艾恩顿；并要我们原地等候，伊利诺伊河上正有一艘轮船逆流而上，会把我们送到圣路易斯。我们好不容易等来了那艘船，但是却搁浅在我们营地下游几英里的沙洲上。我们原地等了几天，船都没能打捞上来。这时有消息说，伊利诺伊的一个团被叛军围困在密苏里的帕尔迈拉以西几英里处的汉尼拔至圣乔铁路上，命令我火速前去解围。我们乘火车几小时就到了昆西。

昆西一隅。摄于 19 世纪后半期

我离开加里那来接管第 21 步兵团的时候带上了当时年仅 11 岁的大儿子，弗雷德里克·D. 格兰特。接到乘火车到昆西的命令后，考虑到妻子可能担心孩子跟着我有危险，就给她写信说会让他从昆西乘船回家。她马上回信，坚决反对我的提议，并要我一定把他带在身边。但为时已晚，弗雷德里克已经坐上了密西西比河上一艘开往艾奥瓦州迪比克的航船，那里有铁路通往加里那。

当逐渐接近可能的"战场"时，我心里很忐忑不安。我几乎参加了墨西哥战争[①]中一个人所能参加的所有战役，但都是听命于人。如果别人是团长，我是副团长，我想那时我绝不会害怕。我们在昆西准备渡过密西西比河之前，我不安的心情得到了缓解，因为被围困的那个团七零八散地回城了。我猜想双方可能都吓破了胆，落荒而逃了。

我带着一团官兵到了帕尔迈拉，待了数日后，伊利诺伊第19步兵团来接替我们。我们从那里继续向盐河前进，河上的铁路桥已被敌军摧毁。约翰·M.帕尔默上校当时指挥伊利诺伊第13步兵团，负责保护重建桥梁的工匠。帕尔默资历比我深，因而我们在一起时由他负责协调指挥两个团。两周后桥修好了，我接到命令向托马斯·哈里斯上校进军。据说他的营地在一个叫佛罗里达的小镇上，在我们当时所处的位置以南约25英里。

那时我们没有运输工具，盐河地区人烟稀少，而我们团差不多有1000人，所以花了几天时间才找齐了车马和车夫运送营地和驻地的设施，再加上一周的供给和一些弹药。我做这些准备工作时得心应手，但是一上路看到家家户户空无一人，心情便再也轻松不起来了。我们行军的那25英里，无论男女老少，看不见一个人，只在一条和我们的行军路线交叉的路上看见两个骑马人。他们一看见我们立刻快马加鞭，撒腿就跑。我命令士兵保持队列，不许进入任何外出逃难的人家里，也不许拿人家的任何东西。我们晚上在路上就地歇息，第二天一大早就继续行军。哈里斯为了靠近水源一直把营地安在一条溪谷里。两岸群山耸立，可能有一百多英尺高。当我们快爬上一道山脊准备观察哈里斯营地时，一想到就要看见他的士兵严阵以待地迎战我们的情形，我的心就一点点提到了嗓子眼。

---

① 墨西哥战争以美国胜利而告终。通过这场规模不算很大的战争，美国夺取了墨西哥230余万平方千米土地，一跃成为地跨大西洋和太平洋的大国，而墨西哥丧失了大半国土，元气大伤，一蹶不振。——译者注

要是能让我回到伊利诺伊，让我干什么都行。可是我没有勇气违抗军令停下来考虑要怎么办，就闷头往前走。我们到了一个制高点，下面的山谷一览无余。地面上，哈里斯几天前安营留下的新近的痕迹清晰可见，但是军队已经不在了。我悬着的一颗心终于放了下来。我立刻就意识到：我惧怕哈里斯，哈里斯也同样惧怕我。我以前从未想到过这一点，但我此后永远谨记于心。从那时一直到战争结束，面对敌人我虽然多少会有些焦虑，但再也没有胆怯过。我深深知道我害怕敌手的军队，敌手也同样害怕我的军队。这个经验千金难买。

我们在那个叫佛罗里达的村子打探后得知，哈里斯上校一得知我的行军意图，就立刻一溜烟地撤走了，而我那时实际上尚在筹措车马，军队还在盐河寸步未动。他把两军的距离又拉开了40英里。我第二天开始返回盐河桥边的营区。住在我们行军路上的居民在我们走后都返回了家园，发现家中原封未动，什么也没少，就纷纷到大门口迎接我们。很明显，早前一定有人妖言惑众，说联邦军所到之处烧杀抢掠。

我们回到盐河桥不久就接到命令，让我带团到墨西哥镇去。波普将军统领着密西西比河和密苏里河之间属于密苏里州的所有区域，指挥部设在墨西哥镇。我负责指挥其中一个分区和邻近的部队，约有3个步兵团和一部分炮兵部队。我的驻地旁边有一个团归由我指挥。第一天晚上，我派人给他们的指挥官送去了口令和暗号。他为了不失礼，也派人把他们团当晚的口令给我送过来。当他得知我送给他的口令是要两团通用的时候，他还不明就里，认为那是一个团长在擅自干涉另一个团长的职权。显然，他认为我自恃毕业于西点军校，而对他这个不折不扣的民兵出身的团长居高临下地指手画脚。但问题很快就澄清了，我们再也没有任何矛盾。

我到墨西哥镇时，已有两三个军纪不严的团先我而到，士兵经常擅自闯入百姓家里大吃大喝，或者向他们要吃要喝。他们在营地以外也背着步枪，见人就要人家发誓效忠于政府。我立刻发出命令，禁止士兵在没有受到主人邀请的情况下进入百姓家中，禁止霸占私人财物挪作个人或者政府用途。军队不再骚扰百姓，百姓也不再担惊受怕。我在墨西哥镇的那段时间，受到了当地居民的最高礼遇。

至此，我的士兵除了在斯普林菲尔德至伊利诺伊河的途中训练过行军外，专业训练方面就只进行过连队训练，现在终于有机会进行全营的协同训练。我在西点时，军中使用的战术是司各特编写的，步枪是燧发式的。我的战术课在班上几乎垫底，毕业后再没看过一眼战术书。1846年夏天墨西哥战争时期，我被任命为团军需补给官之后，就再也没有参加

墨西哥战争是美国为扩张领土与墨西哥之间爆发的一场战争，通过
这场战争美国获得230余万平方千米的领土，一跃成为地跨大西洋
和太平洋的大国。图为墨西哥战争期间美军占领墨西哥城

过全营操练。现在，武器换了，战术也换成了哈迪的。我找了一本战术书，学了一课，打算现学现用，第一天的训练就只限于我刚学的那些指令。我想这么一天天学下去，很快就能把全书学完。

我们驻扎在紧挨城外的公共用地上，周围散落着一栋栋用围栏围起

来的花园民宅。我让士兵排成队列，骑马到前面一看才发现，我要是真打算按我刚学的内容下命令的话，就得拆几栋房屋，毁几道围栏才行。好在我马上就意识到哈迪战术仅仅是把法国人的东西翻译过来再冠以哈迪的名字，只是司各特战术体系加上一点儿常识和时代进步的产物。命令更加简化，动作更加迅速。在旧的战术中，几乎所有行进中的命令变化，都在前面加个"立定"，然后才是新的命令，后面再跟个"齐步走"。新的战术中，这些变动都可以在行进中完成。于是，我轻而易举地指挥士兵避开障碍到达预定地点。我相信团里的军官肯定没发现，我其实根本没学过我用的那一套战术。

第四章

在开罗设立司令部

我刚在墨西哥镇待了几周，就从圣路易斯的报纸上读到一则消息，说总统要伊利诺伊在国会的代表团推荐几名本州人士任准将，他们一致把我列为七位候选人之首。我对此很是惊讶，因为我前面说过，我和议员没有什么交往，真不知道我有什么才德让他们对我如此器重。第二天的报纸宣布说我和其他三个人的名字被呈递给参议院，几天后我们的任命获得批准。

我一被任命为准将，就想到应该从自己指挥的团里挑一名副官，所以就选了中尉 C.B. 拉戈。住在圣路易斯时，我曾在麦克莱伦、穆迪和希利尔的律师事务所里办公。因为成员间对时政意见不合，加上南北交界地区时局动荡，事务所最终解散了。那时希利尔只有二十来岁，才华横溢。我也邀请他到我的参谋部来任职。我还想从我的新家加里那找一个人。头一年秋天总统选举拉选票时，一个叫约翰•A.罗林斯的年轻律师崭露头角。他是全州口才最好的人之一，是支持道格拉斯的选举团的候选人。萨姆特的枪声一响，联邦的统一受到威胁的时候，他比谁都迫切希望能报效祖国。我马上写信请他来我这里做副官长助理，授上尉军衔。他当时正准备到伊利诺伊西北部的一个新兵团任少校。但他放弃了，接受了我的邀请。

对军人这个职业，希利尔和拉戈既不喜爱也不擅长。希利尔在维克斯堡战役期间辞去军职；拉戈在查塔努加一役后被我免除职务。罗林斯有生之年一直追随着我，战争结束前升为准将，任陆军司令总参谋长——这个职位是专门为他设立的。他不但有才干，而且行事果断。对于他认为不该答应的请求，回绝得很决绝，让对方立刻就明白再怎么软磨硬泡都是徒劳。罗林斯将军在其他方面也十分得力。我渐渐对他十分喜欢。

晋升后不久，我奉命带我的旧部伊利诺伊第21步兵团到密苏里的艾恩顿负责那里的一个区域。与此同时，另有几个团也被调往该地。艾恩顿在艾恩山铁路上，距圣路易斯以南70英里，四周遍布的丘陵几乎可以称得上山峰了。我大概是8月8日到的。B.格拉茨·布朗上校——后来任密苏里州长，1872年成为副总统候选人——当时在那里指挥。他的部

1872年，B.格拉茨·布朗竞选副总统时的海报，
右下角为B.格拉茨·布朗

下有些是服役期90天的志愿军，服役期早就满了。他们除了参军时的一身衣服之外再没有任何衣物，而那身衣服已经破破烂烂难以蔽体。哈迪

将军——那本我没有学过的战术书的作者——据说带着 5000 邦联军在往南 25 英里的格林维尔。这种情况下，布朗上校的部队士气低迷。只消一个骑兵中队就能冲进山谷，俘虏他的所有部队。所以布朗当时见到我时，比哪一次都高兴。我接替了他的任务，一两天之内让他的部下都退伍回乡了。

我到艾恩顿不满 10 天，就准备主动进攻格林维尔的敌军。我派了一个纵队从东出山谷，先往南再往西迂回到艾恩顿以南 10 英里的格林维尔路。又派了一个纵队走直路，然后在两个纵队的预定会合点扎营。我打算第二天早上出发亲自指挥行动。我和哈里斯在密苏里北部的经历让我信心十足。但是当晚，B. M. 普伦蒂斯将军乘火车来了，还带着接管该地区的命令。他的命令并没有解除我的指挥权，而且我知道照规矩我职位高，那个时候即使总统也没有权力让同级别中职位低者指挥职位高者。因此，我向普伦蒂斯将军交代了部队情况和局势，当天就去了圣路易斯。进攻格林维尔叛军的行动没有了下文。

我奉命从圣路易斯到州首府杰斐逊城担任指挥。上级认为邦联的斯特林·普赖斯将军威胁着首府、列克星敦、奇利科西和密苏里中部其他较大的城市。我发现杰斐逊城的部队很多，但是管理极为混乱，谁也不知道他们都在哪里。时任指挥马利根上校很勇敢，但是对自己军人的新职业没有受过任何训练，不知道怎么维持军纪。志愿兵从军区司令那里得到批准，或者号称得到批准，可以招募或团或营或连规模不一的军队，依其招募的人数确定其将被委任的职位。城里到处都是征兵站，门上贴着用拙劣的字体写成的告示，表明那里接收的兵种和服役期。法律规定所有志愿参军的人都应服役 3 年或者整个战争时期。但在 1861 年 8 月的杰斐逊城，服役期不一，条件各异。有 6 个月的，也有一年的，有的对于服役地点没有任何要求，有的要求必须在州内服役。招募到的基本都是驻扎在附近已经入伍的人。如果战争旷日持久打下去的话，他们本来就需要服役 3 年。

　　城里到处都是联邦的难民。他们被游击队逼得只好来联邦军这里寻求保护。他们的处境很可怜，如果没有政府的帮助一定会饿死。他们逃难时通常赶着一两辆联畜车，有时是一头骡子或者马领头的一架双轭牛车。车上除了衣物之外还扔着一点儿被褥和吃的。其他所有的财物不是被迫扔了，就是被老邻居们抢了；因为在密苏里，如果没有联邦军的直接保护，支持联邦的人要是叛乱期间还留在家里，就得不停地和邻居们做斗争。我下令停止征兵工作，把部队派到城市外围把守各个通道。杰斐逊城很快就恢复了正常秩序。

1860 年前后的杰斐逊城

　　我在杰斐逊城只待了几天，就奉军区指挥部之命到列克星敦、布恩维尔和奇利科西调集这些城市银行里的所有资金送到圣路易斯。西部的军队还没有配备交通工具。因此我们需要征用同情叛军者的车马，或雇用联邦拥护者的车马。这就给我们行军路线上有合适车马的逃难者提供了工作。他们也很愿意接受这项任务。部队一准备就绪，就马上往西行进了 20 多英里。在杰弗逊上任七八天后，除了一小支守军外，我把所有的部队都调集到了前驱位置。我准备第二天就去和部队会合。

可我还是没能打上仗。我闲坐在办公室门口只等时间一到就上前线，眼见来了一位级别甚高的军官。原来是杰斐逊·C. 戴维斯上校。我之前并没见过他，他给我看了一道让他到杰斐逊城接替我的命令，算是引见了自己。命令还要我速到圣路易斯的军区指挥部报到，接受重要的特殊任务，不得延误。只剩一小时，唯一的一趟火车就要开了。我就把我原来的命令都交给戴维斯上校，匆忙交代了军区指令已经实施到了哪一步。我当时只有一个参谋，本应该由副官长承担的所有细节工作都是自己完成的。交出指挥权一小时，我就独自上路了，留下我唯一的参谋第二天带上我们的马匹行李赶过去。

我第二天接到的"重要的特殊任务"是指挥密苏里州东南部地区，包括伊利诺伊州南部和密苏里州圣路易斯以南的所有区域。我需要先亲自指挥一次联合行动，抓捕杰夫·汤普森上校。他和南北方都没有关联，是个独立的游击司令，正在和我们争夺密苏里东南部地区。艾恩顿的部队被调往位于东南方六七十英里处密西西比河上的开普吉拉多；开普吉拉多的部队被调往艾恩顿方向 10 英里处的杰克逊维尔；而开罗和俄亥俄河与密西西比河交汇处的伯德角的部队时刻做好准备，等指挥官一到位就行进到密西西比河下游 18 英里处的贝尔蒙特，再向西进军。我就是被委派的指挥官。行动完成后，开罗 ① 就成了我的指挥部。

执行命令期间，我把临时指挥部设在了开普吉拉多，指示杰克逊的指挥官，如果普伦蒂斯将军从艾恩顿过来的话就通知我。雇来的车马日夜兼程往杰克逊运送更多的给养，供给要从那里出发的军队。普伦蒂斯将军和在杰克逊的马什上校都不知道自己的目的地。我把行动指令都拟好放在衣服口袋里，专等各路部队在杰克逊会合。我到开普吉拉多两三天后，传来消息说普伦蒂斯将军正在靠近杰克逊。我马上过去和他碰面，向

---

① 开罗是美国伊利诺伊州亚历山大县的一座城市，位于伊利诺伊州最南端，是该州海拔最低的地方，也是该州唯一一个被防洪堤环绕的城市。——译者注

他下达命令。可是我出门刚转过第一个街角，就看到一列骑兵在前面的街上列队行进。我掉头从另一条路绕过去想从前面截住他们。领头的是普伦蒂斯将军本人，带着一大群护卫。他把部队留在杰克逊过夜，自己到开普吉拉多来，并命令他们第二天早上也赶过来。我向他下达了命令，要他留在杰克逊。但他自认资历比我深，却要听命于同是准将的我，感到愤愤不平。我在斯普林菲尔德做没有任何级别的征兵官时，他已经手握指挥权在开罗当旅长了。但我们是同时被提名到美国联邦军任职，委

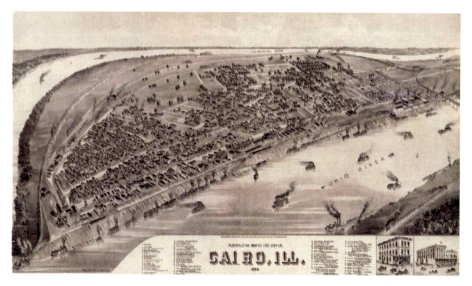

1885 年的开罗全景

任状都是 1861 年 5 月 17 日颁发的。鉴于我过去在军中的职位，照规矩说，我比他职位高。普伦蒂斯将军没有向部队下达留在杰克逊的命令，第二天一大早就有人来报说他们正在靠近开普吉拉多。我勒令他去拦截部队，把他们带回杰克逊。这一次他服从了命令，但率部回到杰克逊后就和部下告别了。他到圣路易斯去接受处分。这次行动就此夭折。不过也没造成什么损失。杰夫·汤普森连个名义上的指挥部都没有，来去自如。只要能避免和强敌硬碰硬，在阿肯色和密苏里对他没有什么区别。而普伦

蒂斯被发配到了密苏里的另一个地区。

　　普伦蒂斯将军在上述行动中犯了一个巨大的错误，若是在战争后期他肯定不会犯这样的错误。我对他有了进一步了解后，对此事感到深深惋惜。因为这个错误，当主要战役在西部打响的时候，他身处战场却不能领兵打仗。他的下级得到了晋升，而他却待在不可能有所建树的地方。他参加过墨西哥战争，在密苏里东南部地区，他的职位本应仅在我一人之下。身为军人，他既勇敢又诚挚。军中再没有人比他更真心实意地投身于我们所战斗的事业；没有人比他更愿意为此做出牺牲甚至献出生命。

　　9月4日，我把指挥部搬到开罗。当时理查德·奥格尔斯比上校正负责指挥该地。我们以前并没见过面，至少我记忆中是这样。我获得晋升后，从纽约订制了准将军服，但是还没收到，就暂时穿着日常的便装。上校的办公室里挤满了人，大多是从邻近的密苏里和肯塔基来诉苦或请求关照的。介绍我时，他显然没听清楚我的名字。因为当我从他的桌上拿起一张纸，写下我就任密苏里东南部司令、同时要他到伯德角指挥的命令，交到他手里时，他脸上惊讶的神情仿佛想找人指认一下我的身份。不过他还是忍住疑虑把办公室让给了我。

　　我在开罗就任指挥后的第二天，一个自称是弗里蒙特将军的侦察员

1856 年美国总统大选期间的一幅海报：弗里蒙特作为开拓者，引领美国人在落基山上种植

的人找到我。他说自己刚从密西西比河下游20英里处肯塔基一岸的哥伦布来。有邦联军已经从那里出发，或者即将出发去占领田纳西河口上的帕迪尤卡①。事不宜迟！我向军区指挥官发电报报告我得到的情报，并说我要在当晚采取行动，赶在敌人前面占领那个军事要地。开罗停靠着大量轮船，城里有大群船夫。只几小时的时间，船上就配备齐了各类人员，装好了煤，呼呼冒着蒸汽。部队也按照命令上了船。开罗距帕迪尤卡约有四十五英里。我不希望6号天亮之前到达目的地，所以命令船只先在河边停靠。我的第一封电报没有回音，就又给军区指挥部发电报，说如无进一步命令，我将于当晚向帕迪尤卡进军。依然没有回音。我们就在午夜前出发，第二天一大早抵达，比敌军先到了可能6到8小时。幸好攻打杰夫·汤普森的行动没能成行，否则敌军就会占领帕迪尤卡，筑起防御工事，那就得不偿失了。

联邦军进入帕迪尤卡的时候，城里的居民大惊失色。我后来再没见过他们脸上有那么惊愕的表情。男女老少一出门看到我们这些不速之客，个个脸色苍白，惊恐万状。他们本以为叛军要来。实际上，差不多有4000名从哥伦布来的士兵当时正走在占领帕迪尤卡的路上，距那里不到15英里。我只有两个团和一个炮兵连，但是敌人不知道我的底细，又退回了哥伦布。我把部队派到最佳位置，把守通向城里的各条道路，派炮舰把守水域阵地，中午就安排妥当，准备回开罗了。但是离开之前，我向帕迪尤卡的市民印发了一则简短的公告，向他们保证我们是怀着和平目的前来保护他们不受国家敌人的伤害，任何人只要愿意都可以在政府的保护之下继续自己的日常工作和生活。这显然给他们吃了一颗定心丸，但大多数人还是更想看到叛军部队进城。我迅速派开普吉拉多的部队增援帕迪尤卡。一两天后，战绩辉煌的C.F.史密斯将军来开罗报到，被派往

---

① 帕迪尤卡属于肯塔基州，是当年杰克逊购买的最大的城市和麦克拉肯县县治所在地，位于田纳西河和俄亥俄河汇合处。——译者注

田纳西河口的帕杜拉，指挥那里的哨所。很快，那里建起了牢固的工事，一支分遣队还占领了坎伯兰河口的史密斯兰德。

当时，肯塔基州政府在情感上倾向叛乱，却又想在南北之间保持中立，保有独立的武装力量。州长貌似真心认为该州有充分的权利保持中立。叛军已经占领了州里的两座城市——密西西比河上的哥伦布和希克曼；

19 世纪后半期的哥伦布市的市中心

就在联邦军从俄亥俄河进入帕迪尤卡时，一位邦联将军——劳埃德·蒂尔曼——正带着他的参谋和一小支分遣队从另一个方向往城外溜。与此同时，就像我前面提到的，约 4000 人的邦联军踏着肯塔基的土地，走在攻占那座城市的路上。但是，在州长和与他有同样想法的人眼中，这并不意味着联邦军有权踏上肯塔基的领土。我将我的行动告知该州的州议会，得到了大多数的支持。我回到开罗之后，才看到军区指挥部对我在"如自觉兵力足够"的前提下占领帕迪尤卡的授权，但是很快就又收到指挥部对我私自联络州议会的斥责，并警告我下不为例。

　　我坐镇开罗不久，弗里蒙特将军参与安排5月杰克逊营战俘的交换事宜。我接到命令说，只要证件齐全就让他们穿过我的阵地到哥伦布去。这些战俘中有相当一部分我在战前就有私交。有些老相识太熟了，我就在指挥部接待了他们，同时还照常进行着手头的日常工作。其中一次，有几个人在我办公室，我提到第二天要到开普吉拉多视察军队。但后来临时有事耽误了行程。第二天，一艘政府雇用的轮船从开罗上游大约20英里的地方经过时，被一小队有护航的叛军炮兵逼停。一名我前一天在指挥部接待过的少校立刻跳上船，四处搜索未果后直接勒令把我交出来。他怎么都不相信我没在船上。那位军官是圣路易斯的巴雷特少校。我战前就和他认识。

第五章
进攻贝尔蒙特

从占领帕迪尤卡到 11 月初这段时间，我指挥的部队没有什么重要的事情。我不断得到增援，士兵为必将发起的战斗进行着操练。到 11 月 1 日为止，我指挥的士兵超过了两万人，大多受过良好的训练，数量相当的条件下，能对付得了和他们一样没有打过仗的新手部队。这么久都没能真正打一仗，他们有些坐不住了，一听见敌人的枪声就想要出去打仗。有一两次，我请求允许率部进军哥伦布。刚占领帕迪尤卡的时候，我们能迅速攻陷哥伦布，但是到了 11 月，那里已经有了坚固的防御工事，需要大量兵力长时间围攻才能夺下。

10 月下旬，弗里蒙特将军亲自坐镇指挥，离开杰斐逊城去攻打在密苏里屯有重兵的斯特林·普赖斯将军。大概是 11 月 1 日，军区司令部命令我在密西西比河两岸虚张声势，拖住哥伦布的叛军。我的部队还没出发，司令部又告知我圣弗朗西斯河上有约 3000 名敌军，离开罗往西或西南 40 英里，命我再派一支部队对付他们。我立即派奥格尔斯比上校带领充足兵力前去迎敌。5 日，司令部再次传来消息说，叛军准备从哥伦布派遣一大批军队经水路沿密西西比河而下，再经阿肯色州的怀特河溯流而上增援普赖斯，命我阻止敌人的此次行动。我于是从伯德角调遣 W.H.L. 华莱士上校的一个团赶去增援奥格尔斯比，并命其前进到位于哥伦布以南密苏里一岸的新马德里。同时，我派 C.F. 史密斯将军从帕迪尤卡抽调所有可用的兵力正面进攻哥伦布，但命他们在距目标几英里处等候进一步的命令。然后，我调集开罗和霍尔特堡的所有兵力，只留下必要的警卫，派两艘炮舰护航，用轮船送他们到下游去，我也同时前往。我的军队刚超过 3000 人，有 5 个步兵团、两门大炮和两个骑兵连。我们于 6 日到了离哥伦布不足 6 英里的地方，在肯塔基一岸留了几个人，建立起警戒哨负责与帕迪尤卡的军队联络。

我没有接到任何打算让联邦军发起进攻的命令，我自己从开罗出发时也没有此类想法，但是出发之后，我注意到官兵上下因为终于有机会去做自己志愿去做的事情——与国家的敌人斗争——而兴高采烈。如果我们回开罗时依然一枪没放，我真不知道该怎么稳定军心、维持官兵的士气。但是哥伦布不仅防备森严，守军数量也比我的军队多得多。因此，进攻那里行不通。7 日凌晨两点，我得知敌军正从哥伦布渡河到西岸，估计是追击奥格尔斯比。我知道贝尔蒙特有一个邦联的小营区，与哥伦布一河之隔，我立刻决定向河下游进军，在密苏里一岸登陆，攻占贝尔蒙特，一举端下这个营地得胜而归。于是，我立刻把哥伦布上游的警戒哨全部召回，天亮时分，我们走水路出发。一小时后，我们在密

南方邦联军的一个士兵，可以看出南北战争期间邦联方面的单兵装备

西西比河西岸登陆，刚好在哥伦布的炮台射程之外。

哥伦布对面的河西岸地势低洼，有些地方还有沼泽和泥潭。那里土壤肥沃，树木长得粗壮又稠密。我们的登陆地点和贝尔蒙特之间有几处空旷的地方，但是大部分区域都覆盖着茂密的原生树林。我们在一片玉

米地前登陆。同时，我带了一个团到下游去，作为警戒预防敌军突袭。那时，我还没有可以信任的参谋代我做这件事情。我在空地下游不远的树林里找到一片洼地，当时是干燥的，但水位高涨时就会变成泥沼或者支流。我把他们安排在低洼处，指示说如无后续部队接替就不得离开。这支队伍和炮舰要保护好我们的运输船。

那时，敌人显然还有没有明白我们的意图。当然，他们从哥伦布能看到我们的炮舰和满载着士兵的运输船。但是帕迪尤卡的军队正从陆路威胁着他们，如果哥伦布是我们的目标的话，我们决不会让一条宽阔的河流分散我们的兵力。他们一定觉得我们是打算调虎离山，把东岸的大股兵力吸引过来，然后从东岸登陆，趁他们分散的兵力还来不及会合，去突袭哥伦布。

大约8点，我们从登陆点出发，从侧翼迂回。如此行进了一英里或一英里半，我让军队停在一处前方有茂密树林遮蔽的沼泽地带，然后派出大量兵力打头阵。这时，敌人发现我们正在接近贝尔蒙特，就派出部队拦截我们。我们刚刚列队出发，就与敌军的散兵交上了火。战斗越来越激烈，打了差不多4小时，敌军抵挡不住逐渐被逼回了营地。战斗刚开始，我的战马就中了枪，不过我从参谋那里又找了一匹，和先头部队一起顺利挺进到了河边。

贝尔蒙特的官兵那时是第一次打仗。打到叛军营地之前，他们的表现完全可以和有经验的老兵相媲美。但现在，他们被胜利冲昏了头脑，没能将胜利的成果最大化。敌人一直被追得很紧，逃到营地周围的空地后，就匆忙翻过河堤躲了起来。河堤既挡住了我们的子弹也挡住了我们的视线。敌军最后关头仓皇撤退，人工防御只剩下了鹿角栅，联邦军几乎如入无人之境。于是，我们的士兵一到敌营就扔了武器，开始在帐篷里搜寻战利品。有些高级别的军官也和二等兵一样缺乏见识，骑着马在一小撮人群间跑来跑去，每到一处一定要为联邦事业和部队功绩歌功颂德一番。

此间，我们打了4小时的敌军正蜷缩在堤岸下，只消一声令下，就会乖乖过来投降；但他们发现我们并没有追上去，就逐渐往上游移动，翻上堤岸挡在我们和运输船之间。这时，我还发现两艘轮船正从上游的哥伦布向西岸驶来，黑压压——或者说灰压压一片，从锅炉甲板到最顶

贝尔蒙特战役中，两艘轮船驶向贝尔蒙特

层密密麻麻满是士兵，而我的一些手下正用缴获的大炮射击河下游射程之外的空船，每放一炮就欢呼雀跃。我努力想让他们朝上游不远处载满士兵的轮船开枪，但完全是徒劳。最后，我只好命令参谋们在营地放火，这引来了哥伦布制高点的敌炮火力。他们之前不开炮，可能是怕伤到自己人，或者他们可能认为营地还在友军手里。几乎与此同时，被我们赶到河岸下的那群叛军也排好队列拦在我们和运输船之间。有人惊呼"被包围了"。敌军的炮火和被包围的消息终于让官兵上下恢复了秩序。有几个军官起初似乎认为一被包围就无路可走了，除了投降做什么都无济于事。但我大声提醒说我们既然能打进来，就同样能打出去，官兵们这

才恍然大悟。他们马上排好队列向我们的船靠拢，还是刚才先打入敌营的那些人打头阵。我们很快就遭遇了敌军，不过他们这次的抵抗很弱。邦联的军队又躲到河岸下去了。但是，我们不能追击，因为我们刚才看到渡河的那支军队已经上岸，离我们的船比我们还近。还是先上船比较稳妥，好在我们回去的路上再没有受到阻挠。

战斗刚开始，我们的伤员就陆续被送到登陆点附近的后方民房里。现在，我又派部队把伤员转移到船上。安排妥当，我没带参谋孤身一人骑马出去查看我布置在通往运输船必经之路上的岗哨。我知道从哥伦布渡河过来的敌人数量众多，很可能在我们上船的时候袭击我们。这个岗哨会最先和敌人遭遇，因为有天然的战壕做屏障，应该能把敌人拖上很长一段时间。但战壕里竟然空无一人。我大吃一惊，策马回去才发现他们的长官在主力回撤的时候把自己的人也撤回去了。我起初命令哨兵们回去，但发现要把他们集合起来再到原来的位置去，太费时间，就收回了命令。不过，我担心我们之前看到在下游渡河的敌军可能会悄悄突袭，就又独自一人骑马赶到我们前方的庄稼地里，侦察敌军是否从那里经过。那片庄稼地种满了高大粗壮的玉米，除非顺着田垄方向看，否则人即便骑在马背上视线也会被遮得严严实实。但因为玉米叶纵横交错，即便顺着看，也看不了多远。我走出不到几百码就看见一队人马从离我不足50码的地方经过。我观察了一会儿，悄悄掉转马头往河的方向走，等我觉得敌人已经看不见我的时候赶紧快马加鞭。到了岸边，我还要再跑几百码才能登上最近的一条船。

我们船前面的玉米地尽头有一片茂密的树林。我还没到船跟前，敌人就进了林子，对着我们的船噼噼啪啪放起了枪。我们的部队，除了派去转移伤员的人，要么已经上了船，要么就在船跟前。那些没上船的一上去，船就开了。我是联邦军里唯一一个滞留在叛军和运输船半路上的人。幸好，一艘船已经离岸但还没发动起来，船长认出了我，命令轮机员不要开动蒸汽机，又命人伸给我一块跳板。我的马好像明白当时的情势似的，那里没有路通到河岸下面，熟悉密西西比河的人都知道，那条河的堤岸陡得几乎是垂直而下，然而，不用我催，我的马就毫不迟疑地把两只前蹄迈出河沿，后腿用力扒地往下滑，然后沿着狭长的跳板快步跑上那艘离我们12或15英尺远的船。我飞身下马，赶紧跑上了甲板。

战斗过后，格兰特部乘船撤退

1861年11月7日的密西西比河水位很低，人即使站在轮船的甲板上，头顶也高不过河岸。叛军离河岸还很远，所以他们的子弹都打在空中，对我们造不成什么伤害。虽然我们的烟囱上弹痕累累，但船上受伤的只有3个人，两个是士兵。我跑上甲板，先到了跟驾驶舱挨着的船长室，一屁股坐进沙发里。但我刚一坐下，马上又站起来去甲板上观察情况。我还没出门，一颗子弹飞进房间打穿了沙发顶，最后嵌在了沙发腿里。

敌人朝我们的运输船开枪，我们的炮舰也猛烈地还击。炮舰在下游的河中央，只需稍稍上抬炮口就能打到河岸上，从他们的位置几乎可以纵射玉米地里列队行进的敌军。炮舰的杀伤力很大，我们不仅当时亲眼所见，事后也得到了肯定的证实。我们很快就驶出了敌人的射程，顺利回到开罗，大家都觉得我们在贝尔蒙特打了个大胜仗，功劳人人有份。

我们有 485 人在贝尔蒙特死伤和失踪，125 名伤员落入敌手。我们俘获了 175 名俘虏和两门大炮，另毁坏了 4 门大炮。据官方通报，敌军的死伤和失踪人数是 642。除去船上留守的卫兵，我们约有 2500 人参加战斗。敌方有 7000 人参战，不过其中包括哥伦布调过来的军队，实际并未参与第一阶段的贝尔蒙特保卫战。

我们完全实现了贝尔蒙特之战的两个目标。敌人不再图谋从哥伦布派兵。在那个战争阶段，他们的损失算是十分惨重。哥伦布城里，到处都有人在四处寻找死伤的亲人，准备带回家治疗或者安葬。我后来进一步南下时了解到，贝尔蒙特是南方当时最惨烈的一仗。联邦军却因为贝尔蒙特而树立了自信，并在战争中一直保持着这种信心。

贝尔蒙特之战中被打死的邦联士兵

　　战斗后的第二天，我会见了波尔克将军手下的几名军官，就安葬我方在贝尔蒙特的阵亡官兵和交换战俘事宜进行谈判。我方人员去安葬亡者时，被带到敌军与我们的运输船交战地点的下游上岸。几名军官表示希望到战场上看看，但遭到了拒绝，理由是那里没有我们的人阵亡。

　　在停战船上，我对一位在西点和墨西哥战争中都共事过的军官说，他们的军队穿过玉米地时，我就近在咫尺；我当时骑着马，穿着普通士兵的军装。这位军官是波尔克将军的参谋。他说他和将军其实都看到了我，波尔克还和手下的人说："那儿有个北方佬；你们愿意的话可以练练准头。"但是谁也没有朝我开枪。

　　贝尔蒙特之战遭到北方的严厉批评，被斥为全无必要的战斗，毫无战果，也根本就不可能有战果。但是如果不打这一仗，奥格尔斯比上校和他的 3000 人马很可能会被俘或者战死。如果那样，我就真是个有罪之人了。

第六章

攻下亨利堡

在开罗时，我经常有机会与驻守哥伦布的叛军军官会面。他们似乎很喜欢坐着挂着停战旗的轮船到上游来。我自己也以同样的方式到下游去过两三次。我们看到他们的船挂着白旗过来的时候，霍尔特堡下游的大炮就会开一炮，炮弹从船头横飞过去，表示不许再往前走了。然后，我就乘船带着参谋，有时还有几个军官到下游去接待他们。对方有几个军官是我在西点和墨西哥就认识的。个个都是职业军人，既受过学校教育又有实战经验，而实战比任何训练都更能锻炼人。看着他们，我深深体会到南方在叛乱之初相对北方的优势之大。南方拥有全国受过职业训练的士兵的三到四成。南方没有常备军队，因此这些人需要在州军队里自己谋一份工作。这样一来，军事教育和训练就在全军普及开来，整个部队的素质都得到了提升。

北方也有众多受过教育和训练的职业士兵，但大部分都在常备军队里，保有过去的部队和级别，这种状况一直到战争进行了好几个月才有所改变。波托马克的陆军部队有一支"正规旅"，从指挥官到最年轻的少尉，全都受过专业训练。很多炮兵中队也是如此，通常每个中队4名军官，个个都是职业军人。开战之初，这些人在战场上有时还需听命于没有受过任何军事训练的师长。这种状况让我产生了一个想法，我在开罗曾经提到过，即政府应该解散常备军，只留下参谋部，并告知被解散的军官，除非参加志愿军，否则在战争期间不会有任何薪俸。他们的军籍会继续保留，但战争结束时没有参加志愿军的军官将被除名。

11月9日，即贝尔蒙特战斗后两天，H.W.哈勒克少将接替弗里蒙特将军指挥密苏里军区。他的管辖范围包括阿肯色州和坎伯兰河①以东的肯塔基州西部地区。从贝尔蒙特战斗直至1862年2月初，我的部队一直在为迎接必将到来的长期斗争做准备，此外别无动作。

敌人当时占领着密西西比河上的哥伦布至肯塔基境内的鲍灵格林和米尔斯普林斯一线。这些地方都防御严密，田纳西州界附近的田纳西河和坎伯兰河上的据点也是戒备森严。田纳西河上的工事叫海曼堡和亨利堡，坎伯兰河上的叫多纳尔森堡。在这几个地方，两河相距不超过11英里。而每处的散兵壕向外至少伸出两英里远，所以这几处工事实际相距只有7英里。这些据点对敌人极其重要；当然，相应地，对我们也同等重要。如果亨利堡在我们手中，我们就能自由通航到穆斯科尔肖尔斯。而孟菲斯至查

1850年前后的孟菲斯

---

① 坎伯兰河全长1106千米，由普尔河和克洛弗河在美国肯塔基州南部坎伯兰高原汇合而成，蜿蜒流经田纳西州北部，复在肯塔基州史密斯兰德附近汇入俄亥俄河。——译者注

尔斯顿铁路在密西西比的东波特与田纳西河交汇，并一直沿河岸通向前述地点。这条路对敌人极其重要。但一旦亨利堡落入我们手中，它就无法发挥联运的作用。而多纳尔森堡是通往纳什维尔——一个具有重大军事和政治重要性的地方——和肯塔基最东部富庶之地的门户。如果我们占据了这两处要塞，敌人就不可避免地被逼退到孟菲斯至查尔斯顿铁路，或者只能待在产棉州的地盘上，因为，就像前文所说，那条铁路已经失去了联运作用。

哈勒克上任后，我的管辖区域发生了变动，从密苏里东南部变到开罗地区；C.F. 史密斯将军在田纳西河口和坎伯兰河口的一小块辖区也被划归

战争初期联邦方面军官的画像，其中坐者后面右二为哈勒克

我管辖。1862 年 1 月初，麦克莱伦将军通过军区司令命令我为唐·卡洛斯·比尔准将进行侦察。比尔是俄亥俄军区的司令，指挥部在路易斯维尔。他那时在鲍灵格林遭遇 S.B. 巴克纳将军率领的一支邦联军，敌众我寡。比尔即将对故军有所行动，派我出去虚张声势，阻止哥伦布、亨利堡和多纳尔森堡派兵增援巴克纳。我立刻命令史密斯将军派兵到田纳西河西岸，

威胁海曼堡和亨利堡；同时，派麦克勒南德带领 6000 人去肯塔基西部，一路人马威胁哥伦布，另一路威胁田纳西河。我和麦克勒南德的部队一道走。天气很糟糕，雨雪交加，当地本来路况就差，那时更是举步维艰。我们一个多星期都是踏着泥泞，头顶雨雪，艰难前行，士兵们吃了很多苦。但我们成功实现了行动目标。敌人没有向鲍灵格林派援军。我们还没回去，乔治·H. 托马斯将军就赢得了米尔斯普林斯战斗的胜利。

这次行动后，史密斯将军报告说他认为占领海曼堡是可行的。这处要塞地势高，能完全俯视河对岸的亨利堡。占领了海曼堡，再有炮舰相助，

1840 年的亨利堡，威廉·亨利·巴特利特绘

亨利堡唾手可得。史密斯的报告印证了我此前的观点，即我军真正的战线应该在田纳西河和坎伯兰河。我们如果打到那里，敌人就不得不向东西两面撤退，而完全退出肯塔基州。1 月 6 日，接到这次行动命令之前，我曾请求允许到圣路易斯去面见军区司令。我的意图是当面向他提出作战计划。既然我的观点得到了像史密斯将军那样杰出的将领的印证，我

就再次提出到圣路易斯去，报告我认为重要的军事问题。我的请求得到了批准，但会面并不融洽。我在旧军队中和哈勒克将军没什么交情，在西点和墨西哥战争时都没见过面。他见我时态度十分冷淡，可能我都没能清楚地表达我此行的目的。我还没讲几句就被打断了，好像我的计划十分荒谬似的。我垂头丧气地回了开罗。

舰队司令富特指挥着开罗附近的一小支炮舰舰队，尽管军种不同，但仍归哈勒克将军统领。我们讨论军事事务时畅所欲言，他也同意我的观点，认为在田纳西河上作战是完全可行的。因此，尽管直接上级不同意，我还是在1月28日发了一封电报，"如批准，我能攻陷并守住田纳西河上的亨利堡"，重申我的建议。这一次我得到了舰队司令富特的支持，他也发了一封内容相似的电文。29日，我打报告全力支持这个提议。2月1日，我得到军区指挥部进攻亨利堡的全套指令。2日，行动开始。

1862年2月时，开罗下游的密西西比河封航，所以大量无事可做的轮船停靠在开罗。城里也聚集着很多在河上谋生的各色人等，从船长到

南北战争期间，开罗是联邦军的重要后勤基地。图为工会协助军队装载物资

普通水手一应俱全。但是即使这样，要一次性把我计划带到田纳西河上的17000人送走，船和人手都依然短缺。不过，我仍然把一多半的部队先送上了船，派麦克勒南德随行指挥。我乘后续船只出发，发现麦克勒南德非常及时地停靠在距亨利堡9英里处。舰队司令富特率领7艘炮舰为先遣部队护航。我们的运输船还要返回帕迪尤卡接由C.F.史密斯指挥的一个师。

运输船返回之前，我想让部队在保证处于敌人射程之外的前提下尽量靠近敌军。有一条河从东岸注入田纳西河，注入点恰好差不多在堡垒下游远程射程处。那里有一条狭窄的分水岭，将田纳西河和坎伯兰河分开。那条小河平时一定很不起眼。但我们2月到的时候，那里水流湍急。如果我军能在小河的南岸登陆，对我们围攻亨利堡将是莫大的帮助。为了验证这个想法是否可行，我登上埃塞克斯号炮舰，请威廉·波特舰长指挥，到堡垒附近吸引火力。我们驶过河口很长一段距离后，堡垒开始向我们开火，炮弹落在离我们很远的地方。我正打算回去把部队带到小河北岸，突然，敌人用膛线炮朝我们射击，炮弹不仅越过我们，甚至还越过了小河。一颗炮弹从离我和波特舰长很近的地方飞过，击中船尾附近的甲板，穿透船舱，落在了河里。我们马上掉头，部队在河口以南登陆。

部队登陆后，我和运输船一起返回帕迪尤卡，抓紧时间运送余下的部队。我五日随先头部队回来，余下的乘轮船以最快的速度随后跟来。5日夜里10点，部队尚未集结完毕。但我急着要尽快开始行动，以防敌人加强防御，于是我下令6日上午11点发起进攻。我觉得到那时部队应该能集结完毕。

亨利堡位于河流的转弯处，水上炮台的火力可以直扫河面。堡垒外的营地有战壕围护，散兵壕和外围工事沿多纳尔森和多佛方向的道路向外延伸出两英里。堡垒和营地守军约2800人，又有多纳尔森的大批援兵在几英里外待命。堡垒里有17门大炮。河水水位很高，岸边除了陡峭的崖壁全都被水淹没。亨利堡脚下的一部分地面淹在水里两英尺之深。下游的河水漫进东岸几百码远的森林。西岸的海曼堡地势较高，俯视着亨利堡。亨利堡到多纳尔森只有 11 英里。这两处要塞十分重要，敌人洞悉势态后，自然会调集所有可用兵力增援亨利堡。我们必须马上行动。

预定计划是部队和炮舰同时出发。部队围攻守军，炮舰近距离攻击堡垒。史密斯将军率领一个旅 5 日晚登陆，设法绕到海曼堡后方。

亨利堡战役。柯里尔和艾伍兹绘

军队和炮舰在预定时间出发了。史密斯将军发现海曼堡守军已经撤离了。炮舰很快就和水上炮台开始了近距离交火。但是因为森林茂密，而且原本在枯水季节根本构不成障碍的河床被淹在了深深的水底，所以预备进攻亨利堡的部队无路可走耽误了行程。但这丝毫没有影响战斗的结果。蒂尔曼一看见我们，就把所有人撤到了通往多佛和多纳尔森的道路上的外围工事里，以保持在我们的海军射程之外，只留下大概 100 人在堡垒里操纵大炮；还没等我们 6 日发起进攻，他就命令手下都撤到多纳尔森。他在随后的报告中说这些防御工事完全是为了给部队留出时间逃跑。

蒂尔曼和他的参谋及另外 90 人一起被抓住。同时缴获堡垒里的武器弹药和那里的所有军备物资。我们的骑兵往多纳尔森方向追击撤退的敌军，捡到两门大炮，抓到几个掉队的士兵，但是敌人早就跑了，除了这几个掉队的，追兵再没看到任何敌人。

　　所有参战的炮舰都多次中弹，但是除了"埃塞克斯"号，损失并不严重，只需稍微花点儿钱就能修理好。"埃塞克斯"号的蒸汽锅炉被炮弹击穿，引起爆炸，死伤 48 人，其中 19 人是派去与海军协作的陆军士兵。战争期间，有几次海军船上配备的人员数量不足以胜任任务，我们进行了这种跨兵种派遣。亨利堡攻陷后，应我的要求，费尔普斯舰长指挥铁甲舰卡龙德莱号沿田纳西河彻底摧毁了孟菲斯至俄亥俄铁路桥。

第七章
围攻多纳尔森堡

我向军区司令报告了我们在亨利堡取得的胜利，并说将于8日进攻多纳尔森。但是大雨连绵，糟糕的路况使大炮和马车队无法通行，并且没有炮舰护航就贸然前进也实属不妥，至少是缺了一部分很宝贵的可用兵力。

7日，即攻占亨利堡的次日，我带领参谋和不到一个团的骑兵到多纳尔森工事外围一英里处进行侦察。我在墨西哥就认识皮洛将军。就我对他的了解，给我再少的兵力，我都能逼近到他的战壕射程之内。我当时对我的参谋官们如是说。我知道弗洛伊德是指挥，但他不是行伍出身，我判断他会依从皮洛的建议。如我所料，我在侦察过程中没有遇到任何阻挠，除了了解沿途和多纳尔森堡附近地形，我还发现有两条路可供行军，一条通往多佛，另一条通往多纳尔森。

多纳尔森堡在多佛以北两英里的河下游。1861年时，这个堡垒占地约100英亩。东临坎伯兰河，北面希克曼河——一条当时因为坎伯兰河水回流而变得又深又宽的小河，南接另一条流入坎伯兰的小河，或者叫山涧，同样因为河水倒灌而涨得很高。堡垒位于一块高地上，有些地方甚至高出坎伯兰河100英尺。敌人把峭壁凿开，将水上炮台建在其间，给重炮提供了强大的保护。堡垒西面是一排散兵壕，最远处距河两英里远。这排散兵壕基本沿高地的脊部排列，只有一处跨越一条在村庄和堡垒之间流入坎伯兰河的溪谷。这个战壕带内外部的地面都崎岖不平，林木密布。

散兵壕外围很大一片区域内的树都被敌人砍倒，树冠朝外倒在战壕外。树枝被削尖，在战壕前形成一道鹿角栅。战壕带外面，约半条战壕带长度的地方，是一条南北走向的山涧，在堡垒北面流入希克曼河。山涧紧邻工事的一面全是长长的鹿角栅。

战前，多纳尔森堡的地形及部署情况

我刚从开罗动身，哈勒克将军就发动各处兵力增援我。亨特将军从堪萨斯给我派来大批援军，比尔军中的纳尔逊将军也带着一个师来了。陆军部下令将西部各州还未招募齐全的连队合并成完整的连，连再合并成团。哈勒克将军对我进攻多纳尔森堡既不支持也不反对，就此事不置一词。7日，他通知比尔说我第二天要进军多纳尔森堡，但10日又指示我大力加强亨利堡的防御，特别是陆路防御，说他会向我运送所需的挖壕工具。我收到这封电报时人已经在多纳尔森堡前了。

我迫不及待地要赶到多纳尔森堡，因为我知道这个地方对敌人的重要性，认为他们很快就会增援那里。我觉得 8 日的 15000 人比一个月之后的 50000 人都顶用。因此，我让舰队司令富特命令他在开罗附近待命的炮舰开到坎伯兰河上，不必等那些到东波特和弗洛伦萨去的战舰；但是那些战舰及时赶回，我们 12 日一起出发。我头天晚上便把麦克勒南德派到几英里外，扫清道路上的障碍。

就在我们马上要出发的时候，第一支援军乘运输船到了。那是内布拉斯加的塞耶上校率领的一个旅，由 6 个团组成。那时炮舰正准备沿田纳西河、俄亥俄河和坎伯兰河驶往多纳尔森，我就命令塞耶在炮舰护卫下掉头同往。

我带着 8 个炮兵连和部分骑兵团的 15000 人从亨利堡出发，一路畅通，先头部队中午就到了敌军阵前。当天下午和第二天，我们都在占领地盘以进行完全的围攻。史密斯将军奉命把他的师留一部分驻守亨利堡和海曼堡。他给华莱士将军留了 2500 人，自己带着剩下的人占据左路，一直排布到希克曼河。麦克勒南德居右路，占据了多佛南面和西南的道路。他的右翼延伸到在村庄南面注入坎伯兰河的山涧回流区。他的部队没有挖战壕，但是特殊的地形犹如天然的散兵壕，使他们免受敌人的炮火。我们的战线基本都在山脊的顶部。大炮陷入地下，不会受到威胁。不操作大炮的士兵都在距山脊顶部稍远处，也不会受炮火伤害。那时最痛苦的事情是没有地方避寒。当时正是仲冬，围攻期间雨雪纷飞，冻了化，化了冻。营火只能生在山下敌人看不到的地方，但又不能让大批军队同时待在那里。从亨利堡到那里的行军途中，许多人扔掉了毯子和大衣，所以那段时间实在痛苦难挨。

华莱士和塞耶 14 日赶到。此前的 12 日和 13 日，联邦军只有 15000 人，没有战壕掩护，和守在战壕里的 21000 名敌人对阵，除了我们主动出击双方便再无冲突。我们当时只有一条战舰。每天都有一些小冲突，都是我们为了占领制高点而采取行动挑起的；但是在此期间，除了 13 日麦克勒南德的阵前，并无真正的战斗。这位将军想要打掉一个一直骚扰他的敌人炮台。没有命令也未经批准，他就派了 3 个团发起进攻。这个炮台在敌人的主干线上，因此重兵把守。可想而知，这次进攻失败了，就参加战斗的人数而言，我们的损失十分惨重。进攻中，威廉·莫里森上校身负重伤。在此之前，我们的军医能很容易地在阵地附近的人家找到地方，安置所有伤病员，但是现在，医院已人满为患。然而，军医全力以赴救死扶伤，极大地缓解了伤痛的折磨。考虑到天气恶劣，帐篷稀缺，多纳尔森堡附近人烟稀少，普通人家通常只有一两间屋子，我们的战地医院已经是尽可能的完备了。

　　沃克舰长 10 日返回亨利堡时，我曾请他率领和他一起从田纳西河过来的那几艘船，到坎伯兰河上尽量逼近多纳尔森。他毫不耽搁马上就出发了，不过只带了他自己那艘由"阿尔卑斯"号蒸汽船拖引的战舰"卡龙德莱"号。沃克船长于 12 日中午刚过，到达多纳尔森下游几英里处。

航行中的卡龙德莱号

等先头部队经陆路行进到了堡垒射程之内的地方，他远距离进攻水上炮台。13 日，我告知他我已于前一日到达，并告知我方大部分炮台的分布，要他当日再次进攻敌人，以使我能有机会乘虚而入。正如我们现在所知，他发起了进攻，很多炮弹打到了堡垒里面，敌人惊恐万状。考虑到参与的军队人数，陆路围攻可谓完满。

13日晚，舰队司令富特带领铁甲舰"圣路易斯"号、"路易斯维尔"号和"匹兹堡"号以及木质战舰"泰勒"号和科"尼斯托格"号，为塞耶的旅护航。14日早上，塞耶登陆了。我从亨利堡调过来的华莱士也几乎同时到达。此前，他一直指挥着C.F.史密斯将军师中的一个旅。这个旅现在回到了原来的师，华莱士将军便奉命指挥一个由塞耶上校的旅和当天同时到达的其他增援部队组成的师。这个新的师被派往中间区域，使两翼各师有机会合拢构成一道更坚固的防线。

我们的预定计划是要部队将敌人牵制在他们的阵地上，同时战舰近距离进攻水上炮台，如果可能，打哑敌军大炮的火力。有几支战舰需要

多纳尔森堡炮台一隅

穿过炮台到堡垒和多佛的上游。为了在需要时能把部队送到多佛上游河段，我已命人进行了侦察。如果战舰占领了那个位置，守军就不得不投降，那只是时间问题，而且只需很短的时间。

14日下午3点，舰队司令富特准备就绪，带领整支舰队向水上炮台进发。进入敌人炮台射程之后，舰队放缓前进速度，所有能瞄准堡垒的大炮全部不间断地开火。从我在岸上所处的位置可以看到海军的进展。头舰驶到了离水上炮台很近的地方，我估计不超过200码。很快，我就看到一个接一个的士兵跌落河中，明显受了重伤。然后整支舰队接连受创，当天的战斗就此结束。舰队司令富特所在的那艘战舰被炮弹击中了60次，其中几发在吃水线附近穿过，还有一发击穿驾驶舱，打死了舵手，击飞

联邦舰队的炮舰轰击敌方炮台

了方向舵，连舰队司令本人也受了伤。另一艘舰的操舵索被打断，失去控制。还有两艘舰的驾驶舱严重受损，舵手安全毫无保障。

这次进攻起初明显大挫了敌军士气，但看到我方战舰损坏严重，完全失去控制，往下游漂去，他们一片欢腾。当然，我那时只目睹了我方

炮舰被击退，对惨状颇感悲伤。从现在公开的当时战报来看，敌人向里士满发了一封大捷的电报。1862 年 2 月 14 日的夕阳落山了，接下来的夜晚给不了多纳尔森堡阵前的军队任何喘息的机会。气温骤降，他们没有帐篷，大部分人驻扎的地方不能生火，而且如前面所说，很多人扔掉了大衣和毛毯。我们威力最大的两艘战舰受损严重，暂时不可能再发挥任何作用。我那晚临睡时一直考虑着要在阵前挖战壕，给士兵调配帐篷，或者在山的隐蔽处建些临时营房。

15 日早上，天还没完全亮，舰队司令富特派传令员给我送来一封短信，希望我到旗舰上和他会面，因为他前一天受伤过重无法亲自来见我。我立刻着手准备出发。我指示副官长通知所有师长我将暂时离开，命令他们除非有进一步的命令，否则守好阵地，不许做出任何挑起冲突的举动。由于之前一连下了几周大雨，我们又频繁往来于部队和下游 4 到 7 英里处的登陆点，那段路被踩踏得七零八落几乎无法通行。14 至 15 日的那个夜晚，气温骤降，地面冻得结结实实。在这样的路上骑马，比在泥泞里还慢，但我还是尽量加快速度。

我到目的地时，旗舰停泊在河中央。不过有一艘小船在等我，我很快就登上了舰队司令的旗舰。他简短地向我讲了舰队经历了前一天傍晚的战斗后的情况，建议我利用他带损坏的船只返回芒德城的时间挖战壕，相信自己能在 10 天内完成必要的修理工作并返回阵地。我知道他的战舰肯定要进行修理，而我只能迫不得已打一场包围战。但是敌人自己帮我解决了难题。

我离开联邦军去与舰队司令富特会面的时候，怎么也想不到如果我不主动出击，陆上会有任何冲突。相比于包围的最初两天，现在的战斗形势对我们更加有利。12 日到 14 日，我们只有各色兵种共计 15000 人，没有战舰。而现在，我们又多了一支有 6 艘海军战舰的舰队，华莱士将军率领的一个师，和从亨利堡调过来的 C.F. 史密斯师中的 2500 人。这种情形下，敌人竟主动进攻。我刚一上岸，就看到我的参谋希利尔上尉吓得面色苍白。他并不是贪生怕死，而是担心联邦军的安危。他说敌人从阵地里全力出动，打散了麦克勒南德的师。该师正在全面溃退。我前面说过，路况很糟，根本走不快，但我还是尽快回到了指挥部。敌人的进攻针对联邦军的右路。我在我们左路以北 4 到 5 英里处。战线约 3 英里长。在赶往交战地点的途中，我必须经过史密斯和华莱士的那两个师。在史密斯的阵地前，我没有看到任何骚动迹象；而华莱士离冲突地点较近，已经参加了战斗。他已适时派塞耶的旅支援麦克勒南德，将敌人牵制在了敌方阵地里。

多纳尔森堡战役，柯里尔和艾伍兹绘

我看到我们左路和中路的形势十分有利。当我来到右路，景象则完全不同了。敌人倾巢出动想杀出一条路，突围出去。麦克勒南德的师遭受了敌军的联合攻击。他的士兵英勇迎战，打光了子弹盒里的弹药。其实大量的弹药就放在附近的箱子里，但在战争初期，并不是所有团、旅甚至师长都受过训练，知道要在战斗中确保部队的弹药供给。士兵们发现自己弹药打完了，而敌人却好像仍然弹药充足，就一下子泄了气。整个师乱作一团，一部分人逃跑了，但因为敌人没有追击，大部分人只是后退到敌人火力射程之外。塞耶一定是在这个时候，把自己的旅插到了敌人和我们没有弹药的那部分部队之间。总之，敌人撤进了战壕里，我赶到战场时，他们还在里面。

我看到我们的士兵群龙无首，聚在一起吵吵嚷嚷。他们拿着步枪，但没有子弹，而成吨的弹药就近在咫尺。我听到有人说敌人出击时背着背包和挎包，里面全是给养。他们认为敌人看来是决心只要有一口吃的就要与我们战斗到底。我转身对旁边的参谋 J.D. 韦伯斯特上校说："我们有些人很消沉，但是敌人一定更消沉，因为他们想拼杀出来，却被我们逼回去了，现在谁先动手胜利就是谁的。敌人要想抢在我前面，可得赶紧行动了。"我决定立刻从我军左路进攻敌人。我明白，敌人除了几个警戒哨已经倾巢而出了，如果我们趁敌人还没在战线上重新布置好兵力就从左路出击的话，除了挡在中间的鹿角栅，我们不会遇到什么阻力。我命令韦伯斯特上校和我一起骑着马在人群里边跑边喊："装满子弹盒，快，站好队；敌人想逃，我们决不能让他们跑掉。"这一喊很奏效。士兵们只是缺个领头人。我们快马赶到史密斯的阵地，我向他解释了情况，命令他举全师之力全力进攻他阵前的敌方工事，并告诉他那其实只是一条很薄弱的战线。将军出兵的速度快得惊人。为了防止士兵在穿过挡在两军之间的鹿角栅时开枪，他自己打头阵。他们穿过外围的散兵壕，15日夜，史密斯将军和师里的许多人是在敌人的阵地里露营的。邦联军第二天要么投降，要么被俘，这已是毋庸置疑的事情。

后来的资料表明，15日夜的多佛陷入一片慌乱之中，高层军官尤其如此。指挥官弗洛伊德将军的才干足以胜任任何文职工作，却不是个优秀的军人，可能根本不具备士兵的基本素质。他当然更不适合领兵打仗，因为他一定良心不安，畏首畏尾。他做陆军部部长时曾庄严宣誓要维护美国宪法，打击宪法的一切敌人，但他背叛了这份信任。北方舆论说他身为陆军部部长却把国家本就为数不多的部队分散开，为的是一旦南方脱离可以各个击破。他在离开内阁的前一年把武器从北方的军火库转移到南方的军火库。他继续在布坎南总统的内阁留任至 1861 年 1 月 1 日，此间一直为在美利坚合众国的领土上建立起一个新的联盟而殚精竭虑。他应该非常害怕落入联邦军的手中。一旦被抓到，他一定会受到审判，即使不是叛国罪，也是盗用公共财产罪。位居其后的皮洛将军妄自尊大，以参加过墨西哥战争而居功自傲。我们进入叛军的散兵壕之后，也就是他逃跑前夕，他还在向纳什维尔的约翰斯顿将军发电报说南方军队全天大捷。约翰斯顿把这个消息发送给里士满。首都的大人物们读着捷报的时候，弗洛伊德和皮洛却已逃之天天了。

19 世纪 40 年代报纸上的一幅漫画：皮洛对美墨战争中美军指挥官的能力深表怀疑

　　敌人开了个战事会议，他们一致认为已经坚持不下去了。巴克纳将军在守备军中虽官居第三，却是最称职的将领。他可能觉得在军区司令 A. S. 约翰斯顿回到纳什维尔的指挥部前，他有责任守住堡垒。然而，他的报告表明他认为多纳尔森大势已去，继续守下去只会牺牲更多的士兵。得知约翰斯顿已回到纳什维尔后，巴克纳也认为投降才是上策。弗洛伊德把指挥权交给皮洛，但皮洛不肯接受。指挥权又转而落在了巴克纳肩上，巴克纳担当起了这份责任。弗洛伊德和皮洛占用了多佛所有的水上交通工具，天还没亮就双双逃往纳什维尔，还带走了弗洛伊德原先指挥的旅和其他一些部队，总共约 3000 人。一部分沿坎伯兰河东岸步行，一部分乘轮船。当晚，福里斯特也带着他的骑兵和一些部队，共约 1000 人从我们的右路和河之间逃了出来。他们是蹚过或者游过多佛南面那条小河的回水区逃出去的。

天还没亮，史密斯将军就给我送来了巴克纳的这封信：

> 多纳尔森堡指挥部，1862 年 2 月 16 日
>
> 阁下：鉴于目前的种种情况，我建议联邦军的指挥官委派专员，协商我所率领的部队和堡垒的投降条款，同时建议为此目的休战至今日 12 时。
>
> 我是阁下谦恭的
顺从的奴仆
邦联合众国 S.B. 巴克纳准将
于多纳尔森堡前致美国军队指挥官 U.S. 格兰特准将

我的回信如下：

> 多纳尔森堡营地作战部队指挥部，1862 年 2 月 16 日
> 邦联部队 S.B. 巴克纳将军
>
> 阁下：您今日建议休战并委派专员协商投降条款的信件已

收到。除立即无条件投降外的任何条件均不予接受。我计划即刻进攻你方工事。

我是阁下谦恭的

顺从的奴仆

U. S. 格兰特准将

我收到的回复如下：

田纳西多佛指挥部，1862 年 2 月 17 日

美国军队 U. S. 格兰特准将

阁下：因指挥官意外更换，我部兵力涣散。尽管昨日邦联军战绩卓越，而你部势不可当，我不得已接受您提出的有失尊严的条件。

我是阁下

顺从的奴仆

邦联合众国 S.B. 巴克纳准将

巴克纳将军将上述第一封信送出时，就向散兵壕里的各指挥官传话说自己已提出投降，并命令他们把此事告知他们阵前的联邦军以防再发生任何冲突。散兵壕沿线每隔一段距离就挂着一面白旗，但堡垒上没有挂。我一接到巴克纳的最后一封信就骑马赶到多佛，却发现华莱士将军已经先我一小时到了。我猜测他是看到自己阵前的白旗就骑马出来想看个究竟，一路无人开枪拦截，竟不知不觉走到了巴克纳将军的指挥部。

我和巴克纳在西点一起学习 3 年，后来又和他一起从军，所以彼此

非常熟悉。我们的谈话非常友好。他说如果他是指挥官，我就不会如此轻易地拿下多纳尔森堡。我告诉他如果他是指挥官的话，我也不会用现在的进攻方式：我之所以用比他们的少的兵力包围他们的阵地，同时派多达 5000 人的旅从水路包抄，是因为我相信他们的指挥官会让我安然无恙地到达他们工事的外围。我问巴克纳将军投降的人数。他说自己无法给出准确的数字；因为我们攻打亨利堡的时候，所有的伤病员被送到了纳什维尔；弗洛伊德和皮洛夜里逃跑时带走了许多人；福里斯特和一些人也在前一天夜里逃跑了；他不知道伤员的数量；但他说我应该会受降12000 到 15000 人。

他请我允许他们派人到阵地外面埋葬 15 日突围时牺牲的人。我下令认可他发出的穿过我方界线的通行许可。我相信他没有滥用特权，但这样一来我们的卫兵看惯了邦联士兵来来往往，我敢肯定许多人就毫无察觉地越过警戒哨跑掉了。这些人中的大部分一定是不想再打仗，想脱离部队才离开的。一些人找到我请我放他们走，说自己厌倦了战争再也不想扛枪打仗了，我同意了。

谁也无法给出多纳尔森堡的邦联部队的准确人数。普雷斯顿·约翰斯顿上校给出 17000 的数字，这是南方方面承认的最多人数。战俘补给官报告说多纳尔森堡的俘虏经过开罗时，他们分发了 14623 份军粮。皮洛将军战告说 2000 人伤亡，但他掌握的数据不会有麦克勒南德师里的军官那么准确。因为大多数伤亡士兵倒在他们的工事外面，正在该师的前面，投降后由巴克纳负责安葬或者救治，而那时皮洛已经逃走了。我们已知弗洛伊德和皮洛 15 日夜里逃跑时带走了不下 3000 人。福里斯特带走了约 1000 人，那天夜里还有人或独自或结伴离开。那么 1862 年 2 月 15 日多纳尔森堡的邦联军应该约有 21000 人。

多纳尔森堡陷落的那天，我派了 27000 人进攻邦联战线，并在左边的道路上派兵把守 4 到 5 英里远，因为我们的所有的供给都要用车辆从那条路上运送。16 日受降后，又有援兵到达。

围攻期间，谢尔曼将军被派往坎伯兰河口的史密斯兰德，为我运送援军和供给。当时他比我职位高，同级别中职位低的军官无论如何都无权指挥职位高的军官。但每一艘运送给养和援军的船来的时候都带着谢尔曼的字条，说只要他有什么可以帮忙的，我尽管开口；如果前线需要，我也尽管找他，他不会计较职位高低。

第八章

恢复指挥权

攻占多纳尔森堡的消息一传开，北方各处一片欢腾。但南方，尤其是里士满，却大为沮丧。我随即得到参议院批准，被晋升为志愿军少将。我的三位师长都晋升到了这个级别，指挥各旅的上校升为志愿军准将。我在圣路易斯的长官发电报给堪萨斯的亨特将军，祝贺他快速派出援兵为保证夺取多纳尔森堡立下了功劳。他给华盛顿发电报说这次胜利应归功于 C.F. 史密斯将军，电报中说："提拔他是举国民心之所向。"19 日，圣路易斯正式发出命令，感谢舰队司令富特和我以及我们率领的全体官兵在田纳西河和坎伯兰河取得的胜利。除此之外，我没有得到哈勒克将军只言片语的赞扬，但是他在开罗的参谋长卡勒姆将军以个人名义给我写了一封热情洋溢的贺信。对于史密斯将军的晋升，就像对其他人的晋升一样，我极力赞同。

我那时认为——现在仍然认为——夺取多纳尔森堡以后，西南部地区对联邦军敞开了门户，不会有太多阻力。如果有一位有担当的将军指挥阿勒格尼山脉以西的所有部队，以我们当时的兵力，完全能推进到查塔努加、科林斯、孟菲斯和维克斯堡。而且北方在迅速开展志愿军征兵工作，这些核心地区很快就会有足够的部队与附近的敌人抗衡。一方面，如果我们迅速攻城略地，民众就更加积极地加入志愿军，所以只要能迅速找到运输工具，把他们送到目的地，我们无须担心没有增援部队。另一方面，西南部各州仍有数万身强体壮的年轻人待在家中。他们 1862 年 2 月没有参加邦联军，也没有想参军的强烈愿望。如果我们扩大战线，保住他们的家园，其中很多人都决不会去打仗。可是天意难违。敌人得到了重整旗鼓的时间，巩固了新的据点，此后有两次都差点儿把西北方战线推进到俄亥俄河。

俄亥俄河全长 2100 千米，是密西西比河水量最大的
支流。图为 1834 年俄亥俄河风光

我立即向军区司令报告说我们在多纳尔森堡取得了胜利，可以长驱直入克拉克斯维尔和纳什维尔。如无异议，我将在 21 日夺取克拉克斯维尔，3 月 1 日攻占纳什维尔。这两地都在坎伯兰河上，位于多纳尔森堡的上游。因为没有收到总部的回复，我于预定时间派 C.F. 史密斯到克拉克斯维尔，却发现敌人已经撤离该地。我们占领了亨利堡和多纳尔森堡，就切断了敌人从哥伦布到鲍灵格林的控制线。现在，敌人正从这条线的东端撤离，比尔在追击，至少是在前进。我派到克拉克斯维尔的部队，其实应该派到纳什维尔，但我的运输工具有限，而且还有许多战俘需要往北方运送。

比尔部队派来的援军 2 月 24 日才到。然后纳尔逊将军奉命率领两个旅也来向我报到。他曾向开罗派过一个旅。我知道比尔将军正从北面向纳什维尔逼近，有侦察员报告说叛军正在撤离该地，试图带走所有补给。当时，纳什维尔是南方补给最充足的据点之一。我那时不需要援军，考虑到比尔可能想要自己的部队，我就命令纳尔逊不要在多纳尔森堡登陆，继续向纳什维尔前进。我同时派了一艘战舰护航。那时坎伯兰河水位非常高，纳什维尔的铁路桥被烧了，所有的水上交通工具被摧毁，或者即将在敌人离开前被毁。纳什维尔在坎伯兰河西岸，比尔从东逼近。我想，运送纳尔逊部队的轮船可以在比尔余部渡河时派上用场，就命令纳尔逊尽快与比尔取得联系，如果比尔离纳什维尔超过两天的路程，就在城市下游待命。然而，比尔本人已经到了纳什维尔对岸的埃奇菲尔德，他手下的米切尔也带着自己的师于同一天到达。纳尔逊马上攻占了纳什维尔。

联邦军与邦联军在纳什维尔展开战斗

纳尔逊走后至得知比尔行踪之前的这段时间，我曾向军区指挥部致电说，如未收到相反命令，我将于28日亲自前往纳什维尔。我没有收到回复，就照向上级发的电报所说的出发了。我一到克拉克斯维尔就看到岸边停靠着一队轮船——送纳尔逊师的那些船——士兵正在登船。我上岸找到指挥官C.F.史密斯将军。他一看到我，就给我看了他刚收到的一道比尔的命令：

纳什维尔，1862年2月25日

美军克拉克斯维尔指挥官 C.F. 史密斯将军

将军：我军一部分部队违背我的意愿在河南岸登陆。我不得已冒险驻守此地。如果敌军来犯——我已从可靠人士那里得到确切消息，鉴于我所处位置，敌人正有此意——我目前仅有15000人，兵力严重不足。因此，我特请你将手下所有可用兵力一并调来。事关重大，请务必严格执行此令。我派去"黛安娜"号、"伍德福德"号、"约翰·雷恩"号和"独裁者"号4艘船接你部来此。五至六日内，我部即可有足够兵力接替你。

谦恭的，您顺从的奴仆

准将指挥官 D.C. 比尔

附：轮船今晚12点出发。

史密斯将军说这个命令一派胡言，但我说最好还是遵守命令。将军回答说"我当然得遵守"，并说他的部队正在以最快的速度上船。我到了纳什维尔，察看了纳尔逊的部队的阵地。我白天没有见到比尔，就给他留了字条说我已于清晨抵达纳什维尔，想与他见一面。我一回到船上，就见到了他。他的部队仍在河东，运送纳尔逊的师的那些船大部分都去克拉克斯维尔接史密斯的师了。我告诉比尔将军，我的情报是敌人正全速撤退。比尔将军却说离那里只有10到12英里远的地方正在打仗。我说："很有可能，纳什维尔有大量宝贵的武器弹药和补给，敌人可能想尽量多带走一些。打起来的肯定是后卫部队。他们想保护逃跑用的火车。"比尔则十分肯定地说纳什维尔随时可能受到敌人的攻击。我说，并没有情报肯定袭击一事，所以我认为我的情报是准确的。他说他"知道"。

"哦，"我说，"我以为你不知道，因为我路过克拉克斯维尔的时候，史密斯将军的部队正在上船准备增援你。"

史密斯的部队当天就归队了。敌人确实是从纳什维尔撤离，而不是要回去。

那时艾伯特·西德尼·约翰斯顿将军指挥着阿勒格尼山以西除最南部地区外的所有军队。而与之对阵的联邦军却分属 3 个不同的独立军区，后来又成了 4 个军区。约翰斯顿的巨大优势在于，他拥有最高指挥权，能够调动所需的全部军队合力进攻一处目标；而联邦军这边，同区域的部队却分属各自独立的指挥部，除非有华盛顿的命令，否则就无法进行协调行动。

1862 年年初，约翰斯顿的部队在密西西比河东边占领着左起哥伦布右至米尔斯普林斯的一线地区。正如我们看到的，哥伦布、田纳西河两岸、坎伯兰河西岸和鲍灵格林，处处防御森严。米尔斯普林斯有战壕防护。联邦军在俄亥俄河以南却没有任何地盘，只在河岸边有三支小型守军和路易斯维尔派去进攻鲍灵格林的一支队伍。毫无疑问，约翰斯顿的兵力在数量上不及联邦军，但是西部的所有邦联军都由同一个指挥官统领，而且他们在那里众多的支持者自会维持好后方安定，无须他们派出一兵一卒，人数上的不足因而得到了弥补。但是，先是乔治·H. 托马斯将军进攻米尔斯普林斯并将那里的敌军连根拔起，敌人死伤 300 人；而后亨利堡和海曼堡落入联邦军的手中，敌人武器尽失，100 人被俘。接二连三的失利似乎让这位邦联指

约翰斯顿是美国内战期间邦联军的主要指挥官，1862 年战死。图为约翰斯顿像

挥官备受打击。他立刻从鲍灵格林往纳什维尔撤退。2月14日，多纳尔森堡之围战局未定，他已撤至纳什维尔。比尔率一支俄亥俄部队追击，但由于只能徒步行军，当月24日才到达坎伯兰河东纳什维尔对岸的地方，而且只有一个师的兵力。

纳什维尔的桥梁已经被毁，船只全部调走或遭到破坏，所以，鲍灵格林的追兵到达10天之内，敌人只需一支人数很少的守军就能抵挡此间能调来的所有联邦军。约翰斯顿似乎在纳什维尔静观其变，等待着多纳尔森之战的结果。能否继续占领肯塔基州和田纳西州的大部分领土全要看这一仗的结果。多纳尔森堡的两位高级将领一直向他发着鼓舞人心的战报，甚至直到他们准备各自逃窜的16日晚还声称邦联军连获大捷。约翰斯顿一定知道，弗洛伊德即使有一点儿军人的基本素养，也绝不是领兵打仗的材料。任命弗洛伊德担当如此重要的指挥任务，他犯了一个致命的错误。让皮洛任二把手也是个错误。如果他是迫于压力不得已才任命这两个人，他就应找一位可靠的军官率一小支守军把守纳什维尔，自己带领其余部队到多纳尔森。如果他本人被我们俘虏，结果也不会比现在糟糕。

联邦军刚有进展，约翰斯顿就气馁了。他在2月8日向里士满致电："我认为，不需要陆地部队的配合，敌人的炮舰就能攻占多纳尔森堡。"多纳尔森陷落后，他不做任何努力就放弃了纳什维尔和查塔努加，撤退到密西西比州北部。6周后，他结束了自己戎马的一生。

很不幸，自从离开开罗，我就没有收到过哈勒克将军的电报。他2月10日命令我加强亨利堡的防御，特别是陆上防御，并说已向我派送所需工具，而我包围多纳尔森时才收到这个命令。我没有直接收到任何消息，表明军区指挥部知道我们已占领多纳尔森。部队离开开罗后，将军的参谋长被派到那里接收前线战报，并将内容发电报给圣路易斯指挥部。我经常向他汇报情况。开罗处于一条电报线路的最南端。另一条接续的线路从开罗通往分别处于田纳西河口和坎伯兰河口的帕迪尤卡和史密斯兰德。我的消息都是用船送到开罗，但很多给我的消息是发给这条延长线路的报务员的，而他没有转交给我。后来发现那个报务员是叛乱分子，他不久就带着电报逃到南方去了。2月16日，即多纳尔森堡投降那天，麦克莱伦将军的电报命我全面汇报战况。这封电报3月3日才送到我的指挥部。

3月2日，我收到日期为3月1日的命令，命我率部返回亨利堡，只留一小支部队驻守多纳尔森，并从亨利堡派遣部队到密西西比州的东波特和田纳西州的帕里斯。我们4日从多纳尔森出发，当天回到田纳西河。那天，我还收到了下面这封哈勒克将军的电报：

> 亨利堡 U.S. 格兰特少将：
>
> 命你留在亨利堡，并将外派部队指挥权交由 C.F. 史密斯少将。为何违抗我的命令，拒不汇报你部兵力与方位？
>
> H.W. 哈勒克少将

我大吃一惊。这是我第一次知道哈勒克将军要我汇报兵力情况。6日他又致电给我："关键时刻，你本应与部队同行止，却未经上级批准，擅自前往纳什维尔。此事已在华盛顿引起极大不满。我奉命待你返回时立即逮捕。"这是我第一次得知他不同意我去纳什维尔。那里并没有超越我的管辖范围，因为命令中明确指明我的指挥范围"不限"。纳什维尔在坎伯兰河西，我曾把向我报到的部队派去占领那里。我依令交出了指挥权，恭敬地回复了哈勒克将军，但要求以后不再在他手下任职。

后来，我得知哈勒克将军想多要些部队，于是保证说如有足够援军就能大有所为。麦克莱伦问他有多少兵力。哈勒克就发电报让我提供我所率部队的情况，但我一封电报也没收到。于是哈勒克就向华盛顿汇报说他屡次命我报告兵力情况，我均置若罔闻；我未经批准越权前往纳什维尔；

还说我的部队打了胜仗，却士气低迷得还不如在布尔河吃了败仗的部队。麦克莱伦将军看到报告就下令解除我的职务，并调查针对我的所有指控。他甚至批准将我逮捕。于是，攻占多纳尔森不到两周，军中两名统帅的通信内容就是在讨论如何处置我，不到3周，我已处于事实上的羁押状态，被解除了指挥权。

3月13日，我恢复了指挥权。17日，哈勒克送给我一份陆军部的命令，说华盛顿已知悉我的失职行为，命他调查并汇报事情真相。他同时给了我一份他写给华盛顿的详细电报，里面完全说明了我的清白，但他没有告诉我正是他的报告才招来了所有的麻烦。他反倒写信说："我非但不会解除你的职务，相反，我希望你带领新的部队一踏上战场，就能即刻承担起指挥责任，并带领他们赢得新的胜利。"所以，我对他十分感激，以为是他从中斡旋才化解了政府对我的误解。我一直蒙在鼓里，直至巴多将军在研究我的战斗经历时发现了真相，我才恍然大悟。

无疑，哈勒克将军认为C.F.史密斯将军比我更适合统领战区内的所有部队。为了使他能得到这个职位，哈勒克希望他能先于我和其他师级指挥官得到晋升。将军的想法可能是史密斯在军中服务多年，功勋卓著，因此更适合担任这个指挥官。其实我自己当时也很倾向于这种看法，愿意像他服从我的命令那样忠心耿耿地听命于他。但哈勒克将军先是给华盛顿发电报告状，后来假意向我解释上级举动的缘由时又隐瞒此事，这绝非君子所为。

我收到恢复指挥权的命令后，就前往田纳西河上的萨瓦纳。我的部队已经到了那里。史密斯将军见到我很高兴，坚决谴责我受到的不公正待遇。他那时卧病在床，再也没能起来。他的死是西部军队的一大损失。他个人的勇气毋庸置疑，他的判断力和职业素养无人能敌，无论下属还是上级都对他信赖有加。

第九章
夏洛之战

3月17日，我被恢复了指挥权，却发现部队一盘散沙，一半在田纳西河东岸的萨瓦纳[①]，一个师在上游4英里西岸的克兰普码头，其余的在克兰普上游5英里处的匹兹堡码头。敌人的主力在科林斯，那里是密西西比河谷中最重要的两条铁路线的交汇点——一条将孟菲斯和密西西比河与东部地区相连，另一条向南通往产棉州。还有一条铁路连通科林斯和田纳西州西部的杰克逊。如果我们占领科林斯，敌人除了自维克斯堡向东的铁路外，就没有铁路能运输部队和给养了。科林斯夹在田纳西河和密西西比河当中，处于纳什维尔和维克斯堡之间，在西部地区具有重要的战略位置。

我立刻发动萨瓦纳的所有部队向匹兹堡码头进发，因为我知道敌人正在约翰斯顿的指挥下加强科林斯的防御，大举屯兵。我打算等奉命来增援的比尔带着俄亥俄军一到，就向那里进军；我们预定从河西岸出发。那里离科林斯只有约20英里，离河上游4英里处的汉堡码头还要近一两英里。我选择汉堡来安置俄亥俄的部队时，刚任指挥不久。从匹兹堡和汉堡通向科林斯的道路在延伸约8英里后会合。这样安排的话，部队出发

[①] 萨瓦纳始建于1733年，是当时英国殖民地乔治亚省首府。美国独立战争和美国内战期间是重要的战略港口城市。——译者注

时就能有两条线路同时进发，并且距离不远可以相互照应。

我到萨瓦纳之前，谢尔曼加入了田纳西军，负责指挥一个师。他曾在战舰护航下乘轮船到 30 英里以南的东波特附近，打算摧毁科林斯以东的铁路。由于之前一段时间大雨连绵，地势低洼的地方变成了无法通行的沼泽。谢尔曼的部队上了岸，准备执行此行的任务；可是河水涨势凶猛，小支流的回水随时可能切断部队回到船上的路，他们连铁路都没见着，就被迫无功而返了。大炮也不得不用人力从水里拉回船上。

3 月 17 日，田纳西河上有 5 个师，分别由 C.F. 史密斯、麦克勒南德、L. 华莱士、赫尔伯特和谢尔曼这 5 位将军指挥。由于史密斯将军如我前

谢尔曼将军指挥军队前进

面所说卧病在床，他的师由 W.H.L. 华莱士将军暂时指挥。每天都有增援部队赶到，他们先被编成旅，然后组成团，交由奉命向我报到的普伦蒂斯将军指挥。比尔将军率领 40000 名有战斗经验的士兵正从纳什维尔赶来。3 月 19 日，他到达田纳西州的哥伦比亚。那里离匹兹堡 85 英里。我计划等援军到齐就主动向科林斯进军，尽管也考虑过修筑防御，却感觉并无必要。麦克弗森是我唯一的军事工程师。他受命规划一条战壕线路。他接受了任务，但报告说战壕需要修在营地后方。这条新线路尽管离田纳西河近一些，但从供水方面看，还是离河流甚至小溪都太远，而且一旦受到攻击，这些小溪就会落入敌手。事实上，我认为我们当时是在主动进攻，敌人应该不会离开强大的防御工事主动出击，因为他们知道，只要稍有迟疑，马上就会遭到攻击。尽管如此，我们仍然采取预防措施，密切关注敌人动向。

约翰斯顿的骑兵此时离我们的前锋还很远，只是偶尔跟我们的前哨发生冲突。4 月 1 日，这支骑兵部队大胆地逼近我们的战线，似乎想有所动作。2 日，约翰斯顿带领大部队进攻我们。4 日，他的骑兵突然出击，夺取了一个有六七个人的小警戒哨。那里在通往科林斯的路上，离匹兹堡约 5 英里。巴克兰上校立即派出救兵，随后又亲自带一个团前往；谢尔曼将军带着一个旅的余部紧随其后。他们追出离警戒哨 3 英里外，谢尔曼晚上回到营地写信向我报告了此事。

当时，有一大群敌军在我们西面的莫比尔至俄亥俄铁路沿线徘徊。相比于匹兹堡，我更担心克兰普码头的安危。我不是担心敌人真会占领哪个地方，而是担心敌人可能突袭克兰普，毁掉我们的运输船和物资，并且不等我们增援华莱士，他们就撤退了。但我认为华莱士的位置选得恰到好处，所以没有调开他。

那段时间，我通常白天在匹兹堡，晚上回萨瓦纳。我打算把指挥部搬到匹兹堡，但是比尔可能随时到萨瓦纳。因此，我在那里多待了几天，想和他见一面。然而，大概从 4 月 3 日起，我们前线小摩擦不断，我每天夜里都在匹兹堡待到很晚，感觉夜里不会有危险时才离开。

巴克兰出兵那天是·4日，星期五。那天，我正往前线响枪的地方赶，我的马突然摔倒了，我被压在下面受了伤。那天晚上漆黑一片，大雨滂沱，除了借着频频划过夜空的闪电瞥见一星半点的景物外，几乎什么也看不见。在当时的情形下，我只好祈祷马能自己识途，听凭它带着我走。好在我没走多远就遇见从前线下来的 W.H.L. 华莱士将军和麦克弗森上校（后来成了将军）。他们说敌人那边很安静。返回船上的途中，我的马脚一滑连带着我也摔倒了，一条腿压在马身子下面。幸好前几天雨水连连，地面稀软，我的伤势并不严重，没有造成长期的行动不便。但我的脚踝受伤严重，只得把靴子剪开才脱了下来。后面的两三天，我走路都得拄着拐杖。

5日，纳尔逊将军带着比尔军中的一个师到了萨瓦纳，我命令他到河东岸上游，因为如有需要，他能从那里渡河到克兰普码头或者匹兹堡。

匹兹堡是美国著名的钢铁工业城市，有"世界钢都"之称。图为南北战争前莫农加希拉河畔的匹兹堡，远处为烟囱林立的炼钢厂

我得知比尔将军本人将于次日抵达，他希望到时能和我见一面。然而，匹兹堡码头那几天形势紧张，我白天走不开。于是，我决定早早吃完早

饭就去见比尔，好节省时间。比尔其实 5 日傍晚就到了，不过他没有通知我，所以我后来才知道。但是我吃早饭时，匹兹堡码头方向传来激烈的枪炮声，我赶紧赶过去，派人给比尔送去一张匆匆写就的便条，向他解释我不能去萨瓦纳和他见面的原因。往河上游去的途中，我命令传送消息的船只靠近克兰普码头，让我和 L. 华莱士将军取得联络。不过，我发现他已经站在船上，显然是在等我。我命令他集合部队随时待命。他回答说队伍已经全副武装，做好了出发的准备。

那时，我还不能肯定克兰普码头是不是攻击目标，但我早上 8 点一到前线，发现敌人明白无误地是在进攻匹兹堡，克兰普码头只需一小支护卫队保护运输船和物资就足够了。因此，我的军需官巴克斯特上尉奉命返回，命令华莱士将军马上经离河最近的路赶到匹兹堡。巴克斯特上尉将这个命令做了备忘。午后 1 点，我急需援军却没有华莱士的消息，就又派了两名参谋——麦克弗森上校和罗利上尉去找他。他们报告说华莱士正向贝塞尔的珀迪或是河西岸某处进军，距离匹兹堡比他出发时还远了几英里。从他最初的位置到匹兹堡是一条离河很近的直路。我们的部队在两地之间的斯内克河上修了一座桥，他的部队还曾出过力。修那座桥就是为了让两地的部队能在有需要的时候相互接应。总之，华莱士没有及时赶到，没有参加第一天的战斗。华莱士将军此后一直声称，巴克斯特上尉下达的命令只是要他与右翼部队会合；他选的那条路能通到从匹兹堡到珀迪的路，从珀迪过了奥尔河就能到谢尔曼的右边。但我既没有命令他去那儿，也并不想让他去那儿。

我当时怎么也不明白——现在也没明白——只需命令他到匹兹堡码头即可，何须指明走哪一条路。他的部队是三个有作战经验的师中的一个，缺了他们影响很大。华莱士将军在此后的战斗中再也没有犯过他在 1862 年 4 月 6 日犯下的这个错误。我猜测他是想从那条路绕到敌人侧翼或者后方，出其不意英勇一击，既能为国效力，又能为自己赢得指挥得力的英名。

匹兹堡码头两三英里处有一座叫夏洛的木质礼拜堂。它所在的山脊是斯内克河和利克河的分界线。斯内克河从匹兹堡码头北面流入田纳西河，利克河从南面流入。夏洛是我方阵地的要塞，由谢尔曼把守。他的师里当时全是新兵，没有参加过战斗，但我认为谢尔曼在指挥方面的优势远远超过了这个劣势。麦克勒南德在谢尔曼左边，所带部队参加过亨利堡和多纳尔森堡的战斗，因此在当时西部的军队里算是战斗经验丰富了。他的旁边是普伦蒂斯带的一个没打过仗的师。最左边是斯图尔特带的谢尔曼师里的一个旅。赫尔伯特在普伦蒂斯后方，起初是作为后备部队集结待命的。C.F. 史密斯将军的师在右边，也是后备部队。史密斯将军仍躺在萨瓦纳的病床上，但能听到我们的枪炮声。假如健康状况允许他上战场的话，他肯定会起到不可估量的作用。他的师由 W.H.L. 华莱士准将代为指挥。华莱士是一位值得尊敬、富有才干的军官，战斗经验丰富，参加过一年墨西哥战争，还带着部队参加了亨利堡和多纳尔森堡的战斗。他在第一天的战斗中受了致命伤。他的师由于正当激战之时更换指挥官，而战斗力大减。

我方军队的阵地从左面的利克河一直延伸至右面斯内克河的支流奥尔河，面朝南方略微偏西。这些溪流当时的水位都很高，对我们的侧翼是一种保护。因此，敌军不得不从正面直接进攻。他们来势汹汹，给联邦军造成了巨大的损失，但自身的损失更为严重。

邦联仗着这种不计自身损失的进攻势头，很快就占领了我们的帐篷营区。交战的地方地势起伏，树木茂密，间或有空旷之地。树林为双方都提供了保护。地面上还长着茂盛的矮树丛。敌人多次试图绕到谢尔曼把守的我方右翼，但每次都损失惨重而没有成功。但是敌人的正面进攻火力十分凶猛，为了遏制敌军的强劲势头向我方侧翼蔓延，联邦军只好数次后撤到匹兹堡码头附近。晚上停火时，联邦军的战线比早上足足后退了 1 英里。

6 日的一次撤退中，普伦蒂斯将军指挥的师没有和其他部分一起后撤。于是，他们的侧翼完全暴露在敌军的进攻之下。敌人抓住了将军和约 2200 名官兵。巴多将军认为他们被俘的大致时间是 6 日 4 点。他或许是正确的，但我记忆中似乎更晚一些。普伦蒂斯将军自己说是 5 点 30 分。那天我和他见了好几次面——那天我和每位师长都多次见面——我记得最后一次和他在一起时大概是 4 点 30 分，当时他的师正在英勇抗敌，将军本人镇定自若，仿佛胜券在握。但不管是 4 点还是再晚一点儿，有人说他和他的部队是遭到突袭，在营房里被捉的。这是毫无根据的。如果真像当时盛传的那样，普伦蒂斯和他的部队是在睡梦中被敌人捉住的，双方就不会恶战一天，邦联也不会伤亡数千人了。然而，很多人都把谣言信以为真。

除了普伦蒂斯被俘后的短短几分钟，我方一整天都保持着一条连续的战线，从右边的斯内克河或它的支流延伸到左边匹兹堡上游的利克河或田纳西河，毫无间断。

那一天枪声不断，阵地上总有某处在激烈交火，不过各处很少同时交火。南方军队猛烈进攻，北方军队英勇坚守。星期天参加战斗的 5 个师里有 3 个根本没有打过仗，很多人在从家乡奔赴战场的路上才拿到武器。许多人一两天前才到，几乎还不会按照训练手册给步枪装弹药。他们的长官也对自己的职责一无所知。敌人刚一放枪，很多团就四散逃窜，一点儿也不足为奇。我记得有两个上校，敌人的子弹刚飞过来，就带着各自的团逃离了战场。那两个团长根本就是懦夫，不适合担任任何军职，但是跟着他们一起逃跑的官兵并不懦弱。后来的事实证明，那些在夏洛一听到枪炮声就落荒而逃的官兵中，许多人在战场上英勇无比。

星期天一整天，我不停地在战场上四处走动，向师长们下达命令。尽管谢尔曼的部队是第一次上战场，但我根本无须在他那里多做停留。因为他始终与部队并肩战斗，官兵们斗志昂扬。在那场血腥的战斗中，他们的表现足以与最英勇的老兵相媲美。麦克勒南德在谢尔曼旁边。这两个师阵前的战斗最为激烈。6 日那天，麦克勒南德曾对我说，有谢尔曼那样出色的指挥官并肩作战，自己受益良多。谢尔曼如果负伤离开战场，夏洛的部队将会蒙受极大的损失。而我们险些就失去了这员猛将！6日那天，谢尔曼两次中枪，一枪在手上，一枪在肩上，所幸子弹只是划破军装受了轻伤，还有一颗子弹打穿了他的帽子。他骑的几匹战马都中了枪。

那天的战斗中，骑兵在前线派不上用场，我就让他们排成队列在后方拦截逃跑的士兵——逃兵可真不少。等他们人数凑得差不多，从恐慌中缓过来，就不论原来的排、团、旅，把他们送到前线需要支援的地方。

那天，我曾骑马到河边，去见刚刚抵达的比尔将军；我不记得具体时间，但当时有四五千逃兵惊慌失措地藏在河沿的峭壁下。他们宁愿不做任何抵抗地被敌人原地打死，也不愿拿起枪上前线保卫自己。我和比尔将军是在往来于码头和萨瓦纳的通信船上见面的。会面时间很短，主要讨论让他把部队调过河来。我们一起下船的时候，比尔注意到了躲在河沿下的逃兵。我看到他谴责他们，想让他们因为羞愧而自觉归队。他甚至威胁要用附近的战舰打他们，但毫无作用。不过，后来证明，这场战斗中临阵脱逃的人中，大部分其实和最终打赢了战斗的人一样英勇。我相信，比尔将军就是看到这些逃兵，才觉得还是提早准备一条撤退路线为妙。如果他从前线而不是后方的逃兵中穿过，他一定不会有这样的看法和感触。假使他从敌人后方过来，也会看到和我们后方同样的景象。战斗中，从部队遥远的后方是无法判断前线状况的。战争后期，我占领田纳西河和密西西比河中间地带时了解到，邦联军阵地里的恐慌与我们自己的情况一模一样。有些当地人估计约翰斯顿的军中有20000人逃跑。这当然有些夸大其词了。

星期天的战斗结束时，情况是这样的：在匹兹堡码头的木屋南面，我的参谋J.D.韦伯斯特上校在峭壁上架了20多门大炮，炮口朝南或者河上游方向。这一排大炮在一座小山的顶部，俯视着一条流入田纳西河的深涧。赫尔伯特和他的师经过一天的战斗毫发无损，在炮阵的右边向西展开，可能略微偏北。这条主线上接下来是麦克勒南德，负责把守西面。

夏洛战役中，联邦军和邦联军激烈交火

他的师组织结构完整，随时可以承担作战任务。接下来是谢尔曼，他的右翼延伸到斯内克河。他的部队也像其他两个师一样结构完整，而且像他的指挥官一样，随时可以承担交给他的任何任务。当然，这 3 个师都在白天激烈的战斗中多多少少损兵折将。W. H. L. 华莱士的师由于师、旅长变动引起混乱，加上其他种种因素，在猛烈的炮火下结构大乱，已经无法作为一个师在战线上占有一席之地了。普伦蒂斯的师全军覆没，死的死，伤的伤，抓的抓，但是他们在被打垮前曾英勇战斗，对保卫夏洛做出了很大贡献。

我们战线的右翼在斯内克河岸附近，距离部队为了连接克兰普码头和匹兹堡码头而修建的那座桥的上游不远。谢尔曼在一座木屋和外屋里驻扎了一些部队，因为那里能俯视华莱士将要经过的那座桥和桥上游的河段。天黑前，谢尔曼在这个据点接连受到攻击，但一直坚守阵地。后来，他主动放弃据点向前进军，好为天黑后到来的华莱士腾出地方。

我说过，我们左翼前方有一条深谷。田纳西河水暴涨，谷里的水位也相当高。敌人想孤注一掷，从那里绕到我们的侧面，但被击退了。格温和舍克的"泰勒"号和"列克星敦"号战舰以及韦伯斯特的炮兵协助陆军有效地遏制了敌人的进攻。比尔的部队到田纳西河西岸之前，交火就几乎完全停止了；敌方偃旗息鼓，没有再试图进攻。但不知何处的敌军还在打炮，炮弹从我们身边飞到远处去了；可我记得没有听到哪怕一颗子弹飞过的声音。比尔将军的部队在黄昏时赶到，他派了几个团往山下走了好远，噼噼啪啪响了几分钟枪，但是我估计谁也没伤到一根汗毛。战斗的势头已过。

当天战斗结束后，L. 华莱士将军带着 5000 名精兵赶到，被安排在右翼。于是，夜晚来了，L. 华莱士到了，纳尔逊师的先遣部队也到了；但是除了夜晚，谁都没赶上为在第一天的战斗中面对重重困难、英勇作战的官兵们真正做点儿什么。比尔的整个印第安纳州第 36 步兵团在 6 日的损失是两死一伤，而田纳西州的部队那天损失至少 7000 人。比尔的两三个团虽然在停火前赶到了河西岸，但在保卫匹兹堡码头中没有起任何作用。

6日停火前，我信心十足地认为只要我们抓住主动权，第二天就一定会胜利。所以，援军还没到，我就亲自一一走访各位师长，命令他们第二天早上天一亮就派出大批散兵寻找敌军，整师兵力以可接应的距离跟随其后，一发现敌军就马上展开进攻。我把多纳尔森堡的事情告诉了谢尔曼，还说采用同样的战术也能在夏洛打胜仗。L. 华莱士来的时候，即使再没有其他支援，胜利也已成定局，但我还是很高兴看到比尔来增援，还赞扬了他们的全力支持。

6日晚上，比尔带着纳尔逊师的剩余部分渡河，准备早上前移形成左翼。由克里滕登和麦库克率领的另外两个师乘运兵船从萨瓦纳渡河，7日一早到达西岸。比尔亲自指挥他们。因此，我的部队在数量和战斗力上都几乎翻倍。

夜里大雨倾盆，我们的部队没有地方躲避，只能任凭暴雨浇淋。我的指挥部在离河岸100码的一棵树下。我的脚踝因为星期五夜里战马摔倒而肿痛难忍，一夜没合眼。

即使没有肿痛，瓢泼大雨也让人无法入睡。午夜过后，我因为暴雨和疼痛而坐卧不安，就回到了河岸下的木屋。那里成了战地医院，整夜都有伤员被抬进来医治伤口，根据伤情截去一条腿或一只胳膊，以尽力保住性命，减轻痛苦。此情此景，比敌人的战火还让人难受，于是我又回到了雨中树下的指挥部。

7日早上发起进攻时，敌人在我们打仗前的营房里，比前一天邦联军最前沿的阵地后退了1英里多。原来，他们那时还不知道比尔已率部前来。他们后退那么远可能是想在我们的帐篷里避雨，同时躲避战舰夜里每隔15分钟向他们投掷的炮弹。

7日早上，联邦军的分布如下：L. 华莱士将军在右，谢尔曼在他的左面，接下来是麦克勒南德，再是赫尔伯特。比尔军中的纳尔逊部在最左边，紧挨着河。

　　克里滕登在纳尔逊的右边，再往右的麦库克是比尔部队的右路。因此，我的旧部形成了右翼，而比尔直接领导的部队组成了左翼。我们把这种相对的位置保持了整整一天，将敌人赶下了战场。

　　很快，战斗集中在了这条战线上。这一天的形势对联邦军很有利。我们变成了进攻的一方。敌人一整天都被我们追着打，和我们前一天的情形一模一样，最后突然仓皇撤退。敌人最后的据点距离码头到科林斯的路不远，在谢尔曼左边，麦克勒南德右边。大约3点，我到了那个据点附近，看到敌人在其他地方节节败退，我就从附近的部队里召集起几个团，或者团里的一部分人，组成战斗队列，往前进军。我自己走在最前面，防止有人提前开枪或者远程射击。当时，我们和敌人之间有一片空地，尽管没有掩护，但很适合发起进攻。我知道敌人已经不堪一击，我们只需稍微摆个架势，他们就会马上抱头鼠窜，去找早就逃跑的兄弟们了。于是，等走到步枪射程之内，我停下来让队伍走到前面。一声"冲锋"令下，士兵们装模作样地一边跑一边喊，最后一股敌人就这样被吓跑了。

第十章
邦联军匆忙撤退

　　战斗第二天，我从右至左再到后方逐一巡视，亲自察看战事进展。下午前半晌，我和麦克弗森上校以及我当时的补给总长霍金斯少校骑马走出了部队左翼阵地。我们从一片开阔地的北面悠闲地向码头上游的河段走着。右边似乎并没有敌人，但是开阔地另一边的树林边缘突然朝我们枪炮齐发。子弹和炮弹在我们耳边嗖嗖飞了差不多一分钟。我觉得我们跑出射程和视野之外所需的时间不会比一分钟长。我们猛然一跑，霍金斯少校的帽子掉了，也没顾上停下来捡。我们到了一个绝对安全的地方后才停下来，察看有没有哪里被打中了。麦克弗森的马喘着粗气仿佛马上就要摔倒的样子。一检查才发现，一颗子弹击中了马肋前部马鞍遮着的地方，击穿了整个身体。几分钟后这个可怜的家伙就倒在地上死了；然而我们停下之前它没有一点儿受伤的迹象。一颗子弹打中了我的金属剑鞘上紧挨手柄的地方，差点儿就断了；战斗没结束，剑鞘就彻底断了。于是，我们三个人一个马死了，一个帽子丢了，一个剑鞘断了。我们都庆幸情况还不算糟。

　　最近连续几天频繁的大雨，再加上前一晚的暴雨，道路几乎无法通行。敌人撤退时带着运输大炮和给养的车马队，路况对追兵而言就更加糟糕。我本来想要追击，但是却不忍心给这些浴血奋战了两天、不打仗时躺在泥水洼里的将士再下命令；而且我也不愿明确地命令比尔或者他的部下去追击。虽然那时我比他的级别高，但我高过他只是最近几星期的事。

比尔当军区司令已经很长时间，而我只是指挥一个区域。等我后来与比尔会面时，已经来不及组织军队展开有效的追击了，但是如果我最后一次冲锋时遇见他，我至少会让他去追一下。

我那天战斗结束后骑马走了几英里，发现敌人丢弃了许多给养、弹药和弹药车的备用轮子——如果不是全部的话——以减轻负担，好把大炮运走。走了5英里，我们发现他们的战地医院也弃置不用了。那时如果马上追击一定能捉住大量俘虏，或许还能缴获几门大炮。

夏洛之战是西部战场打得最激烈的一仗。就艰苦卓绝的程度而言，东部战役几乎无一能与之相提并论。战斗第二天，我们占领了一片开阔

联邦军取得夏洛大捷。托尔·德·图尔斯特鲁普绘

的战场。邦联军前一天曾在那里多次进攻。只见那里尸横遍野，无论想从什么方向穿过那片开阔地，都可以脚不沾地踏着尸体走过去。我军阵地上，联邦军和邦联军的阵亡官兵横七竖八地叠在一起，数目相当；但战场的其他地方却几乎都是邦联军的尸体。有一块土地，或许因为土壤

贫瘠，显然几年都没有耕作过。那里灌木丛生，有些长得高达8到10英尺。每一株都弹痕累累，小一些的都在战斗中被砍倒了。

我们虽然是防守方，但与我自己和部队以往的经验恰恰相反，我们既没有战壕也没有其他任何防御工事，参加第一天战斗的部队有一多半没打过仗，甚至没受过军事训练。他们的长官，除了师长和两三个旅长，也一样没有战斗经验。联邦军的这次胜利，让那些为之拼杀的将士获得了巨大的信心。

敌人战斗得也很勇猛，他们出击时想打垮我们的军队，攻占我们的据点。但两个目的一个都没达到，还死伤惨重，回去的时候一定垂头丧气，终于知道"北方佬"绝不是可以小看的敌人了。

战斗结束后，我给师长下达口头命令，让各团派人掩埋自己的阵亡人员，同时让各师军官带人掩埋各自阵前战死的邦联战士，并报告掩埋人数。不是所有人都执行了命令的后半部分，但是谢尔曼和麦克勒南德的师派人做了这项工作。敌人在这两个师阵前的损失最为惨重。

经常有人批评说，联邦部队应该在夏洛挖战壕。当时西部战场上很少用到锄头、铁锹之类的东西。不过，我恢复指挥权后不久就考虑过这个问题，但是前面说过，我仅有的一名军事工程师汇报的情况很不利。另外，我的部队里上上下下都需要教导和训练，锄头、铁锹和斧子并不是当务之急。每天都有援兵到来，都是匆忙拼凑成的连和团——组织结构不完备，官兵互不相识。这种情况下，对我们而言，我断定训练和纪律比防御工事重要得多。

比尔将军是一位机智英勇的军官，具有崇高的职业荣誉感和职业抱负。我和他在西点军校待过两年，后来在守军和墨西哥战争中又一起服役多年。他不管是早年还是成年以后都不喜欢与别人亲密交往。他生性勤勉认真，认识他的人都对他既信任又尊重。他对部队要求很严格，或许没有充分认识到"应征打仗"的志愿军和在和平时期服役的士兵的区别。前者是为了某一原则而甘愿冒生命危险的人，通常有社会地位、才干或者财富和独立的人格。后者通常只是做不好其他职业才来当兵的人。比尔将军后来受到强烈的批评，甚至有人质疑他的忠诚。任何认识他的人都不会相信他会做出有损名誉的事情，然而，还有什么比接受高官的职位去指挥战争却背叛这份信任更可耻的呢？所以，我在1864年统领军队后就要求陆军部恢复了比尔将军的职务。

战后的1865年夏，我在北方四处游历，每到一处都会遇到许多人。每个人对带兵打仗都有自己的见解：哪位将军打败了，怎么败的，为什么败。新闻记者总在一旁竖起耳朵听着每一个字眼，却不大愿意把没有印证他们先入为主的观念的内容——不管是关于战争的打法还是涉事的个人——进行如实报道。面对最不公正的指责，我经常需要为比尔将军辩护。一次，一个记者信口雌黄地说我指责将军不忠——这恰恰是我一直在反驳的指责。比尔将军为此写了一封信，言辞激烈地驳斥我。我是先在《纽约世界报》上看到了信之后，才收到了那封信。我能深切理解他看到当时军队的统帅对他子虚乌有的有损名誉的行为公然指责时的愤慨之情。我写了回信，但没有刊登出来。我没有留副本，没有发表，也没有收到回复。

在战争初期，指挥邦联军的艾伯特·西德尼·约翰斯顿将军在第一天下午的战斗中受了伤。据我后来所知，他的伤势并未到致死的程度，甚至算不上危险。但他认为自己担负着极大的责任，而他又是一个不愿意在危难关头背弃这份责任的人，于是他继续骑着战马指挥战事，直到因失血过多而虚弱得不得不让人把他从马上扶下来，后来不久就去世了。消息很快就传到了我们这边，对联邦军是个莫大的鼓舞。

在墨西哥战争和后来在正规军里当军官时，我对约翰斯顿有一点儿了解。他品格高尚，能力卓越。他在西点的同学以及后来军队中的同僚有些留在了我们这边，他们都预测他会成为我们在邦联军里最强劲的对手。

我曾经撰文说，他短暂的指挥生涯里没有什么可以证明或者反证人们对他的军事才能做出的高度评价，但是在研究了他的命令和电报后，我不得不大幅修正我对他军事素养的判断。我现在认为他行事优柔寡断，举棋不定。

肯塔基和田纳西的灾难性溃败让里士满当局十分沮丧。杰斐逊·戴维斯给约翰斯顿写了一封非官方的信件，表达了自己和公众的担忧，并说自己迫于多年友情已经为他说了话，但是即使没有书面报告，他也应该如实告知情况。这封信虽然没有直接指责约翰斯顿，但其中的责备意味溢于言表。约翰斯顿将军以最快速度重新召集了一支部队，在科林斯挖战壕，加强防御。他知道联邦军正在挑选合适的地方准备展开进攻，但他显然因为自己之前的军事行动效果欠佳而心烦意乱，于是决定主动出击，希望能收复失地，如果顺利，还要再多占领几座城池。我们有他的儿子和传记作家的可靠证言说，他计划进攻并消灭夏洛的部队，然后渡过田纳西河摧毁比尔的部队，把战火烧过俄亥俄河。这个计划很大胆，但是同样来源可靠的消息说他在执行过程中犹豫不决，举棋不定。他4月2日离开科林斯，6日才做好进攻准备。他的军队需要行军的距离不足20英里。副指挥官博雷加德反对这次进攻。他觉得：第一，如果放任不管，联邦军就会跑到邦联的战壕里进攻他们；第二，我们在自己选择的地盘上，一定有战壕防护。约翰斯顿不仅倾听了博雷加德的反对意见，还在5日上午就此召开了军事会议。当晚他又与几位将军就同一话题进行磋商，6日上午再次商议此事。在最后这次讨论期间，不等他做出任何决定，联邦军

博雷加德将军的油画像，背景为博雷加德将军指挥邦联士兵炮击萨姆特堡。乔治·彼得·亚历山大·希利（1813—1894）绘

就先向敌军开火挑起了战事。这既帮他解决了要不要在夏洛打一仗的问题，也为我解决了能不能突袭的问题。

我并不质疑约翰斯顿将军的勇气或者能力，但他确实没有如许多朋友所预料的那样声名卓著。他的将才被高估了。

博雷加德将军的职位仅次于约翰斯顿，暂代指挥一职。他带领邦联军打完这场战斗后，指挥部队撤到科林斯，在围攻该城期间继续担任指挥任务。他的策略受到邦联记者的强烈批评，但我认为在那样的情况下，他已故的长官不见得能比他做得好。有些批评家说，约翰斯顿阵亡，我们才得以攻下夏洛；如果他不死，我的部队不是全歼就是被俘。正是这种种"如果"打败了夏洛的邦联军。如果我们打出的所有炮弹和子弹都让敌人毫发无伤，而他们的百发百中，我们无疑会被打得落花流水。指挥官在战斗中阵亡是常事；事实上，约翰斯顿中枪时，正指挥着一个旅。他一再劝说、鼓励将士们发起冲锋，却无人响应。显然，并不是像南方批评者们声称的那样，我们这边士气低迷，而他们那边信心百倍。实际上，我那天虽然因为近在咫尺的援兵迟迟不到而感到失望，但从未怀疑过敌人会以失败告终。

威廉·普雷斯顿·约翰斯顿上校对希洛之战的描述十分生动。读者会想象每一次进攻下，自己眼看着一群意志消沉的联邦士兵溃不成军，每一次进攻都让敌人更加沮丧地退向田纳西河，而他们在进攻开始时离那里只有两英里远。如果读者不停下来考虑一下为什么邦联军这样成功地奋战了12小时，联邦军竟然没有被全部杀掉、俘虏或者逼到河里去的话，他就会觉得这幅由文字勾勒的画面无懈可击。但是我从联邦军这边目睹了从早上8点到晚上休战期间的所有战斗。当时的情形在那段描述中被篡改得面目全非。但是即使不去有意贬损联邦军，以彰显邦联军，邦联军在4月6日的战斗中也是表现得相当出色的，他们表现出的勇敢和坚毅可敬可叹。

敌人的战报显示，他们在第一天战斗结束时的处境十分悲惨；他们伤亡惨重，逃兵多得就像这边的联邦军一样。不同的是，敌人的逃兵完全脱离了战场，很多天之后才被带回各自的部队；而联邦军里只有极少数逃兵撤退到比码头还远的地方，许多人第二天就归队了。邦联军在夏洛参战的最高长官口口声声说自己取得了胜利，这实在可笑。战斗还没有结束，谁能妄谈胜利？最后的胜利属于联邦，田纳西州和俄亥俄州的军队都参加了战斗。但是，6日那天是田纳西的军队对抗了整个叛军部队，并把他们牵制到夜晚将至的时候，是夜色结束了那天的战斗，不是纳尔逊师的3个团。

邦联军在夏洛战役中表现得很英勇，但他们号称武力超群，我确实不敢苟同；虽然除了这种妄自尊大之外，他们也无可指摘。不过，邦联里鼓吹自己一方在战略、统帅和勇气上高人一筹的人，对夏洛的联邦军的评价甚至比许多北方记者还要公道一些。双方军队里都是美国人，一旦联合起来他们无须惧怕任何外敌。或许南方人刚开始比北方的同胞略微勇猛一些，但是相应地却缺乏忍耐力。

敌人第一天的进攻毫无章法——一会儿打这里，一会儿打那里，有时几个地方同时打。他们打的时候精神饱满、英勇顽强，晚上就筋疲力尽了。而我们的任务是准备抵御针对任何地方的进攻。但第二天，邦联的目标就变成了带上尽可能多的部队和物资撤离。我们则是要把他们赶出我们的前线，尽可能多地俘获或者摧毁他们的人员和物资。我们成功地把他们赶跑了，但俘获人员和物资方面的成绩差强人意，还需进一步追击才能达到目标。事实上，我们第二天夺取或者说重新获得的军需物资跟我们第一天丢掉的几乎一样多；不考虑普伦蒂斯被俘的重大损失的话，我们星期一俘获的故军比他们星期天俘获的我军要多。6日，谢尔曼丢了7门大炮，麦克勒南德丢了6门，赫尔伯特则丢了两门排炮。但7日，谢尔曼缴获7门大炮，麦克勒南德缴获了3门，俄亥俄军缴获了20门。

6日上午，联邦军在夏洛的有效兵力是33000人。L. 华莱士天黑后又带来5000人。博雷加德的战报上说自己有40955人。按南方的计数习惯，其中可能不包括乐师、警卫和护士，以及不配枪或操纵大炮的军官。而我们这边，战场上所有从政府领取军饷的人都算在其中。去掉那些一枪未放就被吓跑的部队，我们6日在战场上的人不超过25000。7日，比尔带来了20000人。他的另外两个师，托马斯师战斗结束后才赶到；伍德师虽然停火前就到了，但已来不及帮什么忙了。

一幅雕版画：夏洛之战中赫尔伯特师与邦联军展开激战

我们这两天战死1754人，伤8408人，失踪2885人。其中2103人是俄亥俄州军队的。博雷加德报告说总共损失10697人，其中死1728人，伤8012人，失踪957人。这些数据一定不准确。经实际清点，我们仅在麦克勒南德和谢尔曼阵地前埋葬的敌人人数就比这里报告的多，据掩埋尸体的部队推测整个战场埋葬的约有4000人。博雷加德说邦联部队6日有40000多人，这两天共损失10697人，同时又号称7日上午他只有20000人可以上战场。

海军对夏洛的部队鼎力支持。我承担指挥任务时，他们无论过去还是以后都是如此。然而，由于地形所限，海军直到第一天日落时才帮上了忙。那里地势起伏，树林茂密，从河面上往战场看，视线完全被遮住了，所以战舰如果开火，敌友都一样遭殃。但日落时，联邦军回到了他们原来的阵地，敌人的右翼靠近河岸，暴露在两艘战舰的炮火之下，它们便猛烈轰击，效果显著。夜幕降临后，陆地上的枪炮完全停歇了，舰队司令了解了我们部队的大致位置，提出晚上每 15 分钟往敌人的前线发射一枚炮弹。邦联的战报证明，这样做确实有效。

即使夏洛之战时，我还和成千上万的民众一样认为，只需针对叛军的任何部分来一次决定性的胜利，这场针对政府的反叛就会立刻土崩瓦解。多纳尔森堡和亨利堡就是这样的胜利。多达 21000 人的军队被俘被杀。肯塔基的鲍灵格林、哥伦布和希克曼也是重大的战果，田纳西的克拉克斯维尔和纳什维尔连同大批储备物资一起落入我们的手中。田纳西河和坎伯兰河从河口到源头都在我们掌控之中。但是邦联军又聚集起来，不仅试图在更靠南的地方筑起一条从孟菲斯到查塔努加、诺克斯维尔一直到大西洋的战线，还主动进攻，力图收复失地。那时，我终于认识到，只有全面的胜利才能挽救联邦。在那之前，我们的军队——至少我指挥的军队——的政策是，我们所到之处，不论是支持联邦还是邦联，都要保护平民的财产。然而此后，我认为，秉承人道精神，双方都应该保护在家中的平民的安全，但一切能够支援或供给军队的东西都要销毁。在我方控制并要继续控制的地区，这些补给物资仍受到保护；但邦联军能获取的此类物资，我认为和武器军械一样都是战时禁运品。销毁这些东西无须流血牺牲，却能达到跟消灭敌人部队同样的效果。我将这项政策坚持执行到了战争结束。但不加区别的掠夺并不鼓励，还会受到惩罚。我明令要求，须在军官指挥下取用供给和粮草，如主人在家，军官还需向其开具收据，然后将财物上缴军需官或补给部门，日后会如同我们北方补给站供应的物品一样分发下去。但很多物资无法运到我方前线，却可能被用于支持脱离、背叛联邦的行动。这些东西被悉数销毁，也没有给所有者开具收据。

这项政策，在我看来，为加速战争结束起到了巨大作用。

夏洛之战，或者称为匹兹堡码头之战，一直是整个叛乱期间联邦和邦联的所有战斗中最不被人们理解，或者更确切地说，长久以来最让人误解的一场战役。谢尔曼和巴多发表的报告以及普伦蒂斯将军在一次退伍军人会议上的演说，都对这场战役进行了准确的描述，但这些都是在叛乱结束很久之后的事情，公众的错误观念已经根深蒂固了。

我本人没有向哈勒克将军呈交战报，而是在战斗之后立即写了一封信告诉他我们和敌人打了一仗以及战斗结果。几天后，哈勒克将军把指挥部搬到了匹兹堡码头，统领战斗部队。我尽管职位仅次于他，而且名义上指挥着我原来的辖区和部队，却受到漠视，仿佛置身于辖区最遥远的角落似的；尽管我指挥了夏洛之战的所有军队，但在战斗中却不许看比尔将军或者他的下属写的一份报告，直到很久之后陆军部公之于众才得以读到。因此，我没有写完整的正式战报。

第十一章
哈勒克将军接管战场指挥权

　　4月11日，哈勒克将军到达匹兹堡码头并立即接管了战场的指挥权。21日，普博将军率领一支多达30000人的大军赶到。他们刚刚夺取了密西西比河上的十号岛屿。他在匹兹堡上游5英里的汉堡码头扎营。哈勒克现在有三支军队：比尔指挥的俄亥俄部队、普博指挥的密西西比部队和田纳西部队。他命令把这支联合部队分为右路、后备、中路和左路。乔治•H.托马斯少将本来在比尔部队里，现在与他的师一起划给田纳西部队，负责指挥除了麦克勒南德的师和L.华莱士的师以外的所有田纳西部队。麦克勒南德受命指挥由他自己的师和L.华莱士的师组成的后备部队。比尔指挥中路的俄亥俄部队；普博指挥左路的密西西比部队。我被任命为所有军队的第二指挥官，兼右路和后备部队的指挥。

　　所有参加夏洛之战的指挥官都接到向军区指挥部呈交报告不得延误的命令。田纳西部队军官的报告经由我上交，但比尔将军把俄亥俄部队的报告越过我上交了。哈勒克将军口头命令我上交我的报告，但我断然拒绝了，因为他不经我手已经收到了参加夏洛之战的一部分部队的报告。他承认我在这种情形下拒交报告是合理的，但解释说他是希望赶在移交指挥权之前把报告送出去，而且他一收到那些报告就立即呈递给华盛顿了。

　　新指挥官一到，我们就立刻着手准备进攻科林斯。我们在右边的奥尔河上修了桥，派侦察部队到西北部和北部，察看那些方位是否会对我们所处的位置构成威胁。我们在通往科林斯的路上铺了木排，并修了新路；

旁边还修了辅路，一旦部队从不同路线行军可以互相支援。所有的指挥官都受到警告，不许挑起战斗，废了许多口舌告诫大家就是撤退也不能进攻。4 月 30 日，所有的准备工作都做好了。莫比尔和俄亥俄铁路以西

莫比尔得名于印第安部落"Mobile"，位于亚拉巴马州莫比尔湾西北沿岸，是该州唯一的海港城市。图为繁忙的莫比尔港

地区已经侦察过，通往科林斯的路也侦察到了距匹兹堡 12 英里的蒙特利。我们到处都能遭遇小股敌人，但他们是军中的观察员，不是大规模的战斗部队。

　　密西西比州的科林斯位于匹兹堡码头西南方向，直线距离 19 英里，但最近的马车路可能要 22 英里。它在田纳西和密西西比分界线以南约 4 英里，处于密西西比至查塔努加铁路与莫比尔至俄亥俄铁路的交会点。

后一条铁路从哥伦布通往莫比尔。匹兹堡到科林斯之间地势起伏很大，但还没有达到需要翻山越岭的地步。1862年时，那里的大部分地区都覆盖着森林，间或有开阔地和民居散落其间。河流和峡谷两边低地上的矮树丛十分茂密，但在高地上的密度一般还不至于给人通行造成困难。科林斯城北边有两条小河，在城南4英里处汇合成布里奇溪，流入塔斯坎比亚河。科林斯位于这两条小河的分水岭上，是一个有着强大的天然防御的军事据点。这两条河的水量不大，但东边的那条在城前方河面变宽。如有敌来犯，那里就是一片无法逾越的沼泽。敌军就盘踞在河西岸的制高点。

对敌人而言，科林斯是个有战略价值的军事重地，需要严防死守。我方如能占据，也同样价值重大。我们在攻占多纳尔森和纳什维尔后，应该立即拿下匹兹堡。因为那时根本无须大动干戈即可达到目的。错失良机后，也应在夏洛之战后，部队在匹兹堡码头集结时，毫不延误地攻打那里。实际上我们不应该等普博来。敌人从夏洛之战到撤离科林斯这段时间，只需我们稍微敲打一下，他们随时都会落荒而逃。邦联历经亨利堡和多纳尔森堡战败，从鲍灵格林一路经哥伦布长途跋涉到达纳什维尔，又兵败夏洛；实际上，自被赶出肯塔基和田纳西起，邦联的士气就一蹶不振，再让他们奋起抗争几乎是不可能的。博雷加德竭尽全力给自己增援，取得了局部的成功。他通过呼吁西南部的人民组建新的志愿军团而得到了几个团的兵力。夏洛之战前，A.S.约翰斯顿也曾努力在那里获取增援，但方式完全不同。他让民众把黑奴送到军队里当联畜车车夫、连队炊事员以及各种劳工，好让部队里所有的白人可以成为战斗力量。而当地的人们虽然愿意送子弟上战场，却对黑奴难以割舍。我们只得理解为，他们或许想让黑奴在供养军队的同时也照顾留在故乡的家人吧。

然而，博雷加德在夏洛之战后立刻得到范·多恩17000人的增援。没有直接暴露于敌人炮火的内部各处削减人员，以加强科林斯的兵力。1862年5月，有了这些增援和新志愿军团，博雷加德在名义上拥有了一大支部队，但有效战斗人员可能不超过 50000 人。我们估计他共有 70000 人。我们自己大约有 120000 人。由于科林斯的地形易守难攻，再加上有防御工事，如果不是士气低迷，50000 人就足以无限期地抵挡住双倍的兵力。

4 月 30 日，联邦军开始从夏洛向科林斯进军。这次行动自始至终都是一场包围战。联邦军一直都隐藏在战壕里，只派小支侦察部队到前方清除前进的道路。这些侦察部队的指挥官甚至受到警告，"不许挑起战斗""宁愿撤退也不许打"。敌人一直监视着我们的举动，但他们只是侦察员，所以交火几乎不可能演变成战斗。所有的交锋都旨在敲打敌人，

联邦军进攻科林斯

让他们自动撤退。我们继续在前方修木排路，挖新的战壕，部队再前进到新的军事位置。那些军事位置还要修建交叉道路，以备受到攻击时可以将部队集中起来。从田纳西河到科林斯，联邦军一路上都完全隐蔽在战壕里。

　　我自己也差不多就是一名旁观员。命令越过我，被直接下达给右路或者后备部队，部队也在未告知我的情况下，从一条战壕前进到另一条战壕。我的处境十分尴尬，所以在围攻期间曾几次申请解除我的职务。

　　哈勒克将军通常——如果不是一直——把指挥部设在右翼部队。普博在最左边，很少能见到总指挥，所以有时行动比较自由。5月3日，他带着自己的主力部队在七英里溪，但让一个师突击到距科林斯不到4英里的法明顿。他的部队那天好好打了一仗，攻下了法明顿，给敌人造成重创。当时中路和右路可以毫无阻碍地推进，形成一条直指敌军的新战线，但普博被下令召回，要求和大家保持一致。5月8日，他再次全军出动到了法明顿，将两个师推进到叛军战线前。可是他再次被召回。5月4日，中路和右路到了12英里外的蒙特利。他们因为每走一步都要修筑战壕，所以前进速度很慢。5月25日，左路再次出击，在敌人近前修筑战壕。前面提到的那条有沼泽的河隔开了双方阵地。在那里，只需把散兵部队间隔30英尺安排开，就足以守住任何一条防线。

　　那时，我们的中路和右路辐射范围很广，右路的最右边可能离科林斯五英里，离科林斯阵前的工事4英里。那条河在我们左边时对双方来说都是难以逾越的障碍，但流到右边时却只是个很小的阻碍。敌人在那里占领了两个战略位置。其中一个离他们的主战线两英里远，居高临下，由有防御工事的炮兵把守，步兵辅助。这个工事和联邦军之间有一片茂密的树林。往南是一片1英里多宽的开阔地，再往南是一座由步兵把守留有射弹孔的木屋。5月28日，谢尔曼的师付出一些牺牲夺取了这两个据点，但是敌人的损失可能更惨重。当天，我们对科林斯形成了包围之势。现在，托马斯的右路在莫比尔至俄亥俄铁路以西地区。普博的左路控制了科林斯以东的孟菲斯至查尔斯顿铁路。

　　几天前，我曾向总指挥建议，晚上把密西西比军从中右路后方调开，准备天亮进攻，这样普博的阵前就不会有天然的阻隔，而且我相信，也不会有激烈的人为抵抗。我们的左路因为有河流和沼泽挡在前方，只需一条人数不多的警戒哨就能守住。部队的右边则是一座山脊，没有水流挡路，易于翻越，但我马上就被喝止了，仿佛我的建议违背了军事常识似的。

后来，可能是5月28日，驻守莫比尔至俄亥俄铁路的洛根将军告诉我，敌人几天来一直在撤退，如果允许，他愿意带自己的旅到科林斯去。火车不断在科林斯进进出出。一些战前在铁路上从事各个工种的人说，自己只要把耳朵贴在铁轨上，就知道火车是来还是走，是满载还是空仓。他们说这几天都是空车而来满载而去。后来的事情证明他们的判断是对的。博雷加德5月26日发布命令，要部队29日撤出科林斯；而哈勒克将军30日还在召集全军准备战斗，宣布说各种迹象显示我军左路会于当天上午遭到攻击。科林斯已经人去城空，联邦军一路向前，没有遭到任何阻拦。所有物资不是销毁就是运走了。邦联司令曾指示士兵，每进来一列火车就高声欢呼，让北方佬误以为是援兵到了。邦联没有留下一个伤病员，也没有留下一丁点儿物资。一些没有运走的弹药被炸毁了，我们的战利品是几架装模作样的假炮——直径和大炮差不多的几根原木被架在马车轮上，阴森森地向我们示威。

联邦军占领科林斯具有极大的战略意义，但这场胜利在其他方面毫无意义。双方几乎没流一滴血。邦联军顺顺利利地转移走了科林斯的所有公共物资，最后还全身而退，他们的士气毫无疑问受到了极大的鼓舞。而我们这边，我知道田纳西部队里的官兵——我想其他部队应该也一样——对这样的结果很失望。他们不明白仅仅依靠攻城略地，却任凭叛军的大量有效战斗部队依然存在，如何能够结束这场战争。他们认为指挥得当的进攻起码应该消灭一部分保护科林斯的部队。不过夏洛之战后，增援部队一到，就在两天之内占领了科林斯，我个人对此很满意。

哈勒克将军立刻开始在科林斯附近大规模兴修防御工事，仿佛就算搭上全部部队也要守住这里似的。南面、东南和西南两三英里内的制高点都防御森严。如有需要还准备再用散兵壕把这些堡垒连通起来。这些防御工事的规模之大，得有100000人才能完全守好。或许将军认为双方的决战会在那里打响。这些防御工事根本没派上用场。联邦军占领科林斯后，普博将军即刻奉命追击撤退的守军，比尔将军紧随其后。比尔级别较高，所以统领整个纵队。他们追出去 30 英里，却没截获任何战争物资，也没捉住什么俘虏，只有几个掉队的心甘情愿做了俘虏。6 月 10 日，追击敌人的纵队都回到了科林斯。田纳西的部队没有参与上述行动。

邦联被赶出了田纳西州的西部地区。6 月 6 日，经过一场激烈的水上战斗，联邦军攻占了孟菲斯，控制了那里至密西西比河源头的河段。哥

科林斯之战。出自《哈珀周刊》

伦布至科林斯的铁路立刻恢复了正常状态，处于我方控制之下。我们在坎伯兰河上的多纳尔森、克拉克斯维尔和纳什维尔都配备了守军，并控制了田纳西河河口至东波特的河段。新奥尔良和巴吞鲁日也落入联邦军手中，于是，西部的邦联部队与里士满的所有联络都被限制在唯一一条从维克斯堡向东的道路上。所以，夺取他们的这条线路成了我们的第一要务。占领密西西比河上孟菲斯到巴吞鲁日的河段也是我们极其重要的一个目标，如果成功，对削弱敌军力量的效力无异于斩去了一只臂膀。

占领科林斯后，一支 80000 人的机动部队除了足够守住所有领土外，还能完成镇压叛乱的任务。况且新募集的部队的有效战斗力也在不断壮

大。可是我们却开始分散兵力。比尔和他的俄亥俄部队被往东派遣，沿着孟菲斯至查尔斯顿铁路一边前进，一边修复铁路——结果他们前脚刚一走，游击队或者其他部队后脚就把这些铁路毁掉了。如果直接命他全速赶往查塔努加①，留两三个师把守纳什维尔的铁路线，那么只需他稍稍打几下就能办到，后来在夺取查塔努加的战斗中牺牲的许多人就可以不死；布拉格就不会有时间筹集起一支军队去争夺田纳西的中东部和肯塔基地区；斯通河战役和契卡莫加战役就不一定有必要打；伯恩赛德就不会被围困在诺克斯维尔自身难保，无路可逃；查塔努哈之战也不用打了。联邦军占领科林斯后如果马上采取行动，上述这些就是"负"影响——如果"负"这个词可以这样用的话。正影响是，不损一兵一卒前进到亚特兰大、维克斯堡或者科林斯以南深处密西西比腹地的任何地方。

---

① 查塔努加位于田纳西州东南部，四面环山，田纳西河穿城而过，是一座清新秀美的宜居小城。——译者注

第十二章

克拉克斯维尔投降

我在科林斯的指挥权有名无实，终于忍无可忍请哈勒克批准我将指挥部搬到孟菲斯。我在从攻占多纳尔森到进入科林斯期间多次请求免除我在哈勒克手下的职务；但我的申请直到占领科林斯城才得到批准。我又获准离开军区，但要动身时刚好谢尔曼来访，他极力劝我不要走，我这才决定留下。不过，我把指挥部搬到孟菲斯的申请得到了批准。6月21日，我带着参谋和不到一个连的骑兵护卫队出发了。有一支由两三个连组成的分遣队恰巧要往西到 25 英里以外的地方保护铁路。我由他们护送到了他们的目的地，第二天早上带着自己的那几个骑兵继续往拉格朗奇走。

拉格朗奇到孟菲斯有 47 英里远。两地之间只有一小支部队保卫修复铁路的工作队，此外再没有军队。我不知道去哪儿找他们，就暂时停在拉格朗奇。赫尔伯特将军当时在那里，指挥部的帐篷搭建在一座宽敞的乡间别墅的草坪上。主人在家里，得知我来了，就请我和赫尔伯特将军去吃饭。我接受了邀请，与主人度过了一个美好的下午。他是一个十足的南方绅士，深信脱离联邦乃正义之举。饭后，我们坐在宽敞的门廊上，他把自己对脱离大业所做的贡献向我一一道来。他当时应该有七十多岁了，虽然年事已高不能参军打仗，但他家财丰厚，可以用别的方式出一把力。和平时期，他所住的农庄产出的面包和肉类足够养活他位于密西西比低地的主种植园上的奴隶。现在，他在农庄和种植园里都种上了粮食和草料，估计当年的盈余足以养活 300 个穷苦家庭。他们的男丁打仗去了，家人只能靠富人的"爱国心"度日。那里的庄稼长势很好，我当时想，等收获时节，"北方佬"就会来把它们收割了，用于镇压叛乱而不是支持叛乱。不过，虽然我们政见相左，但主人的坦率和对自己所信仰事业的热忱，仍令我肃然起敬。

1862年6月23日，即使对于那里的纬度和季节而言，从拉格朗奇到孟菲斯的路上也是非常热的。我带着参谋和一小支护卫队一早出发，没到中午就离孟菲斯不到20英里了。这时我看到一位闲适的白发绅士坐在

美国南北战争期间的孟菲斯城市格局

路边不远处的自家屋前。我让参谋和护卫先走，自己停下来借口要杯水喝。他立刻邀请我下马进屋坐坐。主人和善而健谈，我就多待了一会儿。后来女主人说开饭了，要我和他们一起吃。可是男主人却没有留我的意思，我就回绝了邀请，骑上马继续往前走。

我刚才停留的地方往西1英里，有一条东南方向过来的路，与拉格朗奇到孟菲斯的路相通。我走到交会点往西1英里，发现我的参谋和护卫正在一座离路几百英尺的房子前的草坪上歇息乘凉，马拴在路边的栅栏上。我也下马，和大家一起休息到下午凉快的时候，这才又往孟菲斯走。

　　我在离孟菲斯 20 英里的地方遇到的那位绅士是德·洛什先生，忠于联邦。他没有邀我多留一会儿是因为我刚去不久就有一位邻居史密斯医生过去拜访。他一听介绍说是我，就仿佛被什么东西砸到了似的从门廊上跌了下去。德·洛什先生知道叛军的杰克逊将军正带着一支骑兵小分

美国南北战争期间的托马斯·乔纳森·杰克逊将军
（1824—1863）。奥古斯托·费勒·达尔毛绘

队在附近。德·洛什先生的邻居对南方事业的热衷与他自己对联邦事业的忠诚不分伯仲。德·洛什先生并不知道杰克逊的具体方位，但他肯定他的那位邻居一定知道，而且一定会去通风报信说我来了，所以史密斯医生走后，他不希望我久留。

我前面说过有一支分遣队在孟菲斯东面保护修理铁路的工人。我到孟菲斯的那天，杰克逊抓了一小群准备往东送给这支小分队的肉牛。赶牛的人不是当兵的，他就把他们放了。一两天后，一个赶牛人到我的指挥部讲他被抓的情形，说杰克逊没抓到我很是失望；他得知我在德·洛什先生家的时候，正在孟菲斯至查尔斯顿铁路南边六七英里的地方，他带着人马赶到自己所在的路与拉格朗奇至孟菲斯路的交叉口，得知我3

美国南北战争期间孟菲斯到查尔斯顿铁路上
的铁路工人们的合影

刻钟前已经从那里过去了。他觉得自己人困马乏，再去追一群骑着良马又已经走了那么久的人，完全是徒劳。其实他只需再往前走四分之三英里就能看到我们一行人正静静地在树荫下休息，手里连一件可以自卫的武器都没有。

当然，杰克逊将军并没有把他没抓到我的失望心情告诉自己的俘虏——那个年轻的赶牛人；他是从士兵们的谈话中听出来的。一两天后，德·洛什先生到孟菲斯来找我，为没有留我吃饭而明显有失礼节的举动向我道歉。他说虽然妻子责备他礼节不周，但他在邻居到访之后一直心神不宁，我走了才安下心来。我在战前和战争期间都没有见过杰克逊将军，但战后在他位于科罗拉多曼尼托斯普林斯的避暑别墅见过他。我和他提起这件事，他感慨庆幸当时没抓到我。我当然也是很庆幸。

我把指挥部设在孟菲斯的时间很短。但其间有几件事很值得一提。此前，我在南方占领的地方，家家户户几乎都没什么人。多佛在多纳尔森堡的防御范围内，我记得那里空无一人。匹兹堡码头没有人烟，科林斯的人屈指可数。可是孟菲斯是个人口众多的城市，而且许多居民都留在家里。他们不仅坚信自己追随的事业乃正义之举，而且认为"北方佬的军队"只要有机会袒露心扉，一定也和自己的看法一致。我每天都要花几小时听他们抱怨和要求。他们的要求一般比较合理，合理的我就许可；但是他们的抱怨有时——或者说经常——是无理取闹。从两件事就可见一斑。第一件：孟菲斯落入联邦军手中后，管理该城的指挥官命令城里的一座教堂向士兵开放，让军中的牧师在讲道坛上布道。第二件：战争初期，邦联的国会通过一项法律，没收"外敌"在南方的所有财产，其中包括南方人向北方人欠下的债务。因此，我们占领孟菲斯期间，宪兵司令大力收集关于此类债务的证据。

我最早听到的怨言就是这两桩"暴行"。向我抱怨的这位先生先表明自己作为一个律师、公民和基督徒的崇高声誉。他是那座因为联邦军占领、让联邦军的牧师站上讲道坛而受到玷污的教堂的执事。他虽然没有用"玷污"这个词，但他的意思再明白不过了。他要求把教堂还给以前的教众。我告诉他，我们并没有禁止原来的教众去那个教堂。他说教众怎么能听一个和他们的政见有天壤之别的北方牧师布道。我说部队目前会继续占用教堂，因为我不可能让官兵们去听煽动叛乱情绪的布道。我们就此事的争论画上了句号。

他又开始抱怨第二件事。这位苦主说宪兵司令不顾他的抗议拿走了债务文书，他要求物归原主；他是个律师，在"邦联政府"成立之前曾在北方的许多大商行里做代理律师；"他的政府"没收了所有欠"外敌"的债务，指派专员或官员收债再偿付给"政府"；但他由于威望很高，获准保存这些债权书，因为负责官员知道他会把收到的每一美元都上缴"政府"。他说他的"政府"收复失地后一定会找他算账，让他为被宪兵司令拿走的债权书负责。他将歪理邪说讲得如此理直气壮，让我又好气又好笑。不过，我告诉他只要他留在孟菲斯，我相信邦联政府绝对奈何他不得。他临走时，显然对我满怀的信心感到不可思议，而我也同样惊讶于他的厚颜无耻。

7月11日，哈勒克将军收到电报任命他为全军司令，总部设在华盛顿。命令敦促他在保证所率部队安全与利益的前提下，尽快赴任。我是第二指挥官，于是，他当天发电报给我，让我去科林斯的军区指挥部。电报没有说我的上司已另有他任，所以我不知道是否要把指挥部迁走。我发电报问是否要带着参谋一起去，得到的回复是"此地即你指挥部。自行定夺"。我立刻从孟菲斯出发，当月15日到了科林斯。哈勒克将军待到7月17日；但他守口如瓶，对叫我来科林斯的用意只字不提。

哈勒克将军履新总司令，我仍指挥田纳西州西部地区。我实际上成了军区指挥，因为没有任命任何人担任这个职务，而我直接向总司令汇报；直到10月25日，我才正式被任命为军区指挥。哈勒克将军在指挥密西西比军区的时候，管辖区域一直向东到查塔努哈北部。我的辖区只是田纳西州西部和坎伯兰河以西的肯塔基州。前面说过，比尔和他的俄亥俄军奉命一边前进，一边修复孟菲斯至查尔斯顿铁路。哈勒克派兵沿莫比尔至俄亥俄铁路向北修路，一直修到哥伦布。另派军队驻守田纳西的杰克逊至大章克申① 铁路，还有一些在往西到孟菲斯的铁路沿线。

---

① 大章克申是美国科罗拉多州的一个城市，位于该州西部科罗拉多河和甘尼森河汇流之处，昔时科罗拉多河被称为格兰德河，这也是城名的由来。——译者注

5月30日进入科林斯的12万大军如今四分五裂。在这片土地上，民众几乎个个与联邦为敌，我完全被置于防守地位。我需要做的头等大事就是在科林斯筑起有限的守备军队可以驾驭的防御工事。五六月间修的那些工事犹如一座座向世人昭示工程师才华的纪念碑，缺乏使用价值；这次修的工事只几天就完成了，设计简单，但更适合留守的部队做防御之用。

我迅速按实际需要调遣该地区的部队。我认为多纳尔森、克拉克斯维尔、纳什维尔和科林斯以及沿铁路线向东的部队，足够抵御来自西部的任何进攻。莫比尔至俄亥俄铁路上从科林斯南边的雷恩兹到哥伦布都有部队驻守；密西西比中央铁路上田纳西的杰克逊至玻利瓦尔也有驻军。孟菲斯铁路上的大章克申和拉格朗奇则弃之不管。

田纳西军南面，与之相抗衡的是范·多恩率领的队伍。他们在得到密苏里的普赖斯增援后，足以组建起一支3.5万至4万人的机动部队。这支机动部队可以进攻科林斯、玻利瓦尔和孟菲斯。在这种情况下，联邦军最佳的选择就是削减不受威胁的地方的兵力，去加强受到威胁的地方。联邦军进攻别处已没有任何用处，因为目前的兵力只能防守这么大区域。战争中最让我焦虑不安的时期，就是夺取科林斯和孟菲斯后，田纳西军驻守两地时，尚未有足够的援兵可以采取进攻态势的这段时间。敌人的骑兵在我们后方活动，我们只好把铁路线一路保护到哥伦布，因为我们的给养全靠这条铁路线了。除孟菲斯和哥伦布下游的密西西比河段外，指挥部与管辖区内所有部分均需电报联络。与那两地的联系先经铁路至哥伦布，再经水路。援兵到达孟菲斯需要三四天，而调动部队的命令需至少两天才能送到。所以，孟菲斯实际上与管辖区里的其他部分隔绝开了。但好在那里是谢尔曼的地盘，部队不仅挖好了战壕，还有炮舰得力协助。

哈勒克将军走后的两个月间，两军有许多小规模的交火，但相对主要战役而言都很微不足道，所以除了战斗的亲历者几乎已无人记得。但有几场战斗从双方死伤人数上来说，与墨西哥战争中大多数战斗的惨烈程度不相上下，但后者当初却引起了公众极大的关注。7月23日，驻守玻利瓦尔的罗斯上校受到大股敌军威胁，不得不从杰克逊和科林斯派兵增援。27日，离玻利瓦尔8英里的哈奇河上有小规模交火。30日，我从深入南方的 P. H. 谢里丹那里得知，布拉格亲自到了乔治亚州的罗马，他的部队坐火车（经莫比尔）到查塔努加，车马队经陆路到罗马与他会合。普赖斯当时带着一大支部队在密西西比的赫里斯普林斯，大章克申是他的前哨。我建议总司令允许我把他赶走，但被回复说尽管我自己要审时度势，但最好不要分散兵力，而应时刻准备增援比尔。

布拉格自己只身前往罗马，车马队长途跋涉到查塔努哈，而他的军队却从别的路线绕道会合。除了从我前线经过时，他们不需要任何保护，

查塔努哈是美国内战期间双方争夺的战略要地。图
为内战期间的查塔努哈

显示出部队在民众亲善的地区行动所具有的优势。比尔在敌对的区域行军，不得不把交通线从头至尾全程保护到给养基地。越深入敌军腹地，联邦军就需要越多的军队。我的兵力足以把布拉格全歼，却不得不处于

防御状态，战绩平平，很少的兵力都能做得到。

8月2日，我接到华盛顿的命令，要我尽可能就地解决给养，从那些与政府为敌的民众那里获取物资，同时指示我"对待我方占领区的叛乱分子要毫不留情"，把他们关进监狱，或者赶出家园，驱逐出我方领土。我记得整个叛乱期间都没有逮捕拘禁一个平民（也没有一个士兵）。我知道许多人被我的一些属下假借我的名义投进了北方——尤其是伊利诺伊的乔利埃特——的监狱。我一得知情况就把他们全放了；最后还派了一名参谋官到北方把假借我的命令关起来的人都放了出来。南方有很多平民应该受到惩戒，因为他们只要有机会就会给联邦军制造麻烦。但这些人绝不会轻易就能抓得住，我宁可让1000个有罪之人逃脱，也不想让一个无辜的人受冤枉。

8月14日，我奉命派两个师增援比尔。他们当天经迪卡特出发。22日，罗德尼·梅森上校明明带着团里的6个连，却把克拉克斯维尔拱手让人。

梅森上校是在夏洛听到叛军的第一声枪响就带着士兵逃离战场的军官之一。他无论是天生的秉性还是后天的教养都是一位谦谦君子，战斗结束后他为自己的行为羞愧难当。他眼含热泪地找到我，请求再给他一次机会。我很同情他，就派他带团驻守克拉克斯维尔和多纳尔森。他把指挥部设在克拉克斯维尔，显然是因为他觉得那里更靠近敌军，更加危险。但当一伙游击队命令他投降时，他骨子里的懦弱又占了上风。他问敌人有多少人，得到的回答表明比自己人数多，他就说如能让他确信他们确实人多他就投降。于是双方安排他去清点游击队的人数。敌人果然比他人多，他就投降了，还告知多纳尔森的属下实情，建议他们也投降。游击队要他们宣誓放下武器后就把他们放了，又转而直奔多纳尔森，但那里的指挥官率队迎敌，把他们赶跑了。

当时，有许多让人窝火的事情。有一件这样的事：政府想把南方的棉花运出来，就命我为此提供一切便利。政府允许用金子付款，我方密西西比河沿岸和铁路沿线的驻军要重新排布在接收棉花的地方。这不仅急敌人之所急，提供途径让他们把棉花变换成全世界通用的金子，还给他们机会获取有关我军方位和兵力的精确情报。同时也打击了我军的士气。我们要在占领区保护那些从财政部获得许可的人士，还要提供便利帮他们运出大发其财的棉花。这宗交易最终支持的是我们正奋力抗击的敌人，利润让那些无须出生入死的人赚得盆满钵满。一心为国杀敌而参军的人怎会情愿参与这样的保护任务。

8月30日，M.D.莱格特上校率俄亥俄州第20和第29志愿军步兵团，在玻利瓦尔附近遭到估计4000人的敌军袭击。敌人被赶跑，损失一百余人。9月1日，米顿的护桥部队被游击队袭击。驻防部队坚持到援兵赶来，让敌军在战场上留下约50名伤亡者大败而归，我方仅死两人，伤15人。同一天，丹尼斯上校率不足500名步兵和两门大炮在米顿以西几英里处遭遇一大股敌军骑兵，不但将他们赶走，还给他们造成了极大损失。我军埋葬了战场上的179具敌军尸体。后来发现战场附近的所有的人家都成了救治伤员的医院。我方损失据当时报告为死伤45人。9月2日，我奉命再为比尔增派援兵。杰克逊和玻利瓦尔还在敌军威胁之下，但我仍然派出了援兵。4日，我接到明确命令让我派格兰杰的师去肯塔基的路易斯维尔。

比尔将军大概在6月10日离开科林斯进军查塔努加；接替博雷加德的布拉格于6月27日从图珀洛调一个师也朝那里进发。比尔早走了17天。如果没有要求他边走边修复铁路的话，他最多18天就能到目的地，联邦军就能比叛军先到查塔努加。纳什维尔至查塔努加的路完全可以让别的部队去修理，这样联邦军占领查塔努加不久，那里与北方的交通就能打通。如果比尔第一时间就带着俄亥俄的全部部队和后来增援给他的那部分密西西比军出发，他就能从自己的队伍里分出4个师修理保护铁路线。

格兰杰师立即于9月4日派出。该师到科林斯时，我刚好在科林斯车站。我惊讶地发现P.H.谢里丹将军也在其中，就说没想到他也跟着走。他感觉我可能留住他，而表现出明显的失望情绪。他这么想离开，让我觉得有些恼火，就没有留他。

战争爆发时，谢里丹正在我曾服役 11 年的第 4 步兵团任中尉，驻扎在太平洋海岸。他于 1861 年 5 月升任上尉，当年年底前，我不知道通过什么途径，得以调到东部地区。他去了密苏里。哈勒克知道他年轻有为，在太平洋海岸组织针对印第安人的战斗中有功，就任命他为密苏里西南部的代理军需官。谢里丹任职期间，前线供给畅通无阻；但他因为严禁

谢里丹（1831—1888）是美国南北战争期间联邦部队的骑兵
将领。图为谢里丹将军照片，摄于美国南北战争期间

将公共交通挪作私用而与直接领导不和。他请求解除自己当时的职务，得到了批准。哈勒克将军 1862 年 4 月指挥战斗时，让谢里丹在他的参谋部任职。进攻科林斯时，密歇根第 2 骑兵团有个团长空缺。密歇根州长布莱尔发电报给哈勒克将军，让他提名一位职业军人填补空缺，只看才德，不需要一定是本州人士。将军举荐了谢里丹；他果然能力出众，等

进入科林斯的时候，他已经指挥密西西比军的一支骑兵旅了。7 月 1 日，他在布恩维尔带着两个小团遭到 3 倍敌军的袭击。他娴熟地调兵遣将，勇敢进攻，大败敌军。他因此升任准将，在科林斯一带的军队里很有名气。所以见他要离开，我很惋惜。不过他离开或许也是好事，因为他在新的战场立下了卓越的功勋。

格兰杰和谢里丹比比尔先到路易斯维尔，抵达当晚谢里丹就和部下一起在火车站周围筑起工事，保护从前线过来的部队。

第十三章
艾尤卡之战

9月4日，我从密西西比军派出两个师驻守科林斯、雷恩兹、雅辛图和丹维尔。科林斯除了骑兵和炮兵外，还有戴维斯的一个师和麦克阿瑟的两个旅。他们是我的左路部队，由罗斯克兰斯指挥。奥德将军指挥中路，包括莫比尔至俄亥俄铁路上贝塞尔至洪堡段和杰克逊至密西西比中央铁路与哈奇河交会处的玻利瓦尔段。谢尔曼将军在孟菲斯指挥右路，他还有两个旅在哈奇河和孟菲斯至俄亥俄铁路交会处的布朗斯维尔。这是我能想到的最佳安排，可以将所有可用兵力集中到任何受威胁的地方。除了谢尔曼，辖区中的所有部队相互都有电报往来。我把他的一部分部队派到有铁路和电报线与孟菲斯相连的布朗斯维尔，通过信使只要几小时就能与谢尔曼传递消息。假使需要增援科林斯，玻利瓦尔的所有部队——除了一小支守军——能从杰克逊坐火车于24小时内抵达；而布朗斯维尔的部队则可以前进到玻利瓦尔接替他们。

9月7日，我了解到范·多恩和普赖斯在向前挺进，明显是冲着科林斯。我从孟菲斯派了一个师到玻利瓦尔，以应对敌人这一行动可能引发的紧急情况。我那时忧心忡忡，因为除了守好辖区领地之外，我的首要职责就是阻止敌军增援密西西比中部的布拉格。北弗吉尼亚的军队已经打败了普博将军的军队，现正大批进入马里兰州。中部地区，比尔将军正在去路易斯维尔的路上，而在和他平行的方向上，布拉格正率领一支庞大的邦联军赶往俄亥俄河。

我奉命不断向比尔增援，所以此时，我的整个部队各色军种总共剩下不到50000人。这是我的管辖区内开罗以南的全部部队。如果我也被迫后撤，俄亥俄河就成了阿勒格尼山脉以西两军的分界线，而东部的分界线已经比战争刚打响时往北移了很远。我们攻占纳什维尔后虽然一直坚守在那里，但如果田纳西州西部的军队被迫后退的话，纳什维尔就孤立无援，守军也只能匆忙撤退。如果我们在战争第二年年末宣布说，交战双方东部的分界线退到了没有脱离联邦的马里兰州以北，西部的分界线越过了一直忠于联邦的肯塔基，实在令人灰心丧气。事实上，很多忠诚之士在1862年秋都感觉拯救联邦已无希望。华盛顿政府也十分担心自己崇高事业的存亡。但我相信，总统绝没有一天动摇过正义的事业必将成功的决心。

至9月11日，罗斯克兰斯部队仍在科林斯以东的铁路线上，不过他们已接到召回的命令。12日，除了威斯康辛第8团墨菲上校的一小支部队，所有的都召回了。他留在那里保卫还没运到科林斯的剩余物资。

9月13日，斯特林·普赖斯将军进入孟菲斯至查尔斯顿铁路上的艾尤卡，那是科林斯以东20英里的一个城镇。守卫那里的墨菲上校人手很少，所以看到敌人将至，他没有抵抗就撤离了。我担心叛军的目的可能是派兵进入田纳西增援布拉格，后来证明确实如此。我说过，华盛顿当局，包括军队总司令，都很担忧田纳西东部和中部的

罗斯克兰斯（1819—1898）是美国南北战争时期的北方将领，他是一位战略天才，但在战场上却是位失败的指挥官。图为罗斯克兰斯画像

战况；而我不仅担心自己管辖区的安危，也和他们一样忧虑东部和中部的命运。我即使使出浑身解数也凑不出足够的兵力进攻普赖斯；况且，还有一个危险是，可能我还没从别处把部队调过来，斯特林·普赖斯将军就已经深入田纳西腹地了。为了不让这种担心变成事实，我决定将玻利瓦尔和杰克逊的所有可用兵力都调到科林斯，火车车厢都集中到杰克逊运送这些部队。命令下达 24 小时内，部队就抵达了目的地，而这期间，因为先头火车脱轨导致后续火车延迟了 4 小时。这样，科林斯就有了差不多 8000人的援军，奥德将军任指挥。罗斯克兰斯将军指挥着科林斯地区一支独立于守军的机动部队，约 9000 人。我知道范·多恩将军带着一大股军队在我们以南约4 天行军路程的地方。可能他的计划是趁普赖斯从东面进攻科林斯时，他自己从南面夹击。我迫切希望我能赶在范·多恩到达科林斯或者增援普赖斯之前，先进攻普赖斯。

斯特林·普赖斯（1809—1867）是美国南北战争期间邦联军的一名将领。图为斯特林·普赖斯的照片

罗斯克兰斯将军以前的指挥部在艾尤卡，部队沿孟菲斯至查尔斯顿铁路向东分布。他在那里的时候请人绘制了一幅精细的地图，标示出周边所有道路与河川。他本人也对那里的地形很熟悉，所以我在计划路线时很尊重他的意见。我们有足够的车厢运送奥德将军的部队。他们预备乘火车到伯恩斯维尔。伯恩斯维尔在艾尤卡西面 7 英里的一条路上的。他的部队将从伯恩斯维尔沿铁路北面前进，从西北进攻普赖斯，而罗斯克兰斯将从科林斯南面的阵地，经雅辛图路向东推进。一小支部队守住雅辛图路向东北方的转弯处，而主力则沿富尔顿路继续行军到艾尤卡以东。这个计划是罗斯克兰斯提出的。

富尔顿路东面几英里的贝尔溪是部队行军中的一大障碍。1862年9月，周边所有的桥都已经被毁掉了。东北方几英里处的田纳西河对于后有追兵的部队来说是难以逾越的障碍。奥德在西北方，即使叛军能在那里采取什么军事行动，也只能暂时缓解一下，这是因为，那样的话，普赖斯的部队就到了联邦军的后方，孤立无援。我觉得只要我们赶到的时候，普赖斯还在艾尤卡，他就必败无疑。

9月18日上午，奥德将军乘火车到伯恩斯维尔，然后开始执行自己的任务。他需要尽量靠近敌人，修好防御工事，然后在自己的阵地上坚持到第二天早上。罗斯克兰斯则要于19日上午之前占据前面说的那两条路，然后三个方向同时发起进攻。为了防范范·多恩派骑兵突袭科林斯，雅辛图和雷恩兹都留有足够的部队，能在我得到消息前先抵挡一阵。铁路沿线有一条电报线，可以即时通信。我在伯恩斯维尔预留了充足的车厢和机车，能把奥德的部队一次性全部运走。所以，如果范·多恩不打艾尤卡而转攻科林斯的话，没等他到，我就能派出7000或8000人的增援部队。我带着一支从奥德军中抽调的约900人的小分队守在伯恩斯维尔，通过信使和部队两翼联络。奥德离开伯恩斯维尔不久就遇上了敌人的先头部队。双方产生了激烈的交火，但他逼退了叛军，给敌人造成巨大伤亡，还打死了一名将官。他坚守着自己的阵地，第二天早上天一亮就做好了进攻的准备。但是午夜过后，我收到了罗斯克兰斯从离艾尤卡22英里的雅辛图发来的电报，说他有一部分部队耽误了，尾部的队伍还没到雅辛图。我看到这些非常失望。但他说能在次日2点赶到艾尤卡。考虑到距离较远，路况又糟，我觉得这很不现实；况且，刚刚强行军20英里的队伍显然不会处在最佳的作战状态。让他们去接替一支被围困的守军或许可行，但让他们发起进攻明显是强人所难了。我立刻派人给奥德送去了罗斯克兰斯电报的副本，命令他一听到南面或东南面枪响就做好进攻准备，同时指示他通知下属军官注意一切战斗迹象。但是19日风向不顺，无法把声音传到奥德所在的方位，我所在的伯恩斯维尔也听不到。

19 日天黑前几小时，罗斯克兰斯和先头部队到了加尼兹，那里是通向艾尤卡的雅辛图路与那条东去道路的分岔口。他在分叉口直接北转，没有派兵把守富尔顿路。在去雅辛图路上列队行军时，他遇到了敌军。他的先头部队被打得落花流水，退回了主路。就参战人数而言，他在这

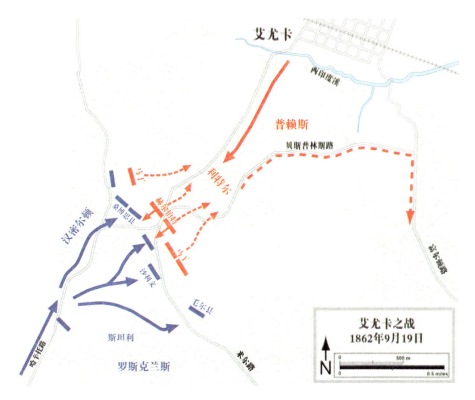

1862 年 9 月 19 日艾尤卡之战形势图

次短暂的交火中可谓损失惨重，还被抢走了一门排炮。风刮得很猛烈，但风向仍然不好，无法向奥德或者我传送战斗的声响。不论是他还是我，或者双方部队的任何人，谁都没听到战场上的一声枪声。战斗结束后，罗斯克兰斯给我发了封急件报告战斗结果。信是让信使送来的。伯恩斯维尔和罗斯克兰斯当时所在地点之间没有路，无法直接骑马过来。传递消息的信使只好一直往西走到雅辛图才找到一条到伯恩斯维尔的路。所

123

以我夜里很晚才得知下午发生的这场战斗。我马上把这件事告诉了奥德，命令他一大早就发起进攻。第二天早上，罗斯克兰斯自己也重新发起进攻，几乎毫无阻拦地进入了艾尤卡。奥德虽然没有听到城南有枪声，但觉得西南方的部队应该已经行动了，于是依令行事。然而，罗斯克兰斯没有派兵把守富尔顿路，敌人利用这个疏漏已经趁着夜色逃跑了。很快，我得到消息说我们的部队进了艾尤卡。我立即骑马进城，却发现竟然连骑兵都没有出去追击。我命令罗斯克兰斯率全军出动追击敌人，并亲自和他一起追了几英里。我走后他只追了几英里就扎营了，没有继续追下去。我对艾尤卡的战斗结果很失望，但我对罗斯克兰斯将军评价很高，所以当时没有追究他的责任。

第十四章
指挥田纳西军区

9月19日，G.H. 托马斯将军奉命东进增援比尔。这使我的部队愈加处于被动防御的境地。除了科林斯，孟菲斯至查尔斯顿的铁路已被放弃，奇瓦拉和大章克申只留了小股部队。不久，后两处地点也被放弃，玻利瓦尔成了我们在密西西比中央铁路上最前沿的位置。我们的骑兵一直活跃在前线，还经常派侦察分队出去监控敌人动向。我们周围，除了黑奴，几乎人人仇视我们，反对我们竭力镇压叛乱的事业。所以，敌人很容易早早就知道我们的一举一动。而我们却不得不费尽周折搜集情报，还经常空手而归。

22日，玻利瓦尔受到大章克申以南一大股敌军的威胁，应该有20个步兵团加骑兵和炮兵。我增援了玻利瓦尔，然后亲自到杰克逊把部队调动到所有可能受到攻击的地方。科林斯的部队及时赶到，不战而屈人之兵，赶走了虎视眈眈的故军。我们的骑兵把敌人一直追到密西西比的戴维斯米尔斯南面。

30日，我发现范·多恩明显打算袭击孟菲斯上游的密西西比河段。而那时我的管辖区里多处受到敌军威胁，无法集中兵力把他赶走。正在这个危难关头，一大支联邦部队恰好在阿肯色州的海伦娜。那里如果归我管辖，我就能命令他们过河，深入南方，攻打破坏密西西比的中央铁路。这样不仅能逼回范·多恩，还能迫使大股叛军待在南方腹地，防止我们再次袭击他们的补给线。叛乱期间，管辖范围的地理分界线经常划分得不太合理，或者太拘泥于那些分界线。

　　范·多恩虽然表面上看起来想进攻孟菲斯上游，但实际上并非如此。他只是在掩饰一个更大的阴谋，一个对他的事业重要得多的阴谋。10月1日，敌人的意图完全明朗了，他们要纠结大股部队痛击科林斯，为此范·多恩、洛维尔、普赖斯、威利彼格和鲁斯特已经把兵力合在一处。3日，我军在科林斯城外与敌军的先头部队爆发了小冲突。大股叛军集结在孟

联邦军和邦联军在科林斯城外爆发战斗。出自国会图书馆

菲斯至查尔斯顿铁路和莫比尔至俄亥俄铁路的西北角上，因此挡住了所有可能增援科林斯的军队。任何外来的增援部队都必须绕道而行。

　　于是，3日夜里，我命令杰克逊的麦克弗森将军，带着在铁路沿线临时搜罗起来的一个旅的兵力，到科林斯增援罗斯克兰斯。赫尔伯特也奉命从玻利瓦尔往那里赶；因为范·多恩是从西北靠近科林斯的，所以他的一部分人马和赫尔伯特的先头部队遭遇，于3日傍晚爆发小规模冲突。4日，范·多恩奋力一击，显然是希望在援兵赶到前捉住罗斯克兰斯。那

样，他们自己就能占领科林斯的防御工事，把赶来的联邦军都挡在外面。事实上，敌人不仅能抵挡住三四倍于他们的增援部队，还能有足够的守军把守科林斯附近的工事。他离成功仅一步之遥。他的部分部队至少有一次突破了联邦军防线，但是哈勒克走后修的那些工事帮了罗斯克兰斯，让他坚持到了麦克弗森和赫尔伯特从前后两方逼近敌人的时候。一场奋力厮杀之后，敌人最终被击退：他们勇猛的冲锋被一次次打压下去。我们损失惨重，但与范·多恩的损失相比就微不足道了。麦克弗森在保证安全的前提下，带着他的部队乘火车尽量靠近敌军，然后在叛军侧翼下车，刚好在罗斯克兰斯击退敌人之后及时增援了他。敌人知道他和赫尔伯特来了，士气大挫。然而，罗斯克兰斯将军没能乘胜追击，尽管我在战斗前就预先命令他，一击退敌人马上乘胜追击。他没有照办，我在战斗之后又再次命令追击。我在给他的第一道命令里明确告诉他，如果不追击敌人，支援他的那 4000 人就会有很大危险。

科林斯之战，联邦军用大炮轰击邦联军

奥德将军 4 日与赫尔伯特会合，因为级别高而统领两军。这支队伍和范·多恩正在撤退部队前部遭遇。多恩的部队当时正在科林斯 10 英里外的一座桥上渡哈奇河。河滩是一片沼泽，不便展开军事行动，但是个困住敌人的好地方。奥德袭击了已经渡河的敌人。他们惊慌失措地又退了回去。很多人被打死，还有一些因为撤退时乱作一团被挤到桥下淹死了。奥德追上去遇到了主力部队。他的人数太少无法进攻，但他封锁了那座桥，敌人不得不从河上游的另一座桥继续撤退。奥德在战斗中负伤，指挥的任务落在赫尔伯特肩上。

罗斯克兰斯 5 日早上才出兵追敌，却走错了路。他在敌占区行军，所以用车马拉着补给和军火，行军速度就比敌人慢，而敌人正朝自己的补给基地行进。第二天再怎么加速追赶都抵不上战斗当天士兵轻装追击两三小时。罗斯克兰斯虽然出发晚了，但他如果沿敌人的逃跑路线追，也能赶上被困在泥滩里的范·多恩。那时范·多恩面前横着一条河，奥德又封锁了唯一的桥梁。但罗斯克兰斯没有往西走，而是往北走通向奇瓦拉的路，所以等他走了敌人走到哈奇河那么远的路程时，他离战场的距离和他出发时一样远。赫尔伯特从人数上根本无法和范·多恩抗衡，如果多恩的部队不是人心惶惶、无心恋战的话，赫尔伯特可能就凶多吉少了。

我觉得追击的时机已过，就命令罗斯克兰斯返回。他当时到了琼斯珀勒，但他继续走到里普利，还坚持想再往前走。我于是命令他原地待命，并将此事上报总司令。总司令批准我自己裁决，但问我："为什么不追？"

我立刻命令罗斯克兰斯返回。假如他再往前走，就会遇到一支人数比范·多恩在科林斯的部队还多的敌军，防御森严，地形有利。他的部队很可能全军覆没。

科林斯之战很惨烈，我们死 315 人，伤 1812 人，失踪 232 人。敌人损失更大。罗斯克兰斯报告说 1423 人死亡，2225 人被俘。双方伤亡如此悬殊，在一定程度上是因为我们作战时有壁垒保护。我们的哈克尔曼将军战死，奥格尔斯比将军受重伤，一度以为必死无疑了。我收到了总统的贺信，信里也表达了对死难者的哀思。

科林斯之战中被打死的邦联军士兵

我认为这场战斗无疑是一场胜仗，尽管不像我所希望的那样彻底，也远远够不上我认为对科林斯的指挥官而言言唾手可得的完胜，但这场战斗的结果对敌军而言是一个粉碎性的打击，敌人对此的感受比北方要深刻得多。这场战斗使我无须再担心我的辖区里领土的安全。得到增援后不久，我向总司令建议进攻维克斯堡。

10月23日，我得知潘伯顿在赫里斯普林斯指挥战事。他得到大量亚拉巴马州①和得克萨斯州应征入伍的新兵和部队的增援。同一天，我下令

---

① 亚拉巴马州位于美国东南部，北接田纳西州，东界佐治亚州，南邻佛罗里达州，濒墨西哥湾，州名来自印第安语，意为"我开辟了这一块荒林地区"。——译者注

解除罗斯克兰斯将军的职务，不久他接替比尔指挥在田纳西中部的部队。对于罗斯克兰斯将军升职到另一个区域指挥军队，我十分高兴，因为我相信，没有了直接上级，我在他身上看到的那些优秀品质一定会显现出来。而他做下属，我实在无法让他按照我的意愿行事，所以当天就决定解除他的职务。

上述行动结束时，我的部队大约有48500人。其中4800人在肯塔基和伊利诺伊，7000人在孟菲斯，19200人在芒德城南，17500人在科林斯。麦克勒南德将军此前曾受华盛顿之命到北方组织部队攻打密西西比州。这些征募的新兵和其他的援军现在陆续都到了。

10月25日，我奉命任田纳西军区的指挥。援军继续从北方到来，11月2日，我准备主动进攻。在一片几乎人人都以我们为敌、随时会将我们的一举一动通风报信的广袤地区苦守了长达两个半月之后，这是一个巨大的解脱。我只描述了此间的几场战斗和小规模交火，而且很不完善。篇幅所限不能一一描述，要把所有表现出色的官兵都讲一遍的话，得写整整一本书了。

第十五章
谢尔曼在密西西比河下游的行动

维克斯堡对敌人很重要，因为那里是孟菲斯下游的第一块高地。那里有一条东去的铁路连接通向南方各州的要道。河对岸一条反方向的铁路向西一直延伸到路易斯安那州的什里夫波特。在本章所讲的时期，维克斯堡是连通密西西比河两岸邦联各地区的唯一通道。只要维克斯堡还

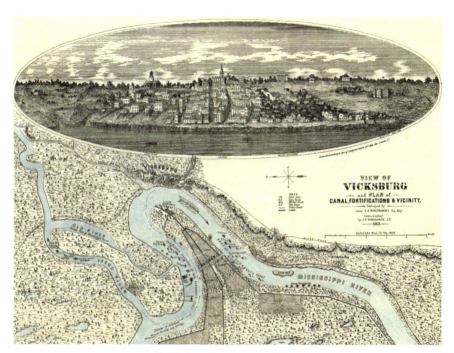

维克斯堡及其周围的防御工事

在敌人手中，我们就无法在密西西比河上畅通无阻。所以那里极其重要。维克斯堡至哈德森港河段上的据点都从属于维克斯堡；只要占领了维克斯堡，这些据点就会随之陷落。

攻打维克斯堡的战役于 11 月 2 日打响。我给总司令的电报是这样写的："我已命科林斯的三个师和玻利瓦尔的两个师进攻大章克申。明日离开此地（田纳西杰克逊），亲自指挥。如可行，将去往赫里斯普林斯或格林纳达，沿途修建铁路与电报线。"

那时，我的部队占领着莫比尔至俄亥俄铁路上科林斯南 25 英里往北至肯塔基哥伦布段；密西西比中央铁路上玻利瓦尔到该铁路与莫比尔至俄亥俄铁路的交会处；孟菲斯至查尔斯顿铁路上科林斯东至贝尔溪段，

以及密西西比河上开罗至孟菲斯段。我的部队刚够驻守这些线路，如果长期被动防守的话，还显得捉襟见肘。但如果我们主动向敌人靠近，进入敌方尚未完全控制的区域，把敌人赶着走的话，这些战线几乎可以不必理会，从而为战场行动提供大量的部队。我当时的机动部队有30000 人，我估计与我对战的潘伯顿部队数量相当。麦克弗森将军指挥我军左翼，C.S. 汉密尔顿将军指挥中路，谢尔曼在孟菲斯指挥右翼。潘伯顿在塔拉哈奇修筑了防御工事，但还占领着密西西比中央铁路上的

战场上的麦克弗森将军

赫里斯普林斯和大章克申。8 日，我们占领了大章克申和拉格朗奇，把大股部队沿铁路线向南推进了七八英里。部队在行军中修好了玻利瓦尔往前去的道路，可以正常通行。

当时，有一条战争黄金法则，即大规模部队作战必须有一个供给基地，而且在所有行动中都必须掩护、保卫这个基地。所以，我们因为往后方修路和往前线运送供给而耽误了一些时间。

所有能找到的粮草和补给物资要分别在军需总长和补给总长的监督下征集，如有主人，则向其开具收据。这些物资征缴上来都被算作政府储备。这既是我的命令，也符合华盛顿早前的指示精神。我们的储备很充足，但我当时还没有想到其实可以在敌人的地盘上，从敌人那里为一支移动部队夺取补给。

可能就是在此时，"自由民管理局"的最初构想萌芽了。政府命令禁止驱逐主动向军队寻求庇护的黑人。而人道主义精神又不允许眼看着他们饿死。可是有这么一大群数以千计的男女老少聚集在大章克申，我们几乎寸步难行。没有专门的部门给他们提供吃喝，除非他们到部队里赶车、做饭或者开荒；可是只有年轻力壮的人才适合这些工作。即使这样也只能养活很少一部分人。种植园都被废弃了；棉花和玉米已经熟了：无论男女，甚至只要 10 岁以上的儿童，都能采摘这些作物。组织黑人完成这项工作，或者说完成这项工作，必须有一个称职的长官。在寻找合适人选的时候，有人举荐了查普林·伊顿。他现在已做了多年的美国教育专员，很有才干。和现职期间一样，他那时在组织方面也很精明强干。我给他配备了所需的助手和警卫。我们一起确定了黑人劳工的价格，以及报酬是交给政府还是个人。棉花是从被遗弃的种植园采摘的，劳工从军需官那里获得既定价格的报酬（我记得采摘、去籽一磅棉花赚 12.5 美分），军需官把棉花运到北方，卖出后收益归政府所有。没有逃难的种植园的主人也可以用同样价格请自由民收割农作物。

于是，自由民马上就可以自食其力了。报酬不是直接付给他们，而是谨慎地用在为他们谋福利的事情上。从此，我再也不用为他们操心了。

后来，自由民在密西西比河边伐木，为河上大量的轮船提供燃料。为政府船只（政府租赁的船，需要由政府供给燃料）伐木能获得不错的报酬。私人船只支付的报酬更是高得多。如此一来，积累的资金不仅足够让男女老少吃饱穿暖，还能给他们建舒适的木屋、为病人修医院，提供他们过去从未享受过的舒适条件。

攻打维克斯堡的那个时期，我心里很不安宁，因为报纸上传言说麦克勒南德将军将会在我的指挥区内部再独立出一块指挥区，经密西西比河进攻维克斯堡。一个战场上两个指挥官就像一山不能容二虎，况且我觉得被选中的这位将军在经验和能力上都不适合如此重要的职位。我担心交给他的部队的安全难以确保，况且他还要招募新兵、组成无作战经验的部队去执行如此重要的任务。不过，我12日收到哈勒克将军的电报说，所有派到我的军区的部队都由我指挥，并批准我在自己认为合适的地方进攻敌人。第二天，我的骑兵到了赫里斯普林斯，敌人退到了塔拉哈奇以南。

我选择赫里斯普林斯作为战争物资和军火的储备库。除了拉格朗奇和大章克申附近收缴的一点儿储备，其他物资都是从哥伦布用火车运过来的。在敌占区，这是一条需要维护的漫长线路（而且我们越往南就越长）。11月15日，我还在赫里斯普林斯，传信让谢尔曼到哥伦布和我会面。我们之间只有47英里远，但最快捷的方式是我坐火车到哥伦布，谢尔曼坐

早期的哥伦布城全景

轮船到那里。会面时，我告诉他我的大体计划，命令他带两个师和我会合，然后如有可能沿密西西比中央铁路行进。谢尔曼从不拖拉，29 日就到了牛津以北 10 英里的考提奇山。他带了 3 个师，留下的守备军只有 4 个团、几门大炮和一小支骑兵分队。他知道后续的援军正在从北方往孟菲斯来的路上。几乎同一时间，哈勒克将军从阿肯色的海伦娜（密西西比河以西的地区不属于我管辖）调来军队切断潘伯顿的后路。这次行动由霍维将军和 C.C. 沃什伯恩将军指挥。他们虽然成功抵达铁路线，但造成的破坏很轻微，铁路线很快就修复了。

挡在我面前的塔拉哈奇地势非常高，铁路桥遭到破坏，潘伯顿在南面严防死守。有敌军在，我们根本无法过河。于是，我派骑兵到上游去，成功夺取了一个渡口。敌人从据点撤离。霍维和沃什伯恩的行动可能也加速了敌军的撤退。我军主力把敌人一直往南追到牛津，麦克弗森的部队又另追出 17 英里。此后，我们终止了追击，开始修复塔拉哈奇往北的铁路，以备运输补给之用。铁路桥原来的桥桩还在，所以很快就为部队修好了行军路，后来火车轨道也铺设好了。

在牛津修铁路的时候，我知道我们必须到密西西比河下游进行侦查，就很希望有一位得力的指挥官。于是，我于 12 月 8 日命令谢尔曼回孟菲斯，命令如下：

> 密西西比州牛津，田纳西军区陆军第 13 军团指挥部，1862年 12 月 8 日
>
> 右路指挥官 W.T. 谢尔曼少将
>
> 命你速带一个师到田纳西州孟菲斯。到达后，你将负责指挥该城所有部队及科提斯将军在密西西比河东岸的部队，并将该部分部队整编入你部的旅和师。尽快带领军队到密西西比河下游的维克斯堡附近，与舰队司令波特的炮舰队协同作战，审

时度势采取适当方式攻打该堡。

所需补给、粮草、陆上交通工具等将完全交由你支配。圣路易斯的军需官将会接到指令给你发送可运输 30000 人的交通工具；如仍有缺口，你处军需官有权调配孟菲斯港的运输船。

一至孟菲斯即与舰队司令波特联络，与他安排协作事宜。

尽早告知我你上船的时间和届时应已酝酿成熟的作战计划。我会做好准备，一旦形势需要，即与你联合作战。

指派一名得力军官守护孟菲斯地区，留 4 个步兵团、加农炮和所有骑兵为守军。

U.S. 格兰特少将

我此前就有这个想法。12 月 3 日我曾询问哈勒克，如果把敌人牵制在亚拉布沙河以南，再从海伦娜和孟菲斯向维克斯堡派兵，是否可行。5 日，我又从牛津建议哈勒克说，如果海伦娜的部队由我指挥，我认为可以派他们和孟菲斯的部队到亚祖河[①]河口以南，从而有把握攻占维克斯堡和密西西比州。哈勒克当日，即 12 月 5 日，命令我不要企图在塔拉哈奇以南屯兵，而应于 20 日前在孟菲斯集齐 25000 人的部队准备参加进攻维克斯堡的行动。我立即向谢尔曼派去两个师，将此事告知总司令，并询问我是应该亲自指挥这次行动还是派谢尔曼去。总司令准予我自主决定如何能最好地完成这项重大任务。于是，我派谢尔曼前往并告知了哈勒克将军。

前面说过，我紧急召回谢尔曼是因为我希望他能指挥我无法直接监管的部队。我担心如有延误，麦克勒南德——既是他的上级，又有总统和陆军部部长的许可——就会自行调遣那支部队。我怀疑麦克勒南德是否能担当此任；我也有充分理由相信我抢先牵制住他，不会冒犯比我们二人

---

① 亚祖河是密西西比河的支流，由塔拉哈奇河和亚洛布沙河汇合而成，全长 304 千米，沿河主要城市有格林伍德、克拉克斯代尔和亚祖城。——译者注

指挥权更大的上层人物。

我在给谢尔曼的命令和我们之间的通信中，以及我和哈勒克将军联络时，都没有计划过我将来会到亚拉布沙以南。我面前的潘伯顿部队是维克斯堡的守军主力，而我的部队是我们在西田纳西和肯塔基的主要军事力量。我希望能把潘伯顿牵制在我的战线上，谢尔曼就能到他的后方继而进入维克斯堡。总之，把敌人牵制得越靠北越好。

谢尔曼将军和联邦军其他军官的合影，从左到右依次为：霍德华、
洛根、哈森、谢尔曼、戴维斯、斯洛克姆和莫厄尔

不过我和谢尔曼将军之间达成了协同作战的共识；如果无法把潘伯顿从维克斯堡调开，我就追上去；但当时我们还没想到要放弃亚拉布沙以北的铁路。我们当时设想，如果把那里作为一个次要的物资基地的话，等与密西西比河的联络一接通，我们就可以到亚祖河下游去。

如果敌人往回撤，我就一直追到维克斯堡跟前。这既是我的想法，也得到了谢尔曼和他的部队的赞同。我的意图是想在这个过程中占领通往亚拉布沙河上的格林纳达的道路，同时尽力在亚祖河上或者在维克斯堡建立一个新的物资基地，如果失败可以退守格林纳达。我们要记得，在我所讲述的年代，军队在敌占区依靠当地的物资供给而运转，还是前所未有的事情。部队在牛津暂时停下，先头部队已到往南17英里的地方，开始修筑通向该处的道路，并向前线运送粮食、草料和军械。

12月18日，我收到华盛顿的命令，要我把部队分为4个军团，麦克勒南德将军指挥其中一个，并负责密西西比河沿岸的行动。这个命令打乱了我的计划，但或许也最终促使我亲自指挥这次行动。麦克勒南德当时在伊利诺伊的斯普林菲尔德。我立即执行命令，当天就按要求给他发了电报。

20日，范·多恩将军出现在我的次要物资基地赫里斯普林斯，抓获了威斯康辛第8团墨菲上校率领的1500名守军，销毁了所有的军火、粮食和草料。这次沦陷是指挥官的耻辱，但他手下部队并无过错。同时，福里斯特对田纳西的杰克逊和肯塔基的哥伦布之间的我方铁路线造成了极大损坏，使我和北方失去联系一个多星期，两个多星期后才能从正常渠道的储备仓库获取补给和粮草。这件事情表明我们不可能在敌占区为部队维持一条这么长的供给线。因此，我决定放弃以哥伦布为基地进军南方腹地的计划，回到拉格朗奇和大章克申，破坏了通往前线的道路，修复往孟菲斯的路，将密西西比河作为供给线。此间，潘伯顿一直在撤退。

我一得到范·多恩胜利的消息，就马上从前线调来骑兵，然后把他赶走了。他有充裕的时间往北摧毁了多地的铁路，袭击了几小撮保护铁路的守军。但是所有这些部队都知道他要来，做好了应战准备。除了赫里斯普林斯，范·多恩一无所获。而那支守军的人数比遭到范·多恩袭击的其他守军加起来都多。墨菲也知道范·多恩要来，却没有做任何准备，甚至都没有通知他的部队。

墨菲上校就是两个月前敌人一来就从艾尤卡撤走的那位军官。罗斯克兰斯将军为此斥责了他，想以军法处置他。我当时维护了他，因为他的部队与敌军相比人数很少——不足十分之一——我觉得他能逃脱而没有落入敌手，已经相当不错。而他把大量储备物资留给普赖斯，我权当是他一时失误，缺乏军事经验所致。他当时其实应该销毁那些物资。然而，这次投降让我觉得，罗斯克兰斯对他在艾尤卡的行为的判断是正确的。赫里斯普林斯的投降绝对应该受到谴责，说明墨菲上校要么不忠于自己宣誓效忠的事业，要么就是个十足的懦夫。

战后，我从一位随潘伯顿将军撤离塔拉哈奇的女士的日记中读到，那次撤退几乎是一场恐慌。路况确实很糟，运输大炮和辎重十分艰难。但我不明白有什么可恐慌的。那时我们还没有派兵到密西西比河下游。我那时要是知道敌人士气如此低落，或者知道密西西比中央铁路有那么多的军事物资，一定会在潘伯顿的骑兵摧毁我后方道路的时候追击他的。

派骑兵赶走范·多恩之后，我又命令我们的所有车马，在妥善的护卫之下，在我方前线至大章克申的道路东西两侧15英里范围内筹集粮草和食物，给我们拿走粮食的人家留下两个月的口粮。由此在该地区筹措的物资数量之大让我大为惊讶：足够我们两个月而不是两个星期之用，其间无须再从其他地方筹集。这件事让我学到了一个在后面的战斗中受益颇深的经验：如何让部队在只有5

范·多恩是南北战争期间邦联军方面的重要将领。图为范·多恩，摄于南北战争期间

天补给的情况下维持20天。我们在赫里斯普林斯的损失很大，但我们从当地获得的物资弥补这个损失绰绰有余，更何况我还学到了宝贵的经验。

赫里斯普林斯陷落和我军物资损失的消息让牛津当地没有逃亡的民众击掌称快。他们满面笑容、乐不可支地跑来问我没有东西给士兵吃可怎么办。我告诉他们我一点儿也不着急；我已经派出人马在道路两侧 15 英里的范围内筹措粮食草料了。他们的笑脸马上就变成了哭脸，问题也变了："那我们怎么办？"我回答说我们客居贵地，努力想用我们北方的物资自给自足；谁承想他们穿灰军装的朋友如此无礼，毁掉了我们自备的粮草，我们肯定不可能期望握着真刀真枪的人会在富庶之地活活饿死。我建议他们把家往东或者往西搬 15 英里，帮忙把我们剩下的东西吃光喝净。

第十六章
维克斯堡上游的行动

我和北方失去了联系——其实当时我和自己的大部分辖区都无法联系，于是麦克勒南德还没到，谢尔曼就离开了孟菲斯，因为麦克勒南德没有收到我 18 日的急电。潘伯顿比谢尔曼先到维克斯堡。叛军的据点在亚祖河河口上游几英里处的峭壁上。水位很高，河底都被淹没在水下，只有峭壁和登陆点之间的干燥地面上留出一条狭窄的通道。这些地方到处都防备森严。叛军的据点，对于任何能到近前的部队而言，都是不可撼动的。谢尔曼连四分之一的兵力都用不上。所以他所有想攻占这座城，或者城北高地的努力都是徒劳。

谢尔曼的进攻很不顺利，而我与后方的道路和电报联络都在 20 日遭到破坏，我根本没有机会和他联系。他只知道我在敌人后方，还指望他为我的部队打下一个新的补给基地。我在他离开孟菲斯前曾指示他带几艘可以在亚祖河航行的小轮船，却没想到自己在和格林纳达基地失去联系后也会用得上这样的船运输补给。

23 日，我把指挥部搬回了赫里斯普林斯。军队也逐渐有条不紊地召回，一路上没有追兵，供给充足。范·多恩没有破坏赫里斯普林斯以南的道路，至少没有破坏到影响通行的程度。我因为已决定将指挥部搬回孟菲斯，就开始修复到那里的道路，在赫里斯普林斯一直待到修复完毕。

1 月 10 日，从赫里斯普林斯到大章克申再到孟菲斯的路都修复好了，我把指挥部搬到了孟菲斯。战斗至此，双方损失（多为俘虏）相当，叛军攻下赫里斯普林斯算是略胜一筹，可惜他们没守住。

谢尔曼开始河下游的行动时带着孟菲斯的 20000 人，又有阿肯色的海伦娜的 12000 多人增援。河西岸的部队本来是归我指挥的。麦克勒南德接到命令后于 1 月 2 日抵达亚祖河口，立即接管了当时由谢尔曼率领的麦克勒南德自己的第 13 军团的一部分和谢尔曼的第 15 军团。谢尔曼和舰队司令波特的舰队当时已经撤离亚祖河。他们商讨后一致认为，无论是陆军还是海军在当时的位置都无法发挥作用，得知我已从密西西比州腹地撤离后，他们决定回到阿肯色河，袭击阿肯色基地。那个基地在河上游约 50 英里处，有五六千驻军。一艘给谢尔曼运输武器和补给的轮船被敌人抓住了，随船被抓的一个人逃了出来。谢尔曼从他那里得知有这样一支部队。谢尔曼说麦克勒南德极不情愿地同意了这次行动。战舰和运输船在进入基地的射程之前没有遇到任何阻拦。海军轰炸 3 天之后，

联邦海军炮轰阿肯色基地

海陆联手发起进攻，夺下了那个基地，俘获 5000 人和 17 门大炮。我起先不太赞同这次行动，认为是节外生枝，对完成我们的主要任务毫无意义；

但等我回过味来，我觉得它非常重要。如果有五千邦联部队留在我们后方，会给我们在密西西比河的航行造成极大的麻烦和财物损失。

攻下阿肯色基地、俘虏守军后，麦克勒南德立刻带着所有部队回到阿肯色河口的拿破仑。我收到谢尔曼和舰队司令波特双双从那里发来的消息，催促我过去亲自指挥，表示不相信麦克勒南德有能力指挥如此重要而复杂的行动。

麦克勒南德麾下的斯蒂芬将军指挥联邦军攻克阿肯色基地

17日，我到拿破仑见到了麦克勒南德，参观了他的部队。在那里，我切实了解到陆军和海军对麦克勒南德的指挥能力极不信任，尽管他们会竭尽全力争取胜利，但这种不信任是一种劣势。在这样的情况下让军队去出生入死，无异于犯罪。那时我已得到批准，可以解除麦克勒南德的职务，或者指派其他人指挥这次行动，或者亲自指挥。我很为麦克勒南德感到尴尬。他在军区里是仅次于我的资深少将。考虑到他级别高又好胜心强，让一位资历浅的军官做他的上级显然行不通。所以我除了自己指挥外别无选择。我其实很想让谢尔曼当这个指挥官，好给他一个机会完成头一年12月没能完成的任务；但确实没有办法，因为他比麦克勒南德级别低。但谢尔曼的失利是情有可原的。

20日，我命令麦克勒南德将军带领所有部队到杨格点和密利肯湾，而我则回到孟菲斯做必要的准备，确保我离开后的地区安全。赫尔伯特将军带领第16军团负责守备。我派兵把守孟菲斯至查尔斯顿铁路，但放弃了密西西比中央铁路。开罗和孟菲斯间的河段只有哥伦布一处有守军。铁路和河流沿线被放弃的据点的部队和枪炮都被送到了前线。

我于1月29日到杨格点，次日接管了指挥权。面对指向自己的反对意见，麦克勒南德将军的处理方式极具个人色彩。他就此事给我致信，但口吻不像是抗议，倒像是谴责。这很明显是犯上，但我为了国家大业没有追究。麦克勒南德将军在他的本州是一位声名卓著的政治家；脱北战争爆发时他是国会议员；他所在的政党极力反对全力开展挽救联邦的战争；而他却顶住重重压力毫不迟疑地表明自己支持联邦的立场，而且他在表明立场时言辞坚定，没有丝毫的踟蹰。他还放弃自己的国会席位为捍卫自己宣扬的原则而战。

对维克斯堡的围攻正式开始了。我们的难题是如何在河东岸找到一块干燥的地方让部队立足，继而攻打维克斯堡。开罗以南的密西西比河穿过一条数英里宽的肥沃的冲击河谷，东岸高出河面80至200多英尺；而西岸的最高处，除了个别地方，只是略高于最高水位。密西西比河在河谷中蜿蜒前进，流向几乎含括了指南针上的所有方向，在有些地方就朝着峭壁的脚下冲去。过了孟菲斯，一直到维克斯堡，河东岸才又出现这种高地。

密西西比河水位很高，各条支流也涨得满满的。两地间的地面被众多支流分割得支离破碎——许多甚至都能过轮船。所有的支流都狭窄而曲折，即使没有悬垂的树木，稍长一点儿的船只也很难在那里转弯。面对敌人的威胁，在这样的地区行军根本不切实际，走水路也同样行不通。按照战略战术来讲，我们应该撤回孟菲斯，把那里建成一个供给基地，然后修筑防御工事，这样只需很少的守军就能守住那里，然后从那里沿铁路线到亚拉布沙河或者密西西比的杰克逊，同时途中修复铁路。但那时北方士气非常低迷。北方的很多重要人物都认为战争一定会以失败告终。对于不惜牺牲所有人、花光所有钱也要把挽救联邦的战争坚持到底的政党来说，1862 年的选举形势很不利。北方大部分地区的志愿征兵都停止了，需要强制征兵才能满足军队的需求。我当时觉得从维克斯堡主动撤退到孟菲斯那么远的地方，会被许多对保存联邦还满怀希望的人解读为一场溃败，那么人们就会抵制强制征兵令，继而引发军中大规模的脱逃，而我们却无力追捕惩处脱逃者。我们别无选择，只能向着决定性的胜利前进。我在杨格点一接管指挥权，头脑中就形成了这个想法。

密西西比河持续的高水位和河下游的暴雨让 1862 年至 1863 年的冬天给人留下了深刻的印象。为部队找到干燥的地方，或者说高出河面的

密西西比河是美国最大的河流，世界第四长河。图为密西西比河沿岸风光

地方扎营需要占据好几英里的河岸。我不得不占了防洪堤和紧邻的地面。即使这样，地方还是十分紧张，麦克弗森将军的第17军团不得不驻扎在离维克斯堡70英里的普罗维登斯湖。

我们的部队到维克斯堡对面的时候正是1月。河水很高，雨水不断。3月底前甚至再晚一点儿，似乎都不可能开展陆上行动。这么长的时间干等着肯定不行。那样不仅会挫伤军队的士气，还会伤害他们的身体。北方的支持者会越来越消沉，敌人却会变本加厉地中伤诋毁为挽救联邦的事业而投身其中的人们。

我虽然认为南方进行的是不义之举，但一直钦佩他们的强硬做派，让持有异议的舆论和个人都三缄其口，不敢作声。无论何时，不管一国之内同室操戈还是异国之间刀兵相向，都应尽量化干戈为玉帛，避免战争。但是一旦开战，自家阵营要是还有人为敌军帮腔、提供便利，那就只有圣贤才能睁一只眼闭一只眼了。

前面说过，维克斯堡在孟菲斯下游河岸的第一块高地上。那片峭壁，或者叫高地，在亚祖河左岸延绵，然后向南转向密西西比河，接着沿河岸延伸到下游6英里处的沃伦顿。亚祖河在海恩斯崖下游不远处与高地渐行渐远，在维克斯堡上游9英里处注入密西西比河。维克斯堡所在的高地下，密西西比河冲刷着山基。海恩斯崖在亚祖河上，离维克斯堡11英里远，防御十分严密。从那里到维克斯堡再到沃伦顿，一路上都挖了战壕，每隔一段距离就设有炮台，炮台间以散兵壕相连。

密西西比河自杨格点转向东北方，到紧邻维克斯堡的上游时又转而流向西南方向，想要强闯封锁线的船只即使没有进入上游炮台的射程，城市下游6英里处的炮台也能进行轰击。密西西比河在那里有一条新河道，把城市前面的半岛形区域变成了一座岛型区。亚祖河北面是一片泽国，树木繁茂，支流纵横，河水四溢。根本无法从正面进攻，我们也从未考虑过这种可能性，至少我从没那样想过。那么，问题就是怎样才能在密西西比河东岸的高地上占领一个登陆点，又不会看起来像是在撤退。我们于是开始了一系列的尝试，既是消磨时间，也是转移敌人、我的部队和公众的注意力。我本人对那些尝试的成功概率并不抱太大希望。不过，我还是做好了准备，如果成功了，就一定好好利用起来。

1862年，托马斯·威廉斯将军从新奥尔良来到这里，从杨格点挖了一条宽深都是10或者12英尺的运河直通到下游河道，全长1英里略多。

南北战争爆发后，由于战争的消耗，南方粮食奇缺。
图为新奥尔良等待政府救济的饥民

威廉斯预想那条运河到涨水的时候会把水引过来，就势变成可以行船的河道；可那条运河首尾两端都是漩涡，所以涨水时运河里虽然充满了水，却没能形成一条河道。林肯先生年轻时在密西西比河上航行过，深知密西西比河会时不时在有些地方变换河道，所以对这条运河寄予了厚望。因此，在我到杨格点之前，麦克勒南德将军就已奉命推进运河的加深拓宽工作。我到了以后，约有4000人——能有效工作的最大人数——在为之辛勤工作，直到河水突涨冲垮了上游一端用于在完工前把水挡在外面的水坝。那天是3月8日。

尽管运河在行船方面取得了成功，但对我们用处不大。运河与对岸，或者说东岸的峭壁几乎垂直。敌人一察觉我们的意图，就马上修建了一座射程覆盖整条运河的炮台。炮台很快就打跑了我们干活能抵几千人的两艘挖泥船。如果运河完工了，或许能让运输船在夜色掩护下驶到下游；但运输船还是需要冲过炮台，只是距离短了很多。

与此同时，我们还进行了其他尝试，想在河东岸的高地上找一个可用的登陆点，或者修一条能避开炮台到城市下游的水路。

1月30日，即我到前线的次日，我命率军团驻守普罗维登斯湖的麦克弗森将军把那里的堤坝打开一个缺口。如果能成功沿那条路线开辟一条航路，我们就能从位于哈德森港上游、距离维克斯堡下游400英里的红河口进入密西西比河。

普罗维登斯湖在密西西比河的旧河床上，距现在的河道1英里远，有6英里长，流入巴克斯特支流、梅肯支流、滕萨斯河、沃希托河和红河。这后三条河四季皆可通航。巴克斯特支流和梅肯支流狭窄曲折，两岸树木繁茂的枝叶在河道上面纵横交错。河里堆积着经年倒下的树木。自孟菲斯往下游，密西西比河河床比两岸的高地还高，在它蜿蜒穿过的河谷里，高耸的峭壁约束着水流。巴克斯特支流在地势较低的地方逐渐向两边扩散，在流入梅肯河之前完全消失在一片柏木沼泽里。当时那片沼泽水深约两英尺。即使是吃水最浅的船要穿过去，也需要清除掉一片宽度足够通行的茂密树木。因为那些树需要从淹在水下的根部砍掉，所以工程非常浩大。

2月4日，我去看麦克弗森将军，和他待了几天。他们的工程还没进展到能引河水入湖的地步，但部队成功地把一艘最大载重约30吨的小轮船从河里拉到了湖里。这样，我们就能把湖和支流里清理干净的部分都勘察一遍。但我发现，用这条线路在敌占区运送部队几乎是不可能的。从普罗维登斯湖到船只经由该线路进入密西西比河的地方，距离干流上游470英里。我们如果走这条新水路的话，距离可能更远，因为一路上经过许多曲折的支流。而且，敌人控制着哈德森港。该港下游就是红河发源地，也是维克斯堡上游密西西比河河段的必经之地。前面说过，红河、沃希托河和滕萨斯河都是通航河流，敌人可以派出小股部队挡住我们的去路，再让狙击手射击。但我仍让他们接着挖下去，因为我认为部队有事情做总比无所事事好。而且，这还能掩护其他更有可能成功的行动。挖掘运河的努力失败之后，这项工作也搁浅了。

我的参谋威尔逊中校被派往阿肯色的海伦娜察看地形，开辟一条穿过月湖和亚祖关的道路。原先有一条水路，从密西西比河经一个入水口进入河东 1 英里的月湖，再向东穿过亚祖关到冷水河，再沿冷水河到塔拉哈奇。而塔拉哈奇在月湖下游 250 英里处与亚拉布沙河汇合，形成亚祖河。过去，同沿岸富饶的种植园做生意的轮船走的就是这条线路；但几年前，

维克斯堡之战中一艘在亚祖河上航行的联邦海军军舰

密西西比州在月湖的入水口修了一座坚固的防洪堤，所以船只进入这片富庶之地的唯一通道只剩下下游几百英里处的亚祖河口了。

2 月 2 日，我们在这座大坝，或者叫防洪堤上打开了一个缺口。河水水位很高，洪水不一会儿就把整个堤坝冲跑了。各个支流也很快就涨满

了水，很多地方被水淹没。这个通道使密西西比河距离海伦娜下游只有几英里远。24日，罗斯将军率领约4500人的旅乘运输船到了这条新的水道。叛军把树砍倒在亚祖河和冷水河，阻止我军航行。这个地区，很多树木的比重比水大得多，体积庞大，清除河道需要花很大气力；但最终我们还是完成了这项工作。3月11日，在沃森·史密斯少校的两艘炮舰护卫下，罗斯在格林伍德——塔拉哈奇河和亚拉布沙河汇合形成亚祖河的地方——遇到一座堡垒。河流在那里的弯转得很急，几乎形成一座略高出水面的岛屿。这座岛以维克斯堡的指挥官命名，叫"潘伯顿堡"，上有防御工事和驻军，没有陆上通道。因此，部队除了在高出水面的一小块地面上架起一座炮台外，没有办法在进攻中提供任何协助。战舰于3月11日发起进攻，13日再次进攻，但两次均以失败告终，就没有再出击。一艘战舰受损，死6人，伤25人。敌人损失较小。

潘伯顿堡只是略微高于水面，所以水似乎只要升高两英尺就能把敌人赶跑。这次我打算借助此前一直与我们作对的自然之手达到目的。我们在海伦娜正对面的密西西比堤坝上又开了一个缺口，距离第一个开口上游6英里。但还是没达到预期效果。罗斯率舰队返回。22日，他在亚祖关遇到带着一个旅的昆比。昆比是罗斯的上级，就接管了指挥权。不亲自看看到底能否有所建树就无功而返，他实在不甘心。所以我们的部队又重返潘伯顿堡；但这次不用进攻，只消一番侦察就够了。昆比带着部队马不停蹄地又回去了。那时，我不知道昆比已经和罗斯会合，还很担心罗斯的安全。一片汪洋之中，再多的援兵也无济于事，因为他们待在运输船上下不来。得从别的地方想办法。所以我决定从潘伯顿堡下游进入亚祖河。

斯蒂尔支流在海恩斯崖和亚祖河口之间注入亚祖河。这条支流又窄又深，弯弯曲曲，两岸树木茂盛。杨格点上游30英里的伊格尔弯道距离密西西比河只有不到1英里远。斯蒂尔支流连着黑支流，黑支流连着迪尔溪，迪尔溪连着洛林岔道，洛林岔道连着大向日葵河，大向日葵河在海恩斯崖上游直线距离 10 英里的地方连着亚祖河，但在曲折的河道上或许有 20 或者 25 英里。向日葵河之前的所有水道都是可以自由通航的。

3 月 14 日，波特上将在这些水道上一路侦察到迪尔溪，并报告说均可通行。第二天，他带着 5 艘炮舰和 4 艘迫击炮船出发了。我随行了一段路程。两岸枝繁叶茂，前方河窄弯急，他们前进的速度很缓慢。不过，炮舰一路过来只是外表有些擦伤，并无大碍。跟在后面的运输船就没有这么幸运了，尽管炮舰已经在前面差不多清出了一条路。傍晚，我回到

骑在马上的谢尔曼将军。摄于美国南北战争时期

指挥部匆忙调集援兵。16 日，谢尔曼亲自带着第 15 军团的斯图尔特师前去增援。他们乘坐大型运输船到密西西比河上的伊格尔湾，下船步行到斯蒂尔支流，再上船。那些运输船上高耸的烟囱和轻型防护装置伸出船体，行动不便，被战舰远远抛在了后面。波特和他的舰队只有不到几百码就进入可自由航行、没有砍倒的树木拦路的区域时，忽然遇到了叛军狙击手。他因为前方受阻而无法前进。他的炮舰对狙击手无可奈何。原来叛军得

知他的路线后就派了约 4000 人拦截，比他舰队里的水手多得多。

　　谢尔曼受舰队司令之命返回，清理黑支流以加速增援速度，因为援兵落后很远。19 日夜，他收到舰队司令消息，说自己受到狙击手袭击，处境非常危险。谢尔曼立刻乘独木舟从黑支流往回走，终于迎面遇到一艘载着他的最后一批增援部队的轮船。他们想乘轮船强行穿过黑支流，但是发现这样又慢又吃力，干脆弃船步行。他们上岸的时候是夜晚，漆黑一片。那里只有一小块狭长的陆地露出水面，上面灌木丛生，藤葛遍布。部队手持蜡烛照明，在这样的地方艰难穿行了 1.5 英里才到了一片开阔的种植园。部队在那里休息到天亮，第二天中午时已从那里赶了 21 英里的路程，及时解救了舰队。波特当时本来心意已决，准备炸了所有战舰，免得落入敌人手中。他可能这一辈子看见谁都没有当时看见那群"穿蓝军装的小伙子"那么高兴。于是，所有船只都撤退到密西西比河上的集合点；绕到维克斯堡后方的第 4 次努力就这样以失败告终了。

第十七章
"印第安诺拉"号投降

早先的运河计划于3月27日搁浅。几乎同时，打通一条穿过普罗维登斯湖连通各支流水道的努力也因完全不切实际而半途而废。

密利肯湾和杨格点是许多支流和河道的发源地。它们连通流经路易斯安那州里士满的其他支流，并在大海湾上游25或30英里的迦太基汇入密西西比河。密西西比河的防洪堤截断了这些支流或河道的水源供给，但防洪堤外侧的降雨仍然沿着河道流到了密西西比河下游。附近地区地表裂缝渗出的水也流入这些河道。运河上的挖泥船和劳工被决堤的洪水和敌人的炮火赶跑了，我决心开辟这些河道。如果成功，我们会为运输船找到一条远离敌人炮台的新路线。只要河水能退一点儿，再有几天晴天，防洪堤后面就会有一条适宜的道路供我们的部队、军需和马车队使用。因此，在其他计划全部搁浅的情况下，我们开始了新的尝试。

早在2月4日，我就曾就这条路线写信给哈勒克，告诉他我觉得这比另一项计划（普罗维登斯湖路线）更切实际；而且，如果能在洪水泛滥之前开始的话会事半功倍。

这些支流的上游一端没有了水源，远离堤坝外侧降雨收集区的地方长满了茂盛的树木，从源头延伸出几英里远。因此，我们必须在引河水之前把这些地方清理干净。我们一直干到河水开始退去，到路易斯安那州里士满的道路从水中露出为止。一艘小轮船和几艘驳船驶过了这条水路，但是因为水位降低，并没有派上更大用场。除此之外，这项工程和消磨冬季时光的那些尝试一样没有成果。如果我对这些努力抱有很高期望的话，这一次次的失败一定会让我心灰意冷；但我并没有指望能成功。从一开始，我最多就只期望到下游去的运输船能避开保卫维克斯堡的一长串炮台。

那个冬天，因为连续的大降雨和高水位，漫长阴冷，史无前例，对维克斯堡周围的部队是一场巨大的考验。从1862年12月到次年4月，密西西比河水一直高于天然的堤岸。因为战争，南方将除了军需供给生产之外的和平建设都搁置了。因此，防洪堤由于无人维护，许多地方破损，周围到处都是水。部队几乎找不到干燥的地面搭建帐篷。士兵中暴发了疟疾热、麻疹和天花①。不过，由于医院安排得当，医疗护理精心，人员损失比预想的少得多。来过营区的人回去后散布一些可怕的传言；北方的报纸再把这些传言夸大其词传到士兵的耳朵里。我不愿意把最终计划透露给来访者，所以他们就大肆宣扬我无所事事，没有能力也不适合在紧急关头领兵打仗，强烈要求撤换我。他们很多人还不满足于仅仅把我撤掉，甚至提了我的接班人。麦克勒南德、弗里蒙特、亨特和麦克莱伦一一上榜。我没有对这些指责做出任何回应，只是尽最大能力继续履行自己的职责。因为人人都有自己迷信的想法。我认为身居要职的人应该尽自己最大能力履行主管当局委派的职责，而不应主动申请或施加影响来更换职位。在开罗时，我曾饶有兴趣地观察了军队在波托马克的行动——我认为那里是战争的主战场。我那时没有想过自己有朝一日会指挥一大支军队，也不认为自己有那样的能力；但我还是自鸣得意地觉得，指挥骑兵的话我能驾驭得了一个旅。有一次，我向参谋们说到了这个想法。他们都是没有受过任何军事教育的平民。我当时说要是能让我在波托马克的部队里指挥一个骑兵旅的话，我什么都可以不要，而且我觉得自己能做出些成绩。希利尔上尉马上开口建议我申请调去指挥骑兵。我告诉他

---

① 天花是最古老也是死亡率最高的传染病之一，传染性强，病情重，没有患过天花或没有接种过天花疫苗的人，均能被感染。——译者注

我宁可先自断右臂，并向他讲了我的这个迷信。

战争期间，总统是宪法授权的陆军和海军总司令，负责指挥官的选择。他在选择的过程中不应受到妨碍。我既然被选中，就要以我所知的最佳方式完成我的职责。如果我是通过某种投机或影响而获得职位，我认为我会变得畏首畏尾，不敢展开自己构想的计划，很可能会被动地等待上级的直接命令。通过投机或影响获取重要指挥职位的人喜欢保存一堆抱怨或预言败仗的文字资料，好在大难临头时拿出来。总得找个替罪羊为他们的失败承担责任。

林肯总统和哈勒克将军顶着重重压力，一直到战争结束都坚定地站在我这边。我之前从没见过林肯先生，但他却一直支持着我。

南北战争期间，林肯总统和他最小的儿子塔德在一起

水终于退去了；支流堤坝后面能穿过半岛的道路也从水中显露出来；部队从四面八方会集到密利肯湾，准备最后一击，将这场接连碰壁的漫长而繁重的行动推向最终的胜利。

整个冬季，我都在思索，除非那些没抱多大希望的权宜之计能侥幸成功，否则我们该如何从陆上前进到维克斯堡下游某处，再以那里为基地开展军事行动。这个计划只能等水退下去才能实施。因而，必须为行动做准备前，我向参谋都没透露过这个计划。我记得我第一个告诉的人是舰队司令波特。这类有风险的行动要想成功（即使在构思过程中），必须海军配合。我和波特都没有权力指挥对方。如果想让部队到维克斯堡下游，他就得派一部分舰队过去。因为我们需要轮船做渡船。而这些船得闯过约 14 英里长的炮台才能到下游，只有海军能给它们提供保护。波特立刻同意了这个计划，建议亲自监督准备强闯炮台的轮船的准备工作，因为这样的事情水手应该比士兵更得心应手。我很高兴地接受了他的建议，不仅因为我赞同他的观点，还因为这样能把我的计划向敌人隐瞒得更久一些。波特的舰队在亚祖河口上游东岸，完全被茂密的树林遮挡在敌人的视线之外。那里灌木丛生，河水四溢，即使密探也无法靠近。敌人怀疑我们在进行秘密行动。一天，我们的水上警卫发现一艘小艇从维克斯堡方向悄无声息鬼鬼祟祟地接近上游东岸的舰队。警卫在船上搜查时发现船尾挂着一面比手绢大不了多少的小白旗，显然是想万一被发现好当停战旗用。那条船和船员、乘客都被带上岸交给了我。船上竟然有一位大人物——布坎南总统政府的内务部部长雅各布·汤普森。我们愉快地聊了半个多小时。我不动声色地把那艘船和上面的船员、乘客放回了维克斯堡，仿佛根本没有怀疑汤普森先生和他的小白旗的诚意。

舰队司令波特继续为轮船穿越敌人的炮火封锁做着准备。重中之重是要保护好锅炉不要被敌人打中，还要藏好下面的炉火不要让他们看见。因此，他在轮船的防护装置和锅炉之间装满了大捆干草和棉花，从锅炉层甲板一直堆到上一层甲板。锅炉前面的甲板也如此处理，还加了大包大包的粮食。干草和粮食是下游需要的物资，但我们将要行军的泥泞道路根本无法满足运输要求。

此前，我一直从圣路易斯和芝加哥筹集小渔船和驳船，以备我们往下游摆渡之用。4月16日，波特为那场危险的航程做好了准备。打头阵的军舰是波特指挥的旗舰"本顿"号，夜里10点出发，接着每隔几分钟，侧面绑着俘获的"普赖斯"号的"拉斐特"号、"路易斯维尔"号、"芒德城"号、"匹兹堡"号和"卡龙德莱"号相继出发。这些都是海军的船只。后面跟着运输船——"森林女王"号、"银色波浪"号和"亨利·克雷"号——每艘都拖着满载煤炭的驳船，以备海军军舰和运输船冲到炮台下游后作燃料之用。"塔斯坎比亚"号炮舰负责断后。他们出发不久，维克斯堡和沃伦顿之间的一座炮台就开始隔着中间的半岛开炮，上游各炮台也随即开火，然后沿线所有炮台众炮齐发。炮舰驶到悬崖跟前，近距离回击，但作用不大。他们足足被轰击了两个多小时，每艘船都被击中了好多次，但战舰几乎没有什么损坏。运输船的情况就没那么好了。"亨

海军司令波特率领舰队冲破敌人的封锁

利·克雷"号报废了，船员弃船而逃。不一会儿，一枚炮弹在堆在锅炉周围的棉花包里爆炸，船着了火，漂到了河边。那一团火球一直漂到迦太基才终于搁浅，后面拖的一条驳船也是如此。

敌人显然知道我们的舰队要来。因为他们有备而来，用东岸的篝火照亮河道，还点燃河对岸路易斯安那州一侧维克斯堡正对面的房屋照明。那个景象既宏伟又可怕。我在一艘河运船的甲板上目睹了这一切。那艘船在河中间，尽可能靠下游的地方。当我知道运输船上没有人员死亡，只有极少人受伤时，心里松了一口气。在闯炮台的时候，他们安排人手在运输船的船舱里用棉花暂时堵住船体上可能击出的弹洞。事后，在波特司令的指引下，所有损坏都修复了。

其实，这次战争中，我军此前也尝试过强闯敌人的炮台。舰队司令法拉格特指挥旗舰"哈特福德"号和一艘铁甲舰从维克斯堡下游闯过哈德森港炮台，与我会面。2月13日，舰队司令波特派由乔治·布朗少校指挥的"印第安诺拉"号炮舰到下游去。他们在纳齐兹下游一艘被俘获的轮船上遇到了海军陆战队的埃利特上校。上校舰队里有两艘战舰此前曾闯过敌军炮台，让密西西比河沿岸维克斯堡至红河一段的人大为惊愕。

南北战争期间舰队司令戴维·法格拉特和戈登·格兰杰将军的合影

"印第安诺拉"号在红河口附近停留几天后，向密西西比河上游进发。邦联军很快把"西部女王"号打捞上来修理好了。他们派出这艘船和在红河邊巡已久的撞角军舰"韦伯"号，连同另两艘轮船，追击"印第安诺拉"号。"印第安诺拉"号拖着装煤的驳船，在水流湍急的密西西比河逆流而上，速度十分缓慢。邦联舰队在大海湾上游追上了它，2月24日天黑后发起进攻。"印第安诺拉"号在武器装备方面比敌军的那些船都要精良，如果没有拖累，敌船很可能被一网打尽或者掉头鼠窜。"印第安诺拉"号顽强作战一个半小时，但在黑暗中被撞角军舰和其他船只击中七八次，损坏严重眼看要沉了。官兵把武器扔到河里，把船开到岸边投降了。

3月21日，我曾命令麦克勒南德率领他有4个师的军团经路易斯安那州的里士满到新迦太基去，希望他能在其他部队到达之前夺取大海湾；但是路差不多都还淹在水里，路况很糟。离新迦太基几英里远的地方，通往维达尔支流的防洪堤有几处决堤了，方圆两英里内的道路全部被淹。我们从附近支流筹集船只，还就地取材现造了一些来运送部队渡过这段被淹的区域。4月6日，麦克勒南德带着一个师到达新迦太基，大炮用我们自造的船穿过森林运到那里。17日，我亲自去了新迦太基，发现以目前的方式运输部队实在太费事，必须想一个更好的办法。水正在退去，再过几天就浅得无法行船了；但是地面还没有干燥，依然不能行军。麦克勒南德已经找到了一条新路线，可以从决堤的史密斯种植园到新迦太基下游8至12英里处的帕金斯种植园。这条线路把从密利肯湾出发的路程由27英里增加到近40英里。途中要修4座桥跨越支流，其中两座都达600多英尺长，要修总计约2000英尺长的桥。密西西比河水位持续退却，使得支流水流湍急，增加了修桥和永久性固定住桥的难度；但没有什么能难得住"北方大兵"的聪明才智。他们就地取材，很快就修好了桥，而且修得很牢固，所有部队、武器、骑兵马队和车马队都安全过桥，只丢了一门发射32磅炮弹的攻城加农炮。如果我没记错的话，这门加农炮是我们穿越半岛时从唯一一座浮桥上掉下去的。这些桥都是在工兵部队海恩斯中尉监管下，由麦克勒南德的部队修建的。

我于18日或19日返回密利肯湾，20日向军队发出以下的最终行动命令：

路易斯安那州密利肯湾田纳西军区指挥部，1863 年 4 月
20 日

110 号特别命令

为使"作战部队"在密西西比河东岸获取立足点，从而以
切实可行的线路逼近维克斯堡，特颁布以下命令，以为其在此
次行动中提供信息、指引行动。

第一，由约翰·A.麦克勒南德少将指挥的陆军第 13 军团
为右路。

第二，由 W.T.谢尔曼少将指挥的陆军第 15 军团为左路。

第三，由詹姆斯·B.麦克弗森少将指挥的陆军第 17 军团
为中路。

第四，进军新迦太基的次序为由右至左。

第五，从每支陆军军团抽调几个师组成后备部队；或者将
一整支军团作为后备部队，全依情势而定。若抽调师组成后备
部队，各师仍归各军团指挥官直接指挥，除非特殊紧急情况发
生须另作安排。

第六，部队在营地设施运送妥当之前需露营。

第七，此行动中，各连配备一个帐篷防止补给被雨水淋湿；
各团指挥部一个框架帐篷；各旅指挥部一个框架帐篷；各师指
挥部一个框架帐篷；军团指挥官为保管各自部队账簿和表格有
权使用绝对必需数量的帐篷，但不得超出 1862 年 A.G.O.系列
160 号通用命令的数量限制。

第八，3 个陆军军团的所有联畜车队由跟随回程的军需官
直接负责，将组成车队运送供给、军械及批准的营地设施。

第九,陆军第13军团一出发,由陆军第17军团填补其位置;再由陆军第15军团以同样方式依次补上。

第十,各军团指挥官抽调两个团保护里士满至新迦太基铁路线。

第十一,医务长在达克港和密利肯湾之间建立综合医院。所有伤残士兵均留在医院里。医院主管医生待伤员康复可履行军人职责时应及时汇报。各军团指挥官应在后方安排一位机敏称职的训练教官,负责各自军团康复的伤员;训练教官应将这些士兵编排成班和连,不考虑其原所在团的编制;如无授衔军官担当此职,可指派非授衔军官或列兵。这支部队负责保护达克港至密利肯湾的铁路线,并承担综合医院的保卫和其他指派任务,同时和营地附近从南方逃亡的黑奴一起装卸船只。

第十二,部队从密利肯湾至新迦太基的行动应妥善安排,准备前述命令所需的10天补给和一半军械的运力。

第十三,指挥官有权在行军途中筹集肉牛、玉米和其他所需物资;但不得随意破坏财物,不得强占非军事用途物品,不得侮辱百姓,没有师长的正当命令不得进入并搜查民房。这些行为明令禁止,一经发现立即严惩。

第十四,任命J.C.沙利文准将指挥所有保护此处至新迦太基铁路线的部队。他应严格遵守1863年3月20日华盛顿陆军副官长办公室颁发的第69号通用命令。

U.S.格兰特少将令

麦克勒南德此时已到密西西比河下游。麦克弗森有两个师立刻踏上行程。还有一个师还在从普罗维登斯湖到密利肯湾的路上,一到就会立即跟上去。

谢尔曼将跟在麦克弗森后面。他有两个师在达克港和杨格点，还有斯蒂尔指挥的一个师正奉命从密西西比州的格林维尔返回。他们此前去那里是为了驱赶一个骚扰我军运输船的叛军炮台。

密利肯湾和帕金斯种植园之间只有一条狭窄且几乎无法通行的道路。一支联畜车队显然不可能给部队提供足够补给。所以，我们又采取上次的保护措施，派出 6 艘装满补给的轮船闯敌人的炮台。那些船拉了 12 艘同样满载物资的驳船。4 月 22 日，他们强闯炮台，5 艘闯了过去，多多少少受损，1 艘被击沉。约一半的驳船载着急需的货物成功冲了过去。

最早提出让江轮强闯维克斯堡封锁线时，只有两位船长和 1 艘船的船员愿意随船冒险。我们又从军中招募曾从事与西部河流航行相关工作的志愿者。船长、舵手、大副、技师和舱面水手主动报名，人数足够配备 5 倍于我们准备执行这次危险任务所需的数量。他们大部分是洛根师的人，基本都来自伊利诺伊南部和密苏里。除两艘轮船外，其余轮船都由军中的志愿者指挥；除 1 艘轮船的船员外，其余各船的船员也都是志愿者。从这件事以及战争中的很多其他事情中，我发现无论是机械任务还是军事行动，我们的普通士兵和军官都会积极响应号召志愿协助。W.S. 奥利弗上校是这次运输任务的特派指挥官。

第十八章
维克斯堡下游的行动

24 日，我的指挥部与先头部队一起驻扎在帕金森种植园。我们派出船只侦察河东岸是否有可供我们在大海湾上游登陆的高地，发现并无合适的地点。因此，部队向河下游 22 英里几乎与大海湾正对面的哈德泰姆斯进发。我们失去了 2 艘轮船、6 艘驳船，运输能力大减，经水路只能运送 10000 人。一些强闯到下游的轮船受到了机械性损伤，只能像驳船那样，被损坏不太严重的其他船只拖着走。因此，一次运不完的人员只能步行。行军的道路在圣约瑟夫湖西面，需要渡过 3 条大支流。我们像以前一样迅速地修好了桥。

27 日，麦克勒南德军团全部到达哈德泰姆斯，麦克弗森紧随其后。我决定尽快在河东岸尝试登陆。于是，29 日早上，麦克勒南德奉命将军团中运输船和驳船能装得下的人全部安排上船，大约有 10000 人。我们计划让海军打哑大海湾的大炮，然后在海军炮火的掩护下，准备尽可能多的部队在尽可能的短时间内登陆，并以暴风骤雨之势夺取敌人工事。我于是发出以下命令：

路易斯安那州帕金森种植园，1863 年 4 月 27 日
陆军第 13 军团指挥官 J.A. 麦克勒南德少将

命你安排你军团中船只可容纳的人员即刻上船。船上应备

好军械、行李以及限制规定内的一切物品；人员应做好准备，各司其职，一有通知即刻出发。

除奉命留守的部队外，所有人员将被派往几乎与大海湾正对面的一处地点。麦克弗森将军将依今日的特别命令向那里派一个师。

进攻计划是让海军袭击并打哑临河的所有炮台。你军团乘船在河面等待，随时准备在岬角下游最近的适宜地点登陆。登陆后，命令各指挥官按照预先指示，因地制宜排列部队，占领制高点，但应防止分散兵力而无法相互接应。我们的首要目标是为部队找到一个可以进行自我保护的立足点，待准备充分、兵力充足时再做进一步行动。

舰队司令波特计划将他的炮舰安排在几天前给你指定的地点，压制住敌人火力后将大海湾下游的部队运上来。

敌人有可能退出炮舰射程，而在城市后方设立据点。你则需要驶过大海湾后在罗德尼上岸。如果计划需要如此调整，我会安排好一个信号，在执行此任务的运输船出发时及时通知你。或许，船只能驶过大海湾，但部队难以过去。那么，运输船就需要回到岸边，部队登陆后强行军至大海湾下游，然后再次迅速上船，进发到罗德尼。这样，我们就需要3组信号：一组表示运输船能驶过大海湾，并让部队在那里登陆；一组表示运输船能不载部队空船驶过；最后一组表示运输船能载着部队驶过。

如果部队需要步行，所有行李和军械留在船上，随船冲过封锁。如果还未指示部队，则要求每人在干粮袋中装3天的补给，行动开始前不得使用。

U.S. 格兰特少将

波特的全名为戴维·狄克逊·波特（1813—1891），南北战
争期间，他在联邦海军中任重要职务。图为波特将军

29日早上8点，波特带领手下全部8艘炮舰发起进攻。进攻持续了将近五个半小时，但连敌人一架大炮都没打哑。而此时，麦克勒南德的10000人正挤在河面的运输船上，准备按照信号指示试图登陆。我在一艘位于敌人大炮射程内的拖船上，能看到双方战斗的情况；但是一艘没有武器装备的小拖船，在敌方炮台受到攻击自顾不暇之时，根本不会对敌方炮火有任何吸引力。约1点30分时，舰队看到努力完全白费就撤退了。我们一撤，敌人就立刻停止了炮击。我马上发信号给舰队司令，并登上了他的战舰。这次交火海军死亡18人伤56人，其中很大部分是旗舰的船员，而且多是由一颗炮弹击穿船侧，然后在甲板之间船员操作大炮的地方爆炸所致。我登上旗舰，看到肢体残缺奄奄一息的士兵，心里十分难过。

大海湾在一座很高的悬崖上，密西西比河在崖下流淌。和维克斯堡一样，那里正面易守难攻，在当时的情况下，从正面攻击几无成功可能。因此，我请波特当晚带舰队冲过炮台，并负责指挥运输船，因为下游需要那些船。

在路易斯安那一侧有一条伸向大海湾的长长的岬角。密西西比河在上游向东流约300英里，又在下游反方向流差不多同样的距离，从而形成了这个岬角。那里低矮潮湿，如果没有堤坝，部队就不可能穿过。我预先派人勘察了岬角和密西西比河东岸下游地区，以确定在罗德尼以北是否有可能的登陆地点。结果我们发现堤坝顶部可以作为一条很好的行军道路。

波特和以往一样，不仅赞成这个，还主动提出用自己的整支舰队做运输船。我曾打算提这个请求，但他没等我开口自己先提出来了。黄昏时，麦克勒南德躲开大海湾敌人的视线，在西岸登陆。海军和运输船都顺利地通过了炮台。在夜色掩护下，部队神不知鬼不觉地步行穿过岬角。天亮时，敌人一睁眼就看到我们的整支舰队——铁甲舰、炮舰、江轮和驳船——在下游3英里的河面悄无声息地行驶，上面黑压压，或者说蓝压压一片都是联邦军。

部队 29 日晚上岸时，我们本来预期要到下游 9 英里的罗德尼找登陆地点；但当晚一个混血人种的人来告诉我说，罗德尼上游几英里的布鲁因斯堡有一个合适的登陆点，那里还有一条合适的路，能通到深入南方腹地 12 英里的吉布森港。这个情报很准确，我们在登陆过程中没有遇到任何阻力。

谢尔曼还没有离开维克斯堡上游的据点。27 日早，我命令他带军团往亚祖河上游虚张声势，佯攻海恩斯崖。

我的目的是逼迫潘伯顿在维克斯堡上游驻守大批军队，好让我在河东岸的高地顺利站稳脚跟。这次佯攻取得了极大的胜利。我们后来得知，敌人误以为维克斯堡是攻击目标，而搞不清我们真正的计划。我们进攻当日，即 29 日，谢尔曼带领手下的 10 个团和波特留在维克斯堡上游的 8

舰队司令波特（左）和乔治·戈登·米德（右）的合照

艘炮舰进军大海湾。

谢尔曼组织部队登陆后，在海军炮轰海恩斯崖的主要堡垒时，对敌人发起进攻。他显然已预先做好了一切准备。这次袭击中，两个军种无一伤亡。5月1日，谢尔曼得到我的命令（4月29日从哈德泰姆斯发出的）从海恩斯崖前线撤离，火速带领两个师跟上麦克弗森。

我在帕金森种植园建了一座物资补给站。既然我们的炮舰已经到了大海湾上游，敌人可能会给大黑河上的船配备简易武器，以便破坏这些物资。麦克弗森带着一部分军团在哈德泰姆斯，供应站就由他的部下保护。29日夜，我命令他给一艘运输船装上大炮，派去保护帕金森种植园；同时，命他把我们带来的攻城加农炮也运过去，摆好阵势。

大海湾下游部队在路易斯安那州德西龙登船。那里在密西西比州布鲁因斯堡上游6英里。4月30日清晨，麦克勒南德军团和麦克弗森军团的一个师迅速登陆。

完成了这件事，我感到一种此后再未体会过的放松。维克斯堡确实还没打下，那里的敌人也没有因为我们此前的行动而士气低迷。我身处敌占区，戒备森严的维克斯堡与我的物资基地之间横着一条宽阔的大河。但我踏着坚实的土地，和敌人同处一岸。从去年12月至今，我们经历的所有战斗、辛劳、艰难困苦、日晒雨淋，都是为了这一个目的。

我当时有麦克勒南德将军指挥的第13军团和麦克弗森军团中洛根师的两个旅——总共不超过20000人来打响战斗。我们很快得到洛根师第3支旅和第17军团克罗克师的增援。5月7日，谢尔曼带着他的第15军团的两个师来增援。我的总兵力达到约33000人。

敌人在大海湾、海恩斯崖和杰克逊的部队差不多有6万人。杰克逊在维克斯堡以东50英里，中间有铁路连接。我的首要任务是夺取大海湾做基地。

布鲁因斯堡距离高地两英里。那里的最低处比密西西比河谷中的大部分低地都高，有一条合适的路通向悬崖。我们预料大海湾的守军会出动拦截我们，如果可以的话，会阻止我们到达悬崖脚下这块坚实的地面。皮埃尔支流在紧挨布鲁因斯堡上游的地方注入密西西比河。那是一条可航行的河流，当时水位很高，敌人要拦住我们就要取道吉布森堡，因为河上最近的渡桥在那里。这样就使大海湾到布鲁因斯堡后面高地的距离翻了一倍还多。我们要夺取这个立足点，一刻都耽误不得。我们的运输船一次，甚至两次都无法把所有的部队运到对岸去；但第 13 军团和第 17 军团一个师在 30 日白天和傍晚登陆。麦克勒南德一领到弹药和两天的补给（要吃 5 天）就出发了。日落前 1 小时他们到了悬崖，麦克勒南德又继续往前走，希望赶在敌人之前到达吉布森堡，抢占皮埃尔支流上的桥；因为当着敌人的面过河困难太大。而且，吉布森堡也是通向大海湾、维克斯堡和杰克逊的各条道路的起点。

　　麦克勒南德的先头部队在吉布森港以西约 5 英里的汤普森种植园遭遇敌人。双方当晚交火，但直到天亮才真正打起来。敌人派出大海湾的大部分守军，七八千人，由鲍恩将军指挥。他们占据了一个天然的有利位置。鲍恩的意图是牵制住我，等待洛林从维克斯堡赶来增援；但洛林赶到时吉布森堡以南的形势已经尘埃落定。麦克弗森军团的两个旅一领到补给和弹药，就立刻跟上麦克勒南德，准备第 13 军团一腾出位置，就马上在战场摆好阵势。

　　密西西比州的这个地区群山林立，路在山脊上蜿蜒，有时还从一座山脊跨越到另一座山脊。除了开垦的空地，漫山遍野都是茂密的森林和矮树丛，山谷间藤葛丛生，几乎无法通行。这样的地方，只需很少的兵力，即便打不垮，也能拖住人数多出许多的敌军。

　　通往吉布森堡的路在鲍恩所选的防守位置附近分岔，分别从最远处相距不超一两英里的两条山脊上经过。这两条路在城外合二为一。麦克勒南德必须把兵力分开。这并不单纯是兵分两路，而是被前面讲的那种深谷阻隔开。一路人马必须回到两条路的汇合点才能增援另一路人马。麦克勒南德把霍维、卡尔和 A. J. 史密斯的师安排在右路，奥斯特豪斯在左路。我上午 10 点到达战场，亲自视察了两路部队。右路即使算不上把敌人逼退，也起码没有被敌人挡住前进的步伐。但左路的奥斯特豪斯情况就不那么乐观。他被敌人压制着，损失了些人马。麦克勒南德部队一把路腾开，我就马上命令紧跟在第 13 军团后面的麦克弗森带着洛根师的两个旅跟上去。这时已是中午。我命他派一个旅（约翰·E. 史密斯将军的旅）支援奥斯特豪斯，并到左面从侧面袭击，把敌人从据点上赶走。为了执行这个行动，这个旅穿过一条深谷爬上第三座山脊；等看到史密斯的部队都走出了山谷，奥斯特豪斯奉命重新发起正面进攻。这次进攻很成功，损失也不大。敌人右路全线撤退，日落前左路也步其后尘。尽管我们是在左路展开行动，随右路出兵的麦克勒南德却不断请求增援，而他的部队并没有遇到强敌。我曾去过他所处的位置，知道那里根本容纳不下他全部的兵力同时战斗。我们乘胜追击，夜色降临时，追出吉布森港约两英里远；部队就地露营。

第十九章

格里尔森的袭击

第二天一大早，刚能看清路我们就向吉布森港出发了。我们很快就进了城。我很高兴敌人只是把桥烧了，而没有在河边继续阻拦我们。部队立刻开始在皮埃尔支流的南岔道上修桥。当时水位很高，水流很急。我们用木质的房屋、马厩、栅栏等各种材料修了一座勉强可以称为"浮桥"的桥。我的一位参谋 J.H. 威尔逊上校策划并监督桥的修建工作，和其他人一起跳进水里埋头苦干。官兵上下一致，齐心协力地投入这项工作。桥修好那天，部队过了河又朝北岔道行军 8 英里。洛根师的一个旅被派往河下游吸引叛军一个炮兵连的注意力。那个炮兵连有步兵的协助，专门留下来阻止我们修复被烧毁的铁路桥。洛根的另外两个旅被派到支流上游寻找渡口，好到北岔道修桥。敌人发现我们在别处修桥后很快就撤走了。离开吉布森港前，我们了得到麦克弗森军团克罗克师的增援。他们在布鲁因斯堡渡过密西西比河，筹集好两天的补给，就马不停蹄地追了上来。麦克弗森还有一个师在密西西比河西岸，保护密利肯湾到河下游的道路，等待谢尔曼部队来接替。

我离开布鲁因斯堡去前线的时候，几周前来找我的儿子弗雷德里克还在一艘炮舰上睡觉。我想等夺取大海湾后再把他带在身边；但他醒来知道我走了，就顺着汤普森山——吉布森港之战——肆虐的枪炮声，自己一路找到了我。他没有马，我连给他做顿饭的炊具都没有。所以，我们到大海湾前，他只能胡乱搜寻些东西填肚子。C.A. 丹纳先生，那时是陆军部的官员，在维克斯堡战役和围攻的一段时间和我在一起。他和弗雷德里克一样，没有代步工具，伙食也很糟糕。我记得战斗结束后见他们第一面时，他们各骑着一匹体形庞大的老马，老得毛都白了，马鞍和笼头都快散架了。

格兰特将军一家在别墅前的合影，从左到右分别为：妻子茱莉亚·登特、格兰特将军、女儿内莉、小儿子杰西、二儿子尤利西斯和大儿子弗雷德里克

几天后，我们的车马队到了，大家终于再也不缺东少西了。

儿子在战役和围攻期间一直陪着我，没有让我和他家中的母亲操什么心。他自己照顾自己，战役中的每次战斗都没有掉队。他当时还不到13岁，把一切都看在眼里，记在心里，要是年龄再大些恐怕记得就不会那么清楚了。

我们从布鲁因斯堡开始行动时，没有车马队。车马队还在密西西比河西岸，在部队护送下，从密利肯湾绕路 70 多英里到下游的哈德泰姆斯，吉布森之战后几天才跟上来。除了随身物品，我自己的马匹、指挥部的交通工具、用人、炊具等一切都和车马队一起走。A. J. 史密斯将军恰好在布鲁因斯堡有匹马，就借给我骑。不过只有鞍架和脚镫，没有坐垫。我差不多一个星期就骑着这样一匹马。

我们必须把弹药运到前线。粮食供给可以从当地筹集，但随身带的弹药只要战斗一激烈，很快就会消耗完。因此，我一上岸就马上命令把周围所有车辆和力畜——无论是马、骡子还是牛——都调集起来，全力运送弹药。30 日那天，我们凑成了一支蔚为壮观的车马队，各式各样，五花八门。你能看到有些精致的四轮马车，却横七竖八塞满了弹药箱，差不多堆到了车顶，还被套着各色耕犁、挽具、草轭、绳索等的骡子拉着；还有长长的双驾马车，上面安着放大棉花包的架子，被牛拉着，总之种植园里所有能做运输之用的东西，不论原来是为实用还是为消遣，都被我们拿来用了。我们暂时停止向物资所有者开具收据，因为不能让繁文缛节放缓我们的节奏，等日后站稳脚跟我们才有时间去遵守那些复杂的规矩。

我到了吉布森港才从一份南方报纸上得知格里尔森上校横扫密西西比中部并大获全胜的消息。他 4 月 17 日带着 3 个团约 1700 人从拉格朗奇出发。21 日，他派哈奇上校带一个团破坏哥伦布至梅肯铁路，之后返回拉格朗奇。哈奇与敌人在哥伦布激烈交战后沿铁路后撤，并破坏了欧卡罗纳和图珀洛的铁路，于 4 月 26 日回到拉格朗奇。格里尔森又带约 1000 人继续破坏维克斯堡至梅里第安铁路和新奥尔良至杰克逊铁路，于 5 月 2 日到达巴吞鲁日。这次袭击意义非凡，因为格里尔森把敌人的注意力从针对维克斯堡的主要行动上转移开了。

5 月 2 日夜，北岔道上的桥修好了，部队第二天早上 5 点开始过河。走在最前面的旅还没过完，敌人就从制高点朝他们开枪；不过敌人很快就被赶跑了。显然，敌人是在掩护其部队从大海湾向维克斯堡撤退。敌军在撤退中占领了大黑河上从格莱恩斯通渡口到汉金森渡口的所有制高点，以减慢我们的前进速度。然而，麦克弗森天黑前赶到了汉金森渡口，夺取了渡船，派一支分遣队过河后又朝北往维克斯堡方向前进了几英里。洛根师到达至维克斯堡的路与大海湾至雷蒙德和杰克逊的路的交会点后，向左转向大海湾。我从交会点和他一起走了一小段距离。麦克弗森遭遇到了吉布森港之战以来最大规模的敌军；不过，洛根所走的路通向敌人右翼。他来了个突然袭击，敌人很快就败下阵去。麦克弗森奉命带一个

1891 年，为纪念麦克弗森将军发行的美国国债 2 元券，
上面的头像为麦克弗森将军

师把守汉金森渡口和通向威洛斯普林斯的路；麦克勒南德在其后方，将与之会合共同保护支流下游的铁路。我可不想让敌人潜伏在我们后方，冷不丁咬我们一口。

在从交会点到大海湾的路上——离该路与维克斯堡至大海湾路交会点六七英里远的地方——我得知最后一批敌人已经从那里向维克斯堡撤退。我留洛根安排部队过夜，而自己带着约 20 人的骑兵进城去。舰队司令波特已率舰队抵达。敌人丢下重型枪炮，已经撤离了。

因为自 4 月 27 日起就没有行李，所以我 5 月 3 日到大海湾时，没换过内衣裤，没吃过像样的饭——只是偶尔在其他指挥部蹭过几顿正经饭——也没睡过帐篷。所以，我做的第一件事就是洗澡，再从一位海军军官那里借来一套干净的内衣裤，在旗舰上美美地吃了一顿。然后，我

才写信向总司令报告我们的位置，写要从开罗发出的电报，给维克斯堡上游的沙利文下命令，给我所有的军团指挥官下命令。夜里 12 点，我写完了所有文件，动身去汉金森渡口，天亮前到达。在大海湾时，我收到在红河上的班克斯的来信，说他 5 月 10 日才能到哈德森港，而且只有15000 人。此前，我一直计划固守大海湾，把那里作为物资基地，再派遣麦克勒南德军团支援班克斯，与他合作夺取哈德森港。

因为班克斯的来信，我不得不采取一个与我的预想不一样的作战计划。等待他来协同作战会耽误我至少 1 个月。而他的增援部队里去掉伤亡和 300 多英里长的河岸边所有制高点的必要守卫外，还不到 10000 人。敌人会加强防御，搬来比班克斯更多的援兵。所以，我决定不等班克斯，自己独立行动，也不依靠物资基地，从维克斯堡后方消灭叛军，围住或者夺取该堡。

因此，大海湾就不能再作为基地了，我向华盛顿当局报告了此事。我很清楚地知道哈勒克行事谨慎，不会赞同我这种做法；但这是唯一有可能成功的办法。与华盛顿沟通再等待回复要花费很长时间，所以等他们干涉的时候，我的计划是否可行早就见分晓了。就连谢尔曼——他自己后来率领我此时两倍多的部队在邦联穿越 4 个州，抛开物资基地全靠当地补给——也从汉金森渡口写信给我，提醒说只用一条路根本满足不了整个军队的供给。他催我"让所有部队停下来，待车马队能提供部分供给时，再迅速行动；因为此路定会拥堵不堪"。我是这样回复的："我并未指望大海湾能够为部队提供全部补给。我知道如果不另修道路，那是完全不可能之事。我计划补给尽可能多的硬面包、咖啡和盐，不足之量从当地获得。"我们此前从布鲁因斯堡出发时平均只带了两天的口粮，好多天都没有从供给中补充粮草；但我们一路上吃喝不愁。我们稍有延误，敌人就会有机会获取增援、加强防御。

麦克勒南德和麦克弗森的部队跟 2 日晚上一样，等着把干粮袋装上 3 天补给。牛肉、羊肉、禽肉、草料，一应俱全。他们从当地找到大量熏肉和糖浆，但找不到足够的面包和咖啡。不过，每个种植园都有骡拉的石磨，用来给奴隶主和奴隶磨玉米。我们不赶路时，所有石磨都夜以继日地转；行军时，部队留驻范围内的种植园夜夜不停地磨。但这些物产只能供给附近的部队，所以我们在维克斯堡上游的亚祖河上建好新基地之前，大部分部队还是吃不上面包。

部队等补给的时候，我命令麦克勒南德和麦克弗森出去侦察，想让敌人以为我们打算渡过大黑河，袭击维克斯堡。

6日，谢尔曼到达大海湾，部队于当晚和次日渡河。先头部队3天的补给已从大海湾运到，分发给了士兵。第二天，我下令前进。谢尔曼按照指示，命令留在后方的布莱尔赶赴前线。他当时带着两个旅，保护密利肯湾至哈德泰姆斯的道路。

杨格点的军需官奉命派给布莱尔200辆马车，由补给库装上硬面包、咖啡、糖、盐和10万磅腌肉。

3日，留在孟菲斯的赫尔伯特接到命令，派4个团到密利肯湾接替布莱尔师；5日，再次奉命派出劳曼师加入作战部队。那4个团将从临河的部队中派出，以节约时间。

6日晚，麦克弗森召回大黑河北的部队，一大早就经洛基斯普林斯、尤蒂卡和雷蒙德一线向杰克逊进发。当晚，他和麦克勒南德都在洛基斯普林斯，距离汉金森渡口10英里。8日，麦克弗森原地不动，而麦克勒南德转移到大桑迪，谢尔曼从大海湾前进到汉金森渡口。9日，麦克弗森到了尤蒂卡以西几英里处；麦克勒南德和谢尔曼原地不动。10日，麦克弗森前进到尤蒂卡，谢尔曼到大桑迪；麦克勒南德仍待在大桑迪。11日，麦克勒南德到五英里溪；谢尔曼在奥本；麦克弗森从尤蒂卡前进了5英里远。5月12日，麦克勒南德在十四英里溪；谢尔曼也到了溪边；麦克弗森打了一仗后到达雷蒙德。

麦克弗森在汉金森渡口渡过大黑河后，我们可以从南面接近并围攻维克斯堡。但是，潘伯顿不大可能允许我们近距离围城。由于地面崎岖坎坷，他能在城南密西西比河到大黑河间建立一条严密的防线，守住到那里的铁路线。所以，我计划先到维克斯堡以东的铁路线，再从那里逼近目标。因此，麦克弗森已渡过大黑河的部队被召回，开始往东面的杰克逊进军。

前面说过，当地地势崎岖，只有山顶上才有路可走。部队每次只出动一个军团（有时两个）沿与铁路平行的路线，到与其只相距6至10英里远的指定地点。麦克勒南德军团和左路部队一起在大黑河上保护所有渡口。麦克勒南德和谢尔曼到了几乎与铁路平行的十四英里溪，以很小的损失顺利渡河。麦克弗森在谢尔曼右面，部队辐射到雷蒙德。骑兵走在前面，侦察并寻找道路：一方面掩护我们的先头部队，另一方面寻找最合适的路径使部队遇袭时能相互支援。我在如此行动时，估计潘伯顿在维克斯堡约有18000人的机动部队，海恩斯崖和杰克逊的部队少于这个数字。潘伯顿不可能把所有兵力集中到一处来进攻我，所以我决定把我的队伍插入他的部队之间，分而攻之。这个想法成功实施，但我后来发现自己完全低估了潘伯顿的兵力。

至此，我们的行动都没有遇到激烈反抗。我的战线几乎与杰克逊至维克斯堡的铁路线平行，在其南面约7英里处。我的右路由麦克弗森指挥，在离杰克逊18英里的雷蒙德；中路的谢尔曼在十四英里溪，先头部队已过河；左路的麦克勒南德也在十四英里溪，先头部队已过河，前哨距爱德华车站不到两英里。敌人显然认为我们要攻打那里，已在车站集结大股部队。麦克勒南德的左路在大黑河上。在这个阶段的所有的行动中，我们的左路部队都紧紧守着大黑河和所有渡口，以防敌人包抄到我军后方。

麦克弗森在离雷蒙德两英里处遭遇敌军。对手是格雷格将军多达5000人的部队和两个炮兵连。那时大概是下午2点。洛根带着自己的一个旅做先头部队。他调集部队前去迎敌。麦克弗森命令清除后方道路的车马，命洛根师余部和还远在后方的克罗克部队火速赶来。他们都欣然受命。

克罗克还没到位，洛根就已让自己的师做好了进攻准备，然后猛烈进攻，轻取敌人阵地。格雷格在战场上被打得抱头鼠窜，不敢再在我们阵前露面，后来在杰克逊才又遇到了他。

洛根率军在雷蒙德与邦联军激战

这场战斗中，麦克弗森部死 66 人，伤 339 人，失踪 37 人——差不多都是洛根师的人。敌人死 100 人，伤 305 人，另有 415 人被俘。

我认为洛根和克罗克都是陆军内外首屈一指的师级指挥官，完全可以胜任更高的指挥职位。可惜，克罗克志愿参军时已患痨病危在旦夕。然而，他只要还能站得起来，就从未因为身体虚弱，而在战斗在即之时告病假。叛乱平息后不久他就去世了。

第二十章
钱皮恩山之战

日落时分，得知麦克弗森在雷蒙德大捷的消息时，我在谢尔曼部。我立刻决定让部队掉头转向杰克逊，夺取该城，不得延误。

潘伯顿现在在我左面，我估计约有 18000 人；我后来才知道他实际上有差不多 50000 人。我右面的杰克逊正在集结军队。所有通往维克斯堡的铁路线都在杰克逊交会。敌人所有的人员和物资调配都要经过杰克逊。因为我最终是想围攻维克斯堡，所以必须先切断外界对杰克逊的一切支援。因此，我决定迅速奔赴杰克逊，消灭或者赶走那个方向的所有敌人，然后掉头反扑潘伯顿。但如果向杰克逊进军，我就会把自己的交通线暴露出来。于是，我最终决定抛开交通线——完全脱离自己的基地，把全部部队都往东调。只要我行动足够迅速，不等潘伯顿从后方袭击我，我就已经先进攻他了。所以我一点儿也不担心交通线。

因此，我撤销了白天发出的关于 13 日行动的命令，并下达新命令。我命麦克弗森在天亮时向离杰克逊 10 英里的克林顿进发；同时通知谢尔曼我决定夺取杰克逊，然后从那里向西行动。他受命于凌晨 4 点带 3 个师经狄龙行军到雷蒙德，留其中一个师保护大黑河的渡口。

10 日，我收到班克斯从红河发来的信，要求增援。波特已于 3 日带着一部分舰队前去支援，所以我回信讲述了我的处境，回绝了派兵的请求。我认为只要敌人还占据着哈德森港和维克斯堡，这些外围行动都是在浪费时间和物资。

13日夜，约瑟夫·E. 约翰斯顿将军从田纳西到达杰克逊，接管密西西比州所有邦联军的指挥权。我知道他希望从南面和东面获取增援。6日，我写信给哈勒克将军："根据从敌方获取的情报判断，敌人正从塔拉霍马调集军队。"

此间，只要地面条件允许，我的部队都在可相互支援的距离内。我们各军团都不断进行侦察，熟悉相互间最合适的路线，以备需要联合作战时使用。

13日，麦克弗森与先头部队一起抵达克林顿后，立即开始破坏铁

约瑟夫·E. 约翰斯顿将军（左）和罗伯特·李（右）的合影

路线。麦克弗森的最后一批人马还没出雷蒙德城，谢尔曼的先头部队就到了。麦克弗森以高超的战争技巧不伤一兵一卒地从敌人在爱德华车站的前线撤离，有条不紊地到达自己的预定位置准备过夜。13日晚，麦克弗森接到命令，要一大早向只有15英里远的杰克逊进发。谢尔曼也接到同样的命令；但他走的是从雷蒙德到杰克逊的直路，在麦克弗森所走路线的南面。两条路线和杰克逊城外战壕线的交会点相距超过两英里。麦克勒南德奉命调一个师到克林顿，一个师跟着谢尔曼到密西西比斯普林斯以外几英里处，还有一个师到雷蒙德。他还要抽调4门攻城加农炮与第二个师同往。无论在什么情况下，麦克勒南德的位置都很有优势。他有一个师在克林顿，就能在必要时迅速增援杰克逊的麦克弗森；密西西比斯普林斯外的师可以增援谢尔曼；而在雷蒙德的师则两条路都可以走。他还有两个师远在后方，但布莱尔正在赶上来，一天之内即可到达杰克逊。如果杰克逊的战事用不上最后这支部队，他们距维克斯堡方向已近了一

天路程，且分布在三条通向该城的道路上。但我心中最重要的考虑是，假如潘伯顿出动，袭击我的后方，我应当有一支部队抵挡他。我料想他会这样做；而后来的事实证明，他在约翰斯顿的指挥下正是走了这一步棋。

我告诉哈勒克将军我将于 14 日袭击州首府。信使单枪匹马穿过广袤地区，把电报送到了大海湾。

当晚，谢尔曼和麦克弗森商议后决定同时到达杰克逊。13 日夜和 14 日前半天，大雨倾盆。路况糟糕透顶，谢尔曼的战线上有些地方地势低洼，积水有一英尺多深。但部队毫无怨言。9 点，麦克弗森军团的先头部队克罗克师扑向敌人的前哨，把他们赶回了主力部队所在位置。那些前哨就是被赶出雷蒙德的那帮叛军，本来在战壕外占据着有利位置。那时，约翰斯顿已得到增援；当夜又有乔治亚州和南卡罗来纳州的志愿军团前来支援，他的人数达到 11000 人，而且还会有更多援军赶来。

谢尔曼也在城外袭击了敌人的散兵壕，很快就把他们赶了回去。他现在位于杰克逊南面和西南面，面前的邦联军有胸墙做掩护；而麦克弗森的右路差不多在谢尔曼北面两英里，从南至北横穿维克斯堡铁路。大

杰克逊战役

炮已经运来，进攻前的侦察工作也已完成。麦克弗森部署克罗克发起袭击的同时，把洛根师调到了前线。谢尔曼在右路也做了类似的部署。上午11点，两人都做好了进攻准备。克罗克挥师向前，最前面由一条强大的散兵线开道。他们很快就和敌人先头部队遭遇，把敌人赶回了主力部队。散兵归队后，全师一起发起冲锋，敌人招架不住被赶回了主战线。敌人的这次抵抗发生在主防御工事外围两英里多的地方。麦克弗森奋起直追，一直追到敌方战壕里枪炮的射程之内才停下来，然后摆好阵势，四处侦察以确定下一步如何行动。这时已到中午。

杰克逊战役中联邦军炮兵在轰击杰克逊城

与此同时，谢尔曼被一座射程能覆盖他所走的道路——密西西比斯普林斯路——的炮台挡住了去路。这座炮台的射程还覆盖了他必经的一座桥。谢尔曼从左右两面派军强渡，敌人两翼受袭后，很快被赶回主阵线。这样一来，我军的整条阵线都移到了敌人防御工事前。敌方工事自珀尔河城北河段延绵至城南河段，形成北西南三面的连续战线。我和谢尔曼部在一起。他遇到了一支足以牵制住我们的敌军。表面看来我们不适合主动进攻。我指示谢尔曼派一支队伍到右路，一路侦察到珀尔河边。我见被派出的塔特尔师没有回来，就和参谋骑马到右路查看，很快就发现敌人已经放弃那里的战线逃跑了。显然，由于塔特尔的行动，或者麦克弗森的逼近，约翰斯顿下令撤退，只留下炮手在他们撤退时拖住我们。塔特尔看到这一幕，就畅通无阻地穿过敌人的战线，到拦截谢尔曼的炮手后方，俘获了炮手以及 10 门大炮。我立刻骑马到州政府去，谢尔曼不一会儿也来了。这时，麦克弗森发现敌人正从前线撤出，就派克罗克打头阵。克罗克离敌人很近，敌人都来不及转移走或者销毁他们的大炮。他俘获了 7 门大炮，又往前走，在密西西比州的叛军首府升起了国旗。史蒂文森的旅被派去切断叛军退路，但或因为时已晚，或因行动不够迅速，未能成功。

这次战斗中我们的损失是：麦克弗森部死 37 人，伤 228 人；谢尔曼部死 4 人，伤亡失踪 21 人。敌人有 845 人死伤、失踪或者被俘。17 门大炮落入我们的手中，敌人还烧毁了自己有大量军需储备的仓库。

同一天，布莱尔到达新奥本，与麦克勒南德的第 4 师会合。他带来了 200 辆满载补给的马车。这也是整个战役期间我们获得的唯一补给物资。

我当晚住的房间据说正是约翰斯顿头一晚睡的那间。

下午 4 点，我找来各军团指挥，安排部队部署。谢尔曼留在杰克逊，破坏铁路和军用物资生产，使杰克逊不能再发挥交通枢纽和生产基地的作用。他的办事效率很高。我和谢尔曼一起到一家工厂去，发现那里并没有因为打仗或者北方军队进城而停止生产。我们的到来似乎根本没有引起经理和工人的注意。工人大都是些姑娘。我们在一旁看了一会儿，发现织机上源源不断生产出来的每匹帐篷布上都织着 C.S.A[①] 字样。车间外面的棉花包堆积如山。看了一会儿，我和谢尔曼说，我觉得他们应该停下来了。我们告诉工人，他们该走了，走的时候能拿多少布就拿多少。几分钟后，棉花和厂房就裹进了熊熊火海。后来我当总统时，这家工厂的主人曾到华盛顿找我要烧毁他财物的赔偿，他说那是他的私人财产，要我写一份声明，说他的财产被联邦军烧毁，好让他拿到国会推进——或者企图推进——他索赔的要求。我拒绝了。

---

① Confederate States of America 的缩写，意为邦联。——译者注

13 日晚，约翰斯顿在爱德华车站给潘伯顿发去以下电报："我刚到此地，得知谢尔曼少将带 4 个师在克林顿挡在你我之间。当务之急是建立联络，使你获得外部支援。如可行，立即到他的后方。打击这支分遣部队的意义非同小可。你应迅速集结所有兵力。时间乃一切之关键。"这份电报一式三份，分别由 3 个传令员送出。其中恰巧有一个忠于联邦的人。他几个月前因为发表不忠言论和危险思想被赫尔伯特从孟菲斯驱逐了。赫尔伯特把此事大事宣扬，表面上是以儆效尤；但其中内情赫尔伯特和被驱逐者本人心照不宣。他把自己手中的那份电报交给了麦克弗森，后来转到了我手中。

14 日，我收到这份电报后，就命令麦克弗森早上立即返回波尔顿，因为那是约翰斯顿能上主路的最近地点。波尔顿在杰克逊西约 20 英里。我还通知麦克勒南德杰克逊已被占领的事情，并下了以下命令："敌人显然计划到我们北面，渡过大黑河，把我们赶向维克斯堡。我们决不能让他们得逞。将你的所有部队火速调往波尔顿车站。接此令后，即将各处部队从最近路线调往该处。"

我给布莱尔的命令是这样的："敌人的计划显然是渡过大黑河，再从大黑河和亚祖河间的半岛过来。我们必须打败他们。马上掉头去波尔顿；带上所有车马。史密斯师及现在你处的所有部队都将到那里去。如可能，走几条平行路线，让部队和车马分开走。"

14 日夜，约翰斯顿在离杰克逊仅 6 英里的坎顿路过夜。他给潘伯顿发电报告知杰克逊失守，并下达以下命令："增援一到，即与其他部队合为一处。我急需一支联合部队，给敌人以沉重打击。格兰特能否从密西西比河获得补给？你能否切断他的补给，最重要的是，一旦他因为缺乏补给而被迫后退，你就扑上去。"

鉴于当地路况，我的部队很容易就集结起来了。麦克弗森走的路与铁路平行，相距很近。麦克勒南德的部队里，一个师（霍维）在麦克弗森要走的路上，但是在其前面 4 英里。一个师（奥斯特豪斯）在雷蒙德，路线在钱皮恩山附近与前一条交会；一个师（卡尔）与奥斯特豪斯走的是同一条路，但还在后面的密西西比斯普林斯，所以行军不会受影响；第四个师（史密斯）和布莱尔师在奥本附近，走另一条路。麦克勒南德立即掉头往回走。早上9点30分，他的骑兵从雷蒙德出动夺取了波尔顿，驱散了敌人的前哨，抓了几个俘虏。

15日夜，霍维在波尔顿；卡尔和奥斯特豪斯面朝西，并排在南面约3英里处；史密斯在雷蒙德北，布莱尔居其后。

麦克弗森的部队晚上7点出发，洛根在前，次日凌晨4点到霍维处后扎营；克罗克在霍维后方的克林顿路上宿营。谢尔曼带着两个师在杰克逊，已摧毁了杰克逊的道路、桥梁和兵工厂。我亲自骑马到克林顿。我一到就命令麦克勒南德一早就往爱德华车站进军，提醒他注意敌人的动向，除非有必胜把握，否则不要发生任何交火。

我认为潘伯顿理所当然地会遵从上级命令，到克林顿袭击我们。其实，我知道他做不到；但我觉得他应该会尽量往那里赶。事实上，他断定上级的计划不切实际，于是就决定从爱德华车站南面，楔入我和我的基地中间。可是我根本没有基地，一个多星期前我就弃之不顾了。15日，潘伯顿确实进军到爱德华车站以南，但因为下雨，贝克溪水位暴涨。他想到对岸去，无奈水太深难以涉水而过，而几座桥都被水冲垮了。他只好又回到杰克逊路，因为贝克溪在那里有一座合适的桥。他的部分部队一直行军到深夜才赶到那里。16日，他在那里又接到命令，要他去克林顿与约翰斯顿会合。这次，他终于遵守了命令，发了封电报给他的长官，告知自己将要走的路线。

16日早上5点，两个曾在杰克逊至维克斯堡铁路工作的人被带到我面前。他们报告说自己夜里刚从潘伯顿部队中间穿过，他的队伍仍在往东走。他们报告说他有80个步兵团和10个炮兵连，总共有约25000人。

我本来计划让谢尔曼在杰克逊再待一天，完成他的任务；但得到上述情报后，我命令他火速赶到波尔顿，同时派一个师带一队弹药车立即上路，全速行军到我军后方。接到命令不到一小时，斯蒂尔师就上路了。同时，我指派奥本附近的布莱尔全速到爱德华车站。麦克勒南德奉命暂时管辖布莱尔师。布莱尔师原属第15步兵团（谢尔曼部）；该师正在归队途中，而现在我们掉转方向往西走，他们自然先遇到我们的左路。第15步兵团赶到前线时，将成为我们的最右翼。麦克弗森接到指令将车队清除出部队前进的道路，并尽量紧跟霍维师。麦克勒南德有两条相距约3英里的行军路线，在爱德华车站交会。他军团中的霍维师的先头部队走的是更靠北的第三条路（克林顿路）。麦克勒南德按照指令，从最南面的那条路调遣布莱尔和A. J. 史密斯的师，而奥斯特豪斯和卡尔走中间那条路。我命令部队前进时要小心谨慎，由散兵在前试探敌人。

史密斯师在最南面的路上，最先遇到敌人的前哨，但很快就把他们赶了回去。中路的奥斯特豪斯听到枪炮声，把自己的散兵向前推进，找到敌人的前哨，也把他们逼退到主阵线。同时，北路，也就是从杰克逊到维克斯堡的路上，霍维也与敌军相遇。麦克弗森想赶上前去与霍维会合，但霍维的车马堵在路上，导致他前进不得。我那时尚在克林顿。麦克弗森向我报告了情况，希望我能过去。7点30分，我出发急速往前线赶，命令所有挡在部队前面的车马都腾开道路。我到的时候，霍维和敌军的冲突几乎升级成一场激战。

麦克勒南德本人在中路，比麦克弗森距离敌人战线更近一些。我派参谋传令给他，让他向前推进发起进攻。我把这个命令下达了好几遍，但麦克勒南德却没有明显加快速度。

潘伯顿选择在钱皮恩山迎战我们。不管他是处心积虑还是无意而为，那里都是一个占尽天时地利的好地方。钱皮恩山是那一带的制高点，在这里周围各处一览无余。陡峭的山脊东面有一条河谷，先向北流，又转向西，最后注入贝克溪。河谷里长满了茂密的大树和矮树丛，即使没有敌军防守，也很难穿行。敌人占领的山脊在山谷向西转弯处戛然而止。敌人左路占领了山脊的北段。波尔顿至爱德华车站的车马路在这里几乎转向正南方，沿山脊向上延续约 1 英里；然后向西，沿缓坡下到 1 英里远的贝克溪。西面，山坡很缓，从山顶至贝克溪一带都被开垦成了耕地。我们在那里的时候，路西面的山顶附近有一小块狭长的林带。

从雷蒙德有一条直路到钱皮恩山以西约 3 英里的爱德华车站。还有一条路到波尔顿。后一条路有一条岔路，在离波尔顿 3.5 英里的地方径直通向爱德华车站。麦克勒南德军团的 3 个师和暂由他指挥的谢尔曼军团的布莱尔师就正沿这两条路行进。麦克勒南德手下的霍维部与麦克弗森在一起，正在更北面由波尔顿直达爱德华车站的路上。北路转向成为西路，与中路交会后共同通向贝克溪；而南路仍然在两路以南几英里处，直到爱德华车站才与其他两路汇合。潘伯顿的战线朝东，把这 3 条路线全部囊括在内。霍维一来就把敌人的前哨赶回了主阵地，因此他的战线和敌人的平行，面对着敌人的左路。

11 点，冲突升级成了激烈的战斗。其他部队还没来支援，霍维就独自攻下了敌人的一座炮台。但他无力守住炮台，只好把大炮留在那里。麦克弗森以洛根为先锋，以最快的速度向前推进，并将部队刺入敌人侧翼，安插在霍维右侧。洛根派师中的一个旅增援霍维；将另外两个旅向西挪，为克罗克让路；克罗克正以路况允许的最快速度往前线赶。霍维依然承受着极大的压力，向我请求增援。我命令正赶过来的克罗克师派出一个旅。

钱皮恩山战役。西奥多·戴维斯绘

麦克弗森把两个炮兵连安排在大炮射程几乎完全覆盖敌军阵线的地方，取得了良好的效果。

从洛根的位置，如果直线往前就能到敌人后方的一片开阔地，刚好与敌军战线平行。他直线前进，不过是从西山坡的一小片树林里发起的进攻。那时，我一直位于霍维附近，因为他承受着最大的火力；但中午时，我和几个参谋从右面赶上了洛根。他当时在那条通向贝克溪的路附近。实际上，他控制着敌人唯一的退路；霍维得到麦克弗森两个旅的增援后，对抗敌人左路；克罗克带着两个旅掩护其左翼；麦克勒南德两小时前带两个师到距敌人中心位置 2.5 英里的地方，这两个师——布莱尔师和 A. J. 史密斯师——此时正与叛军右路对阵；兰塞姆带着第 17 军团（麦克弗森军团）麦克阿瑟师的一个旅几天前在大海湾过了河，正朝敌人右翼赶来。我和洛根那时还不知道我们已经切断了敌人的退路。就在这时，霍维派来一个传令员，再次要求增援。但现在我们已经没有多余兵力了。我于是命令麦克弗森部从左翼绕到霍维处。这就空出了敌人的撤退路线，他们很快就钻了空子。

在此期间，霍维得到洛根和克罗克各一个旅的增援，同时克罗克带着两个旅勇猛地冲到他的右路。霍维发起了多次进攻，最后一次我们刚好把敌人的退路让开。于是敌人趁机仓皇逃窜。这是三四点间的事情。我继续前进到中路与北路的会合点——那里其实比我原来的位置靠后——正好看到卡尔师的散兵过来。奥斯特豪斯在更靠南的地方，不久也由散兵开道向这边来了。霍维师和增援他的麦克弗森的两个师一大早就开始行军打仗，不适合再去追击撤退的敌军。于是我传令给奥斯特豪斯去追赶敌军；我刚好和卡尔碰面了，就向他解释了情况，命令他奋起直追，一直要追到大黑河，如有可能就过河接着追；奥斯特豪斯也跟着他追。他们一直追到天黑才罢休。

第二十一章
进攻维克斯堡

我们现在牢牢地控制着约翰斯顿和潘伯顿之间的地区，约翰斯顿和潘伯顿两部绝无可能会合。潘伯顿可以连夜赶到大黑河过桥，而后从西面向北走，从而避开我们，与约翰斯顿会合。可是，这就等于把维克斯堡拱手相让。但这是他应该采取的行动，如果约翰斯顿处在潘伯顿的位置，也会这样做，其实这也和约翰斯顿给潘伯顿的命令一致。

16日中午，谢尔曼带着他最后一部分部队离开杰克逊，马不停蹄地往西到了距离20英里的波尔顿。他的后卫部队直到17日凌晨2点才到，但天一亮就继续行军。他放了杰克逊的战俘，把自己的伤员托付给医护人员。他在波尔顿得知我们胜利的消息，并接到命令，要第二天一大早继续行军，从正在走的路上转到大黑河上的布里奇波特。我们判断敌人就在大黑河下游11英里的地方。布莱尔也奉命尽早带浮舟队到布里奇波特与谢尔曼会合。

这样的部署使谢尔曼的军团合在了一处，而会合点正是我希望部队能渡过大黑河的地方。因为之前谢尔曼军团在我们前方从侧翼进逼敌军，这样就给其他部队腾出了渡口。我告诉他，我会在他渡河时尽力拖住我前方的敌军。

麦克勒南德军团的卡尔师为先头部队，17日凌晨3点30分再次开始追击，后面紧跟着奥斯特豪斯，麦克弗森军团断后。如我所料，敌人已在大黑河摆好了阵势。那里离我的先头部队晚上休息的地方只有6英里，所以他们很早就赶到了。河水在那里向西转了个弯，直逼高地；东岸是一片低洼的河床，水位很高时会被淹没，但现在被清理出来开垦成了农田。低地上有一条弯弯曲曲的支流，河底比大黑河水位正常时的河面还高。河水满涨的时候，水就灌满了这条支流，把那里变成了一座岛屿。支流里长了很多树木，敌人把它们砍倒挡在水沟里。此时，支流的水有一两英尺深。叛军把附近种植园的棉花包堆在支流的内侧一岸，撒上土，修成了胸墙。河西岸的制高点能完全控制住这条防线。支流的上游有一片狭长的没有开垦的土地，给我们一部分部队提供了掩护。卡尔师被安排在我们的右边，分布在树林一直到上游的河边。劳勒旅是该师的最右路。奥斯特豪斯师被安排在卡尔的左边，列阵于敌人的整条战线。麦克弗森还在路上行军，但他的先头部队已经快到了，可以随时调到需要的地方。

正当部队如此部署的时候，班克斯的参谋官给我送来一封哈勒克将军的信，日期是 5 月 11 日。那封信是经新奥尔良送到班克斯那里，再转

新奥尔良是著名的棉花集散港口。图为港口的工人正在装载货物

交给我的。信里命令我回到大海湾，从那里与班克斯协同作战进攻哈德森港，之后两军联合回过头来围攻维克斯堡。我告诉那位参谋，命令来

得太迟了，如果哈勒克知道我们现在所处的位置一定不会下这样的命令。但送信的参谋执意要求我执行命令，并搬出一堆道理支持他的观点。就在这时，我突然听到我们的右路传来呐喊声，朝那里一看，劳勒只穿着衬衣带着部下向敌人冲锋。我立即上马奔向进攻的方向，把送信的参谋扔在了一边；至今都再没见过他。

这次进攻很成功，不过敌人也没怎么抵抗。敌人从河西岸逃跑，烧掉了身后的桥，置东岸的官兵和大炮于不顾，结果全落入了我们手中。很多人想游过河逃命。有些成功了，有些淹死在河里。我们俘获18门大炮，1751名俘虏。我们死39人，伤237人，失踪3人。敌人除了被俘和被淹死的人外，损失可能并不多。要不是敌人彻底烧毁了桥，我想我们肯定能紧紧跟着敌人，使他们无法占领维克斯堡周围的工事。

由于桥被毁，水位又高，我们必须重新修桥。我们攻占那里时上午9点刚过。准备妥当后，我立即下令修3座桥。一座由工兵团的海恩斯中尉负责，一座由麦克弗森亲自负责，一座由兰塞姆将军负责。兰塞姆是一位骁勇善战又足智多谋的志愿军军官。我记得海恩斯修了一座木排浮桥；麦克弗森修了一座浮筒桥，用了很多棉花包做浮筒；而兰塞姆则把河两岸的树砍倒，而且只砍一面，这样树就倒在河里，树冠部分相互交错但并没有与树桩完全分离。他就用这些树做路基，又从建筑物、轧棉机等一切可以利用的地方拆下木料。18日早上8点，3座桥都完工了，部队悉数渡河。

谢尔曼17日中午到达布里奇波特，发现布莱尔带着浮舟队已经到了。一些敌军在西岸挖了战壕，但没怎么抵抗就很快投降了。两个师当晚过河，第三个师第二天早上也过了河。

18日，我先于部队往维克斯堡进发，以最快的速度跟谢尔曼会合。我最焦虑的是如何在维克斯堡上游的亚祖河上建立一个稳固的供给基地。谢尔曼的行军路线一直通到沃尔纳特山上，那里正是敌人去年12月将他打退时的据点。谢尔曼和我一样心急。我们急急火火地赶到队列前面，和前头的散兵一道走。山顶上分散着一些工事，仍被敌人占着，也可能是海恩斯崖的守军的余部，还没全到维克斯堡去。反正敌人的子弹稠密地飞了一会儿。但只几分钟的工夫，谢尔曼就兴致勃勃地站在了他去年12月朝思暮想的制高点上，俯瞰当初进攻无门时自己的部队望洋兴叹的地方。他扭头对我说，在此之前，他还没有十足的把握会成功。但现在，他说历史上最伟大的一次战役画上了句号，我应该马上汇报此事。维克斯堡还没有攻下来，不知道还会有什么波折；但无论攻下与否，我们都彻彻底底地发动了一场成功的战役。我引用的不是谢尔曼的原话，但大意如此。我提这件事的原因后面会解释。

麦克弗森渡过大黑河后，到了谢尔曼所在的杰克逊至维克斯堡的路上，但在谢尔曼的后面。夜间到达敌人战线附近后，麦克弗森就地宿营。麦克勒南德沿铁路附近的直路到奥尔本斯山，然后率部左转走从鲍德温渡口到维克斯堡的路。于是，他就到了麦克弗森南面。我现在有3个军团兵分三路逼近维克斯堡的防御工事——一路城北，一路城东，一路城东南。19日早上，我用我有限的兵力对维克斯堡形成合围之势。谢尔曼在右占领了一块高地，可以向东南方俯览他的部队所占领的亚祖河流域。麦克弗森在左面，占领了杰克逊路两侧区域。麦克勒南德占领他左边的地区，一直把势力范围扩展到沃伦顿，从而形成一条连续的战线。

19日，我们为了占据更好的战略位置，不断与敌人发生冲突。敌人经过钱皮恩山和大黑河的败仗而士气大挫，我想他们不会太努力防守维克斯堡。因此，我于下午2点发出进攻命令。我们的部队全都成功地将阵地向前推进，且防护严密，敌人的炮火奈何不得。

20日和21日，我们一直在巩固战略位置，在敌人后方从亚祖河或契卡索支流修路。大部分部队近3个星期只从补给库领过5天的补给，但他们的食物一直都很充足。不过现在，面包有点儿供应不上了。我记得21日往战线左翼去的路上，有个士兵认出了我，用很低的声音说了一句"压缩饼干"，但我还是听见了。一下子，整个队伍都开始喊起来："压缩饼干！

压缩饼干！"我告诉离我最近的士兵们，我们一到那里，就已经开始修路，好为大家提供需要的所有东西。高声的抱怨马上变成了欢呼。21 日夜，所有的部队都领到了足额的补给。大家对面包和咖啡尤其赞不绝口。

我现在决定发动第二次进攻。约翰斯顿在我后方只有 15 英里远的地方，部队人数比我少不了多少，我知道他正得到增援。我们面临的危险是，他可能去支援潘伯顿，这即便阻止不了我夺取维克斯堡，也会打乱我俘获那里的守军的计划。如果不能立即攻占维克斯堡，我就必须寻求增援，而无法将兵力用在其他急需的地方，也不能让我的部队抽出身去把约翰斯顿赶出密西西比。但最重要的是——我的军队认为自己能夺取前方的工事，如果不放手让他们一试，他们是不会安心挖战壕的。

22 日上午 10 点，战线各处奉命同时发起进攻，每个战略位置上的大炮都发射出猛烈的炮火。各军团指挥都和我的表对了时间，好在同一时刻发起攻击。3 个军团的进攻都很勇猛，各有部分部队成功地冲上敌人的胸墙，把自己的战旗插了上去，但没能进入敌人的工事。麦克勒南德将

联邦军队进攻守卫维克斯堡的邦联军

军报告说他占领了敌人的几处战壕，需要增援。我所在的阵地能清楚地看到他阵前的情况，但我并没有看到他口口声声所谓的成功。不过，由于他屡次要求增援，我不能视而不见，就向他派去第 17 军团中昆比师。谢尔曼和麦克弗森都奉命再次发起进攻，以吸引火力，减轻麦克勒南德的压力。最后这次进攻只是徒增我方的伤亡，没有任何实质性成果。我们虽已有部队到达敌人阵地，但为安全起见，就一整天原地未动。天黑时，那些部队都撤了回来；维克斯堡的最后一次进攻就此结束。

第二十二章
鏖战维克斯堡

　　我现在决定用围困法——"围而不打，困住敌人"，这样就不会有进一步的损失了。22日的经历让将士们领悟到，这才是最佳方案，于是大家开始心甘情愿地修筑防御工事和道路。海军再控制住河面，维克斯堡的包围圈就形成了。只要我们守好自己的阵地，敌人的食物、人员和战争物资的供给就只限于手中现有的那些。而那些人力物力总有消耗完的时候。

　　部队于4月30日开始在布鲁因斯堡渡河。5月18日，部队到维克斯堡后方。19日，渡河仅20天后，我们将该城完全包围，发起了进攻：敌我双方打了5仗（其间小规模交火从未间断），联邦军都取得了胜利；州首府陷落，那里的军火库、兵工厂和为军事目的服务的所有设施都被我们破坏；参战部队平均行军180英里，但只发了5天的补给，没有草料；抓获俘虏逾6000人，另有约6000名敌军死伤；缴获敌人27门重炮和61门野战炮；维克斯堡至哈德森港400英里的河段进入我们的掌控之中。此时，已渡过密西西比河的联邦部队不到43000人。其中一个师——布莱尔师，来得较晚，虽然赶上了钱皮恩山之战，但并没有参加战斗；还有一个旅——麦克弗森军团的兰塞姆旅，战斗结束才赶到战场。敌人在维克斯堡、大海湾、杰克逊和这些地方之间的路上驻兵超过6万。这些邦联部队在自己本乡本土作战，不需要保护后方。虽然这个地区是防守的绝佳地点，但要组织进攻就十分困难。我们本来会遇到所有敌军，但幸运的是——最起码可以这么说——我们是分别与敌军的不同部分相遇：在吉布森港遇到七八千人；雷蒙德 5000 人；杰克逊 8000 到 11000 人；钱皮恩山 25000 人；大黑河 4000 人。杰克逊的一部分敌军是雷蒙德退下来的残兵败将。他们在自己的地盘上，被一支人数比他们少的军队各个击破。到目前为止，我们的损失如下：

战斗	阵亡	负伤	失踪
吉布森堡	131	719	23
皮埃尔支流南岔道	—	1	—
5月3日小冲突	1	9	—
十四英里溪	6	24	—
雷蒙德	66	339	39
杰克逊	42	251	7
钱皮恩山	410	1844	187
大黑河	39	237	3
布里奇波特	—	1	—
总计	695	3425	259

很多伤员只是受了轻伤，能继续履行职责。不到一半的重伤员或长期或短期地失去作战能力。

22 日进攻失败后，我们开始改用围困法。谢尔曼居右，以维克斯堡上游为起点，麦克弗森居中（麦克阿瑟的师现在和他在一起），麦克勒南德居左，把守向南通往沃伦顿的道路。这时，劳曼师赶到，被安排在战线的最左边。

在 19 日至 22 日两次进攻的间隙，从亚祖河到敌人后方附近的契卡索支流的道路完工，我们因而可以将食物和弹药运到前线；我们选好地方，清理出来供部队宿营，帐篷和厨具也运来了。自打过了密西西比河，部队就一直没有这些东西。修筑防御工事的一切准备工作就绪。普伦蒂斯和赫尔伯特收到命令，要把所有能抽调的人都派出来。我们需要骑兵监控大黑河沿线的浅滩，同时监视约翰斯顿。我知道约翰斯顿正得到布拉格的增援，而布拉格在田纳西州正与罗斯克兰斯对阵。维克斯堡对敌人十分重要，因此他们会不遗余力地想打破包围圈，即使冒着在其他地方失利的危险，也在所不惜。

　　我的战线从海恩斯崖到维克斯堡，再到沃伦顿，长度超过 15 英里。而敌人的战线仅 7 英里。此外，我们后方的坎顿和杰克逊都有敌人，而且不断得到增援，因此，我们还需要一条面向后方的防线。但我手下人手不够。哈勒克将军把形势看得一清二楚，不等我开口，就以最快的速度送来了增援部队。

联邦军修筑坑道围困维克斯堡

　　维克斯堡附近易守难攻。北岸的制高点高出密西西比河 200 英尺，地面因为雨水冲刷而沟壑纵横；那些沟壑里长满了藤葛和矮树，而侧坡和顶部则覆盖着茂密的树林。再往南，地面稍微平坦一些，被开垦成了农田。但这里也是沟壑纵横，溪流密布。敌人的防线沿着山脊顶部从城北的密西西比河向东，再往南转向城后足足 3 英里的杰克逊路；最后以西南方的密西西比河为终点。这些防线前隔着前述的那种深沟。因为雨水冲刷，山的侧坡形成一道道集水沟，敌人的战线就无法规规矩矩地排布。如果在每一道侧脊上都修筑战壕来控制两边的侧坡，那么防线就会拉得太长。所以，他们的防线基本上，或者说在很多地方，是从一个集水沟的顶部几乎直线通到另一条集水沟的顶部，而外围工事呈三角形，后部一般不封闭；外围工事里只要几个人就能完全控制住通向主阵线的各条通道。

要使我们的防线像敌人的防线那样具有强大的防御能力，我们有许多工作需要做。同时，我们想让防线尽量靠近敌人的防线，问题就更加复杂了。我们只有4个工兵军官，由工兵军团的普莱姆上尉领导。因此刚开始的工作由他指挥，但他不久后健康状况恶化，就由同属工兵军团的康斯托克上尉接替。为了给他们提供帮手，我命令所有西点军校毕业的军官要在本职工作之外协助修筑防线，因为他们在西点学过军事工程知识。

军需总长和补给总长都是西点毕业生。但补给总长，现在已经是陆军补给总长了，他请求说自己在工程方面除了卖体力碾压坑道地面外，一无所长。因为士兵在战壕里工作跟行军打仗一样需要补给，而他要是去碾压坑道的话，显然是大材小用了，我就批准了他的请求。这位将军身材魁梧，220磅重，个子不高。

我们的攻城加农炮只有6门能发射32磅炮弹的大炮，而且整个西部地区都没有可调用的加农炮。不过，舰队司令波特给我们支援了一个有大口径海军炮的炮兵连，于是，加上战斗中使用的野战炮，围攻开始了。我们首先要做的是把大炮布置在制高点的炮台上；然后找一个尽可能靠近敌人，同时又有掩护能躲避敌人炮火的地方建立营地；接着修建散兵壕和有掩护的通道，以最近的路线连通整个部队。我们修建炮台时，敌人并没有添太多麻烦。可能他们的大炮射程短，而步兵又被我们的狙击手压制着，因为我们的狙击手时刻保持警惕，只要有人在叛军工事上一露头，他们就立刻开枪。

我们战线的各处离敌人都不超过600码。因此，我们需要在普通的胸墙之外，用其他东西保护我们的士兵。为了增强保护的力度，我们把子弹穿不透的沙袋堆放在胸墙顶部，中间留出足够的空隙，做步枪的射弹孔。沙袋上面再放上原木。这样，大家就能在卸防后直起身行走，不用担心对方狙击手的袭击。敌人在防御中使用爆炸性步枪子弹，他们肯定认为这样的子弹在坑道内爆炸会有很大杀伤力；但我不记得真有哪个人被这种子弹所伤。人一旦被击中，子弹爆炸会造成十分严重的伤势。但实心子弹一样可以击中目标。使用这种子弹是野蛮的行径，因为这种子弹只会增加中弹者的痛苦，使用者却并不能因此获得任何优势。

敌人无法效仿我们的方法保护自己的士兵，因为我们有取之不尽的军需物资可以任意使用。不过缺点是，弹片打飞的木头碎片会对藏身其后的士兵造成极大伤害。

围攻的部队没有迫击炮，只有海军在城前架的那些大炮；但我们在能找到的最硬的木头上钻了 6 或 12 磅炮弹的孔，然后用牢固的铁箍把它们箍在一起，制成木质大炮，成功地把炮弹发射到了敌人的战壕里。

修建炮台和战壕的工作大部分是轻工兵在黑人的协助下完成的。他们到我们的阵地干活以换取报酬。但部队仍经常需要派出分遣队来帮忙。工事以最快的速度向前推进，我们每稳住一个靠前的阵地，修好躲避敌人炮火的掩体，就把炮台往前移。6 月 30 日，220 门大炮准备就绪，除了一组由海军操作指挥的他们自己的重炮外，大多是轻型野战炮。现在，我们对维克斯堡守军的防御和他们对我们的防御一样坚固；但我知道约翰斯顿在我们后方，而且他还源源不断地得到东部的增援。他此时的兵力比我在钱皮恩山战斗前的任何时候都要强大。

联邦军到维克斯堡后方的消息一传到北方，造访者就如潮水般拥来。有些是为了满足好奇心；有些是看望历尽磨难、九死一生的儿子或兄弟；而基督教组织和卫生组织的成员则是来照顾伤病员。那些来看儿子或兄弟的人经常带来一二十只家禽。他们不知道这样的礼物根本不会受欢迎。很多士兵在行军途中没有面包吃的时候，就是靠鸡、鸭、火鸡充饥，所以如果能弄到熏猪肉，只消看一眼禽肉，他们就胃口全无。但大家的心意都是好的。

最早来的人里有伊利诺伊的州长，还带着州内大部分的官员。我当然想让他们见识一下最有意思的东西。谢尔曼的阵地最为崎岖，树木最繁茂，因而无须暴露自己就能看到许多东西。我就把他们带到谢尔曼的指挥部，引见给他。在出发去参观阵地之前——可能是谢尔曼的马正在套马鞍的时候——他们就刚刚结束的战斗问了许多问题，因为北方对此所知甚少。谢尔曼身边围着一小群人，我身边也有一小群。我听见谢尔曼绘声绘色地复述我们5月18日第一次从沃尔纳特山上向下俯视时他对我说的话，接着说道："这次战斗的所有功劳都归到了格兰特的头上；我反对。我就此给他写过一封信。"要不是他的这番话，我可能根本没机会听到他的反对意见。他在战斗中精力旺盛，效率极高，完全有资格独揽打胜仗的功劳。即便他自己制订作战计划，他也不可能比现在执行得更出色。

5月26日，我派布莱尔师到亚祖河上驱赶敌人的一支部队，估计应该在大黑河和亚祖河之间的区域。那里物产丰富，食物草料供应充足。布莱尔受命悉数征收。牛要赶回来供军队使用，食物草料要么让部队消耗掉，要么就用火烧掉；所有的桥都要毁掉，路要尽可能破坏得无法行走。布莱尔花了差不多一星期，走了45英里，顺利完成了任务。我请求波特此时派一支海军旅到海恩斯崖，守住那里等待增援。那支海军旅是指派给他的一支不伦不类的水上部队，但事实证明用处很大。

26日，我还接到班克斯的一封信，要我派10000人到哈德森港增援。我当然不能答应他的请求，而且我觉得他也并不需要增

班克斯。摄于南北战争期间

援。因为他阵地前的敌方守军对他没有任何进攻威胁，后方也没有敌军集结，图谋破坏这次围攻。

6月3日，赫尔伯特手下的一个旅到了，由金博尔指挥。那个旅被派往海恩斯崖东北几英里处的梅卡尼克斯堡，差不多在大黑河和亚祖河正中间。布莱尔从亚祖河一回来，他师里的一个旅和1200名骑兵就也被派到那里，奉命监控大黑河各渡口，破坏布莱尔前方的道路，同时收集或者销毁一切物资供给。

6月7日，我们的一小支由有色人种和白人组成的部队在密利肯湾过密西西比河的时候，受到理查德·泰勒的跨密西西比部队中3000人的袭击。在炮舰的协助下，敌人很快被击退。我派莫尔的旅过去把敌人赶出滕萨斯支流地区；围攻维克斯堡期间，该地区再也没有受到敌人骚扰。这是有色人种部队在战争中参加的第一次重要战斗。他们都是新兵，围攻开始时才参的军，但他们表现很出色。

6月8日，赫尔伯特部队来了一个由苏伊·史密斯将军指挥的整编师。我马上派他们到海恩斯崖，同时任命C.C.沃什伯恩将军为那里的总指挥。

11日，从密苏里军区来了一支由赫伦将军指挥的劲旅，被安排在我军左路。这就断绝了潘伯顿和约翰斯顿恢复联系的最后一丝可能，因为劳曼可以逐渐和麦克勒南德左路合围，而赫伦从劳曼处可以把战壕一直挖到河边。那个地方的水退到了高地几百码外。邦联的两位指挥官一定趁着夜色从这个通道传递过情报。

14日，帕克将军带着伯恩赛德军团的两个师刚一到，立即就被派往海恩斯崖。这后来的两支部队——赫伦和帕克的部队——就是前面说到的哈勒克将军预先派来的增援。他们来得正是时候。

我现在有71000人。超过一半的人被安排在海恩斯崖的亚祖河和大黑河间的半岛上。奥斯特豪斯师负责监视大黑河上杰克逊路渡口至鲍德温渡口，以及下游段以南以西的各渡口。

去维克斯堡有8条路，我们在这些道路及其支路沿线，重点推进工事和炮台建设；同时占据了敌人射程内的所有制高点。

17 日，我收到谢尔曼的信，18 日又收到麦克弗森将军的信，说各自的部下向他们抱怨麦克勒南德将军为第 13 军团发表的贺令言过其实，对参加战斗的其他部队有失公允。这道贺令被送到北方发表，刊登在各种报纸上。现在刊登贺令的报纸传到了军营。我从未听说过这道贺令，除麦克勒南德部之外的其他部队当然也是看到报纸才知道的。我立刻写信给麦克勒南德，命他给我送一份贺令的副本。他照办了。我立即解除了他陆军第 13 军团指挥的职务，命他回伊利诺伊州斯普林菲尔德。他在报纸上刊发贺令，既违反了陆军部的命令，也违反了我的命令。

第二十三章
维克斯堡投降

6月22日，我们收到可靠情报说约翰斯顿已经渡过大黑河，企图攻击我军后方，解救潘伯顿。约翰斯顿和潘伯顿的通信显示，约翰斯顿此时已对保住维克斯堡不抱任何希望。我立即命谢尔曼指挥从海恩斯崖至大黑河间的所有部队。这部分部队现在已经占维克斯堡周围部队的一大半。此外，赫伦和A.J.史密斯的师奉命做好随时增援谢尔曼的准备。海恩斯崖的陆地部分已经修筑了强大的防御工事。从那里至大黑河与铁路线的交叉口，沿途所有的制高点上都建有炮台。防御工作还未完工的制高点间均以散兵壕相连。部队做起这样的事情驾轻就熟。

我们现在向西围攻潘伯顿，同时又要防备约翰斯顿可能从东面围攻我们。但就像我们针对维克斯堡的防御和维克斯堡针对我们的防御同等坚实一样，我们针对约翰斯顿的防御也和他针对我们的防御一样有力。我们东面和北面都修有强大的工事，防御森严。约翰斯顿显然看清了这一点，很明智地——我认为——放弃了进攻我们的想法，因为那样只会两败俱伤。我们有足够的能力进攻他；如果约翰斯顿进攻，有机会与之一搏我会备感荣幸，但我决不想在钳制潘伯顿这件事上有半点儿闪失。

从5月23日起，我们一直在修筑防御工事，同时朝敌方推进我军阵地。我们在莱格特旅阵前的杰克逊路上的3处地点，挖了一条坑道通到敌人的胸墙。6月25日，我们从下面挖通了坑道，埋上弹药。敌人也挖了地道与我们对抗，但没找到我们的地雷坑道。就在那个地方，叛军工事所在的小山的高度陡增。我们的地道离敌人胸墙很近。实际上，这道胸墙也是我们的保护屏障。两边的士兵偶尔隔着墙愉快地聊几句天；有时联邦士兵会用硬面包换邦联士兵的烟草；不过敌人也会丢手榴弹过来，我们的士兵经常一把接住，又丢回给他们。

我们的地雷坑是从半山腰挖起的；等挖到胸墙的时候，坑道在下面好几英尺深的地方，所以敌人找不到坑道，也就没办法破坏。6月25日，3点，一切就绪，地雷在坑道里被引爆了。沿途的重炮全部奉命跟着爆炸

联邦军围攻维克斯堡用的重炮

声一起开火。结果不但把山顶炸没了，还在原地炸出一个深坑。但这个缺口太小，连一个进攻纵队也过不去。事实上，敌人找不到我们的坑道，就在后面重新修了一道防线，大部分守军其实都在那里。只有几个人留在前沿阵地，其他人都在反坑道里四处寻找我们的地雷坑道。那些人全被炸飞到了半空，几个掉到我们这边的竟然还活着。我记得有个有色人种的人，爆炸时正在地下干活，被炸到了我们这边。他没受什么伤，但吓得魂飞魄散。有人问他刚才被炸起多高。"我不知道准确数据，先生，但我猜得有3英里了。"他回答道。洛根将军是那里的指挥，把这个人带回了指挥部，留他做用人直至围攻结束。

爆炸声一响，我们的两个团就冲上去占领了山顶的弹坑处。他们为了这个任务，专门早早地在附近的隐蔽处待命。敌人拼死想要打退他们，但没有成功，很快就退到了新防线后面。不过，他们从那里扔的手榴弹起了很大作用。来而不往非礼也，我们也照样扔手榴弹，但不如他们的效果好。敌人能把手榴弹堆放在两军之间仅有的那堵胸墙上，只需往下轻轻一推；而我们却要用力把手榴弹扔过高耸的胸墙。夜里，我们努力想顶着敌人投来的一颗颗手榴弹巩固在弹坑里的阵地，好左右一起动工在敌军胸墙外墙基挖战壕；但敌人不停地扔手榴弹，还搬来一箱箱野战装备（炮弹），先用点火装置引燃导火索，再用手扔到我们的队伍里。我们根本没法干下去。于是，我们重新挖了一条坑道，7月1日引爆，消灭了叛军一整座凸角堡，那里的守军死伤无数，还在原来的地方撕开一道大口子。我们第一次爆炸死伤约30人。敌人两次爆炸的损失一定比我们第一次损失的人数多。我们第二次一员未损。

从这时开始，我们挖地雷坑道和推进阵地的工作加大了力度，我决定先不炸坑道，等我们准备好后，在几个地方同时引爆，然后立即发起攻击。我们在3个不同位置挖了坑道，每个军团阵前一个，一直通到敌人胸墙跟前。

这时，我从一份截获的约翰斯顿给潘伯顿的电报中得知，约翰斯顿决定袭击我们以解救维克斯堡的守军。我知道守军是不会奋起反抗进行自救的。两军的警戒哨——在两条战线之间的距离还够设警戒哨的地方——相距很近，近到双方士兵都能聊天的地步。6月21日，我就是通过这个途径得知潘伯顿准备逃跑，想趁着夜色渡河到对岸的路易斯安那；他已经雇了工匠来造船；他曾拐弯抹角地向部下套话，想知道他们是否愿意进攻"北方佬"突围出去；手下拒绝了，还差点儿闹起兵变，因为指挥官不愿意投降，好救他们于水火。最后潘伯顿承诺一周之内就能造好足够的船把大家都救出去，才算平息事态。叛军的警戒哨兵还说他们拆了城里的房子来造船。后来这些传言得到了证实：我们进城时确实看到大量做工粗糙的船。

我们立刻采取一切必要步骤，扼杀敌人的突围企图。我们增加了一倍的警戒哨；同时通知舰队司令波特，更加严密地监视河面；我们在河西岸放上点火材料，敌人一旦偷渡就立刻点燃照亮河面；路易斯安那那边还沿着半岛上的防洪堤修建了炮台。维克斯堡的守军如果试图偷渡，不是淹死就是到路易斯安那一岸被抓。我觉得，这次行动本来应该由理查德·泰勒将军在西岸配合的，但他没有配合，他即便兵力充足也无法出手相助。除了中间的维克斯堡和哈德森港，密西西比河从源头到河口都已在我们的掌控之中。我们几乎把从普罗维登斯湖到对岸的布鲁因斯堡的地区都搜刮干净了。西面的路况不适合为大规模部队筹集补给。

7月1日，我们的通道在多处都连通了敌人的战壕。我们有10个地点可以在掩护之下到达距敌人5至100码的地方。我下令为7月6日的进攻做好一切准备。各个出入口被依令拓宽，以方便进出，通道也被拓宽，以同时容纳4人并肩通过。我还下令准备好木板和紧实地塞满棉花的大包，以备部队跨越战壕时使用。

7月1日，约翰斯顿在布朗斯维尔和大黑河之间，给潘伯顿写信说，自己预备于当月7日佯攻，以助他突围。不过潘伯顿还没等收到信，就成了阶下囚。

7月1日，潘伯顿眼看着外援无望，就给4个师的指挥官各写了一封以下的信件：

> 除非维克斯堡包围解除，或者有外部补给补充，否则我们不久就须撤离此地。前一种可能，我认为机会渺茫；而后一种可能，即使没有不可逾越的障碍，也是困难重重。因此，我要求你尽快告知我你部的情况，以及部队是否能疲劳行军，以成功撤离。

他的两位将军都建议投降，另两位差不多也是这个意思。他们的观点是撤离必将失败。潘伯顿此前曾给约翰斯顿传递消息，建议他和我谈判，在不放下武器的情况下释放守军。约翰斯顿回复说，自己这样做就等于认输；但他批准潘伯顿可以以自己的名义安排此事。

3 日上午 10 点，一些地方的叛军工事上出现了白旗。那些地方的敌对活动立即停止。不久，我们看到两个人举着白旗朝我们阵地走来。原来是师长鲍恩将军和潘伯顿的副官蒙哥马利上校给我送来下面这封信：

> 我很荣幸地提议休战若干小时，以商讨维克斯堡的投降事宜。为此，如无异议，我将委派 3 名专员，与您指派的同样数量的专员今天在您认为合适的时间地点会面。我虽自认完全有能力无限期固守阵地，但为避免进一步的流血牺牲，而提出此建议。否则必将生灵涂炭，血流成河。此信将由约翰·S. 鲍恩少将持白旗奉上。

能从战线看到那些白旗的官兵，目睹了这辉煌的一幕，消息很快传遍了整个部队。艰难的长途跋涉，艰苦卓绝的战斗，夜以继日的监视，在炎热的气候中经受各种天气状况的考验，疾病的困扰，还有——最难以忍受的——北方舆论的冷嘲热讽，说他们受苦受难都是枉然，维克斯堡永远都打不下来，部队上下都感到所有这些都结束了，联邦有救了。

鲍恩由 A.J. 史密斯将军接待，他要求见我。我和鲍恩在密苏里时是邻居，战前和他很熟悉，而且交情很好；但我拒绝了他的要求。他便建议我见见潘伯顿。我口头回复说，如果潘伯顿有意向，我会在当天下午 3 点在麦克弗森军团阵地前与他会面。我对潘伯顿的信做了以下书面回复：

> 您今日提议休战数小时，以便通过专员商讨投降事宜的信件已收到。只要维克斯堡和守军无条件投降，您要避免的无谓

的流血可在您选择的任何时刻随时终止。如维克斯堡中的守军那般隐忍勇敢的部队，永远值得对手尊重，我向您保证，你们将享有战俘应有的一切尊严。我不赞同指派专员商讨投降条款，因为除上述条件外，我别无他求。

下午3点，潘伯顿由早上送信的两名军官陪同着，出现在我回信中建议的地点。我则由奥德将军、麦克弗森将军、洛根将军、A. J. 史密斯将军和几名参谋官陪同。我们的见面地点在距叛军防线几百英尺的一道山坡上。附近有一棵矮小的橡树，它因为这个事件而名垂青史。不一会儿，

维克斯堡战役中的格兰特将军（左）和潘伯顿将军（右），
他们在协商维克斯堡邦联守军的投降事宜

树干、树根、树枝全都不见了踪影，都被大家拿去当纪念品了。从那以后，像"真正的十字架"① 一样，这棵树以纪念品的形式，成为千千万万木

---

① 基督教圣物之一，据说是钉死耶稣基督的十字架。——译者注

制品上的装饰。我和潘伯顿在墨西哥战争期间有一段时间在同一个师里服役。因此，我和他很熟悉，就像老相识一样向他打招呼。很快，他就问我如果他的部队投降，我会开出什么样的条件。我回答说就是我给他的回信中提的条件。潘伯顿忽然很生气地说："不必再谈了，"猛一转身好像要走。我说："恕不远送。"我看到鲍恩将军很急于促成投降。我和潘伯顿谈话时，鲍恩的言谈举止都流露出这个意向。他说自己想跟我的将军们再谈一谈。我对此毫无异议，因为不管他们提什么建议，都对我没有约束力。于是鲍恩开始谈判，而我和潘伯顿在靠近敌人阵地的地方交谈。过了一会儿，鲍恩提出邦联军应该携带小型武器和野战炮，以军人的尊严列队走出维克斯堡。这个要求当即被一口回绝。会谈到此结束，但我答应当晚 10 点前写信给出最终条件。

和潘伯顿书信往来不久，我就传话给舰队司令波特，以停止陆军和海军两部分的军事行动。我在给潘伯顿的信中答应，在我们通信结束前不会重新发起进攻。

我回到指挥部后，立即召集所有围攻维克斯堡的军团指挥官和师长。半数部队都在 8 至 12 英里远的地方等着约翰斯顿。我告诉他们潘伯顿来信的内容、我的回信及会谈的概要，并说虽然我愿意倾听任何建议，但仍完全保有决定权。这是我开的最像"战事会议"的一次会。我不顾会上普遍——几乎一致的意见，写了下面这封信：

> 秉承下午的一致意见，我就维克斯堡及其物资储备等投降事宜提出以下建议。你方接受建议条款后，我军将于明早 8 点派一个师进驻城中，守卫并接管该城。获释名单写好并由官兵签字后，你方将被允许列队走出我方阵地。军官可携带随身武器和衣物，野战军官、参谋官和骑兵军官每人可带一匹马。普通士兵可携带所有衣物，但不许带其他财物。如果接受这些条件，

你方可从储备仓库中带走认为必需的任何数量的补给物资以及所需的炊具。不便搬运的物资可用30辆马车运输，两辆两匹马或骡子拉的联畜车算一辆。所有伤病官兵一恢复至可行动状况，均适用上述条件。但这些官兵的获释声明须在授权军官签署战俘名单时签字。

依照当时的交换俘虏的协议，任意一方的战俘都应尽快送往詹姆斯河上达齐隘口下游的艾肯码头，或维克斯堡，以进行交换或假释。维克斯堡有一位邦联专员，受委派负责战俘交换。我提出不把他作为战俘，仍让他自由行使工作职责的建议。如果我坚持无条件投降的话，我们就需要把30000多人运到开罗，会给密西西比河上的部队造成极大不便。然后，战俘将乘火车到华盛顿或巴尔的摩；再坐船到艾肯码头——所有的花销都很大。他们将在艾肯获得假释，因为邦联没有联邦战俘可交换。而且，潘伯顿的部队里大部分人家在西南部；我知道他们很多人厌倦了战争，想尽快回家。大批邦联士兵在围城期间主动投诚，要求把自己送到北方找个活儿干，等战争结束再回家。

深夜，我收到了回信：

我荣幸地告知，我已收到您今日提出的关于守军和驻地投降条款的信件。我接受您的主要条款；但为不辱我军在保卫维克斯堡期间表现出的尊严与精神，我提出以下修正条款，如您能同意，双方协议则更加完善。我建议，明早10点，我方将在我指挥下撤离维克斯堡城内外的工事，城市和守军同时投降。届时我方持我方旗帜和武器列队出城，并将其堆放在我方现在的阵地前面。此后，你方占领城市。军官持有随身武器和个人财物，市民的权利和财产应得到尊重。

这封信收到时午夜已过。我的回复如下：

　　我荣幸地告知您7月3日来信已收到。您所提的修正条款无法全部一一满足。你方须为每位官兵准备一份本人亲笔签字的假释声明，同时拟定战俘名单，这两件事会花费一些时间。我再次重申，对于市民待遇和私人财产问题，我不会做出任何规定。尽管我并不打算过分地骚扰和掠夺市民，但我不会让自己受制于任何条款的约束。军官允许携带的财物以我昨晚的提议为准，即军官允许携带私人行李和随身武器，配马的军官每人可带一匹马。如果您的建议是指早上10点各旅列队将武器堆放到各自阵地前，然后回到城中作为战俘等待适当的假释，我没有任何异议。如果早上9点前我没有收到您接受条款的通知，我即认为条款被拒，将采取相应措施。如果接受条款，你方阵地沿线应悬挂白旗，以免我方部队没有得到通知，而向你方开火。

潘伯顿立即接受了这些条款。

围城期间，两军的前哨和阵地极为靠近的士兵时常友好地斗嘴。所有叛军都被称为"乔尼"，所有联邦士兵都被称作"北佬"。"乔尼"通常会喊："嘿，北佬，什么时候进城啊？"回答有时是："我们计划在里面庆祝7月4日的

美国国庆节是7月4日，以纪念1776年7月4日大陆会议通过《独立宣言》。图为A.M.威拉德所绘油画《庆祝国庆节》

国庆节。"有时是："我们总是对战俘以礼相待，不想伤害他们。"或者："你们虽然吃的是自己的饭，但已经是我们的俘虏了。"守军，自最高指挥将领而下，毫无疑问都预计7月4日会有一次进攻。他们从自己人的普遍状态中看出，这次进攻一旦发起，联邦军一定会胜利，到那时结果比投降更加耻辱。而且他们遭受的损失也将更加惨重。

我们经常从叛军前哨那里收到维克斯堡的报纸作为礼物。4日之前的报纸在评论"北方佬"夸口要于4日在维克斯堡城里进餐一事时说，烹饪兔子的最佳秘诀是"先把兔子抓到手"。这时的报纸以及从前的报纸都是印在壁纸的背面上。最后一期的报纸是4日发行的，上面宣布我们已经"抓住了兔子"。

我确信潘伯顿3日开始与我沟通有两个目的：第一，避免袭击，他知道我们一定会成功；第二，避免在重大的全国性节日——美国独立宣言纪念日被攻占。他尽管获得了较好的投降条件，但在第二个目的上失算了。

在约定的时间里，维克斯堡的守军列队走出工事，在工事前站成一排，堆放好武器后又秩序井然地列队回去。我们的全部将士目睹了这个场面，但没有欢呼。洛根师最接近叛军工事，所以是首先进城的；他师里一个团的旗帜很快就在县府大楼上飘了起来。我们的士兵围攻期间从头到尾一直补给充足。敌人却遭了殃，尤其是在最后阶段。我亲眼看到我们的士兵从干粮袋里拿出面包递给刚刚还以断粮相逼的敌人手中。对方接受时狼吞虎咽，连声道谢。

潘伯顿在战报中写道："如果问为什么选择在7月4日投降，答案很明显。我相信那天我能获得较好的条件。我深知对手的虚荣，他们必将特别期待7月4日进入大河要塞；为满足国民的虚荣之心，他们会在其他任何时候都不会妥协的事情上做出让步。"

这与我认为的潘伯顿选择4日投降的原因不一致。但我们必须记得，潘伯顿第一封谈判条款的信，我是在7月3日上午10点收到的。我们很难想象投降要用 24 小时。潘伯顿知道约翰斯顿在我们后方图谋解围，所以他自然想尽可能坚持得久一些。他知道他的部队挡不住进攻，却又料想到 4 日会有一次进攻。我们见面时，他说他的补给能撑一段时间——我记得他说的是两星期。是他说的这番话让我在条款中加了一条，即他可以从自己的储备中提取补给。

7 月 4 日，霍姆斯将军率领跨密西西比军区的八九千人袭击阿肯色的海伦娜，却被只带着不到 4200 人驻守海伦娜的普伦蒂斯将军打得大败。霍姆斯战报说损失 1636 人，其中 173 人死亡；但普伦蒂斯掩埋了 400 人，霍姆斯显然低估了自己的损失。联邦死 57 人，伤 127 人，失踪 30 至 40 人。这是邦联最后一次企图为维克斯堡解围。

3 日，谈判刚一开始，我就通知谢尔曼准备进攻约翰斯顿，把他赶出密西西比州，如有可能就消灭他的部队。斯蒂尔和奥德同时奉命做好准备，待维克斯堡一投降就与谢尔曼会合。谢尔曼也被通知了此事。

我骑着马，与部队一起进入维克斯堡，并到河边与海军互相祝贺联合作战成功。那时我发现很多居民住在地下。维克斯堡和大黑河畔的山丘都是由一种黏性很强的黄土构成。道路和街道被挖开的地方，会留下竖直的断面，稳固如石头砌成的似的。敌人就在断面较深的地方挖出通道，建成军械库。很多市民在这种路基上挖出房间，为家人营造安全的藏身之所。他们从道路或街道的路面开挖，在高高的路基上挖出出入口，挖几英尺后就在黏土上按需要挖出一定大小的房间，土从出入口运出。我看到有些人家会挖两个房间，中间的黏土墙上有一个门洞。有的房间铺着地毯，经过精心布置。人住在里面完全不用害怕海军夜以继日丢进城里的炮弹。

我下午回到城外原先的指挥部，6 日才搬到城里。4 日下午，我派参谋威廉·M. 邓恩上尉把一封给总司令的电报送到开罗，那里是有电报线的最近地点。电报内容如下：

　　敌军已于今日上午投降。我仅允许其作为战俘获得假释。
我认为，我们此时获得了巨大优势，不仅缩短了我军围攻的时间，
而且部队和运输船可随时立即执行任务。谢尔曼即刻起率重兵
朝约翰斯顿进发，以将其赶出密西西比州。我将派兵解救班克斯，
并命第 9 军团返回伯恩赛德。

　　这个消息和同一天葛底斯堡战役胜利的消息，让总统、内阁和北方
所有忠于联邦的人士心头都卸下了一块大石头。维克斯堡的陷落敲定了
邦联的命运。此后还有许多恶仗要打，还有许多宝贵的生命要牺牲，但

葛底斯堡战役是美国内战的转折点。图为联邦军与邦联
军在葛底斯堡激战，萨如·德·萨斯川普绘

联邦拥护者士气大振。

　　与此同时，我写信给班克斯将军，告诉他维克斯堡已投降，并送出
一份投降条件的副本；我还告诉他，我会派去他想要的所有军队，以确

保能攻陷敌人在密西西比河上唯一的立足点。班克斯将军将那封信——至少是信的概要——印了许多份，很快就有一份传到了指挥哈德森港的加德纳将军手里。加德纳立刻给联邦军指挥官班克斯写信，说自己已经知道维克斯堡投降，还说明自己是如何获知此事的。他又说，如果此事千真万确，他再硬撑也是徒劳。班克斯将军向他证实维克斯堡确已投降，于是加德纳将军7月9日无条件投降。哈德森堡连同近6000名俘虏、51架大炮、5000件小型武器以及其他物资全部落入联邦之手。从那时到叛乱结束，密西西比河从源头到河口都一直在联邦军控制之下。

潘伯顿和他的部队在维克斯堡一直待到全部获得假释为止。集体的假释声明一式两份（一份给联邦军，一份给邦联军），由连长或团长签字。每个士兵也有个人签名的一式两份的假释声明，一份交由签名士兵本人保管，一份由我们保管。有几百人拒绝签署假释宣言，宁可被押送到北方当战俘也不愿遣送回去再上战场。还有一些人躲得远远的，想逃避这两种处理方式。

潘伯顿亲自请求我强迫他的部下签署假释声明，但我拒绝了。有风声说很多签了假释声明的人打算做逃兵，只要一出我们的阵地就往家跑。潘伯顿听说后又请我帮忙。他想要给一个营配备武器，在前往训导营的途中作为卫兵监视他的部队，他想把他们留在那里一直到交换完战俘。这个要求也被回绝了。这正是我料想他们会做的事情。但我告诉他，我会确保他们穿过我军阵地时秩序良好。11日，投降后刚好一周，假释完成了，邦联的守军列队出城。许多人逃跑了，只有很少的人又回到部队继续打仗。假如无条件投降，把战俘送到詹姆斯河获得假释，回到部队的人一定比这多。

我们的部队一占领维克斯堡，就在河上游至下游的整条胸墙沿线设立岗哨。战俘可以继续在战壕后面原来的军营居住。我们对他们没有任何约束，只有他们的指挥官在进行监管。他们的补给和我们的士兵一样，从我们的补给中提供。当他们从自己英勇保卫了那么久的工事中列队而出的时候，虽然两边有对手夹道，但没一人欢呼，也没一句中伤的话语。我相信，联邦的士兵们在看到自己的前对手落魄的模样时，胸中涌起的其实是一种悲伤之情。

他们离开前一天，我下发了一条命令："假释战俘明日将遣送出城。他们获准经铁路桥到爱德华渡口，然后经雷蒙德继续前行。指示部队在战俘经过时保持秩序和安静，不得发表冒犯的言论，不得在其经过后窝藏脱离队伍者。"

第二十四章
进军莫比尔的计划

攻陷维克斯堡后，我们俘虏了那里的守军，缴获了那里的军火和物资储备，加之夺取这些战果的过程中我军接连胜利，于是北方的忠诚之士重新振作起来，重拾对联邦事业最终取得胜利的信心。葛底斯堡战役在同一天也取得了胜利，更使他们信心倍增。现在，密西西比河完全处于联邦军的掌控之下，因为维克斯堡一陷落，哈德森港随即投降。北弗吉尼亚军被赶出宾夕法尼亚州，被迫退回到1861年占领的地区。田纳西军和海湾部队合并，彻底把邦联一分为二。

占领维克斯堡后，我收到的第一份电报是哈勒克将军发来的，内容如下：

> 我恐怕你未按战俘交换协议第17条要求，将维克斯堡战俘交由合适的事务官，而自行假释，或许会被误认为是完全释放，而使战俘立即重新加入敌人的部队。其他地方已有此先例。如这些战俘尚未被允许离开，你应扣留他们，以待进一步的命令。

这封电报说明，哈勒克不知道他们已经被交到邦联战俘交换专员沃茨少校手中了。

我们在维克斯堡受降了31600名战俘，缴获了172门大炮、约60000支步枪以及大量弹药。敌人的小型武器比我军的大部分武器都优良。当时，我军在西部只有由旧的美式燧发步枪改造的雷管枪，或者战争初期从比利时引进的步枪——对使用者和被瞄准的人几乎同样危险——改良的新式武器寥寥无几。这些武器口径不一，给战斗中分发弹药造成极大困难。敌人普遍用的新式武器，口径统一，是冲破封锁运进来的。维克斯堡投降后，我准予团里使用落后步枪的团长，把自己部队的武器放到缴获的武器堆里，换成里面的好武器。所以，上缴军火部门的缴获武器中，其实相当一部分是攻陷维克斯堡时联邦军自己的武器。

战后遭到毁坏的维克斯堡一隅。摄于 1863 年

在前文的讲述中，我没有提那些我其实很想讲一讲的军官。他们无论现在是否在世，都曾做出卓越的贡献，应当大书特书。我也没有讲海军的功劳，而那份赞誉他们受之无愧。但下面这番话足以表达我的心意：维克

斯堡保卫战结束后，我们的部队上下同心，官兵一致，数量与敌人相当时，敌人绝不是对手。军队受到了任何学校都无法提供的军事教育。起初认为自己勉强能指挥一个连的人，现在已能胜任团甚至旅的指挥之职；大部分旅长能担得起一个师的指挥任务，而其中的兰塞姆，指挥一个军团都绰绰有余。战役结束后，洛根和克罗克的能力足以指挥一支独立的军队。

F.P. 布莱尔将军虽然不是从低级军官一步步干起的，但在密利肯湾和我会合时，他已是一名成熟的将领。在密苏里时，我认识了布莱尔。1858 年，他竞选国会议员时，我投了反对票。我知道他为人坦诚积极、慷慨大方，忠于朋友甚至过了头，无论身在何处，都有领袖风范。一开始，我担心他的到来会有麻烦，因为根据经验，指挥两个都想当首领的将军，比指挥一支军官机敏、服从命令的军队还难。但我现在怀着极其喜悦的心情写明我对他的性格判断失误了。他比任何人都勇敢，服从上级命令时比任何人都毫不置疑、欣然接受。他在军中和在政坛上的表现判若两人。

整个战役中，波特领导的海军尽了全力。没有他们的支持，这场战役投入两倍的兵力都无法取得胜利。没有他们的支持，再多的人都打不了这场战役。海陆两军相互支援，珠联璧合。而我只要知道舰队司令或者他的部下有任何要求，也会立即照办。

维克斯堡战役的最初构想和后来的发展完全是形势使然。1862 年的选举不利于战争的进行。志愿征兵几乎停滞，只好搬出强制征兵令，但依然四处碰壁，如果打败仗或者后退，强制征兵令就根本无法执行。我们必须取得一场决定性的胜利。因此，我决心到维克斯堡下游，和班克斯联手攻打哈德森港，将新奥尔良作为基地，以那里和大海湾为起点，两军联合逼近维克斯堡。一到大海湾，我们就冲破炮台封锁，打了一仗，之后收到班克斯来信说无法在 10 天内到哈德森港，日后到达时也只有15000 人。时间比援兵更宝贵，所以我决定孤军插入敌军腹地。

我们身后的大河上下游都被敌人把守，要想取得胜利就必须迅速行动。杰克逊的新指挥官到任的第二天，该城即被攻陷，再晚几天就会有大批援军打来。我们又迅速西进；维克斯堡的守军两战两败，缩回据点，终于被胜利攻克。现在看来，仿佛是上天安排了战役的进程，而田纳西军只是顺应天命，替天行道罢了。

维克斯堡守军投降后，马上就有三件事需要注意。第一，派部队把敌人从我们后方赶走，赶出密西西比州。第二，如有必要，增援哈德森港附近的班克斯，使挂着星条旗的船只可以在密西西比河河源至河口自由航行。第三，把好消息告知华盛顿当局和北方各界，以解除它们长久以来的焦虑，增强对心中珍爱的联邦事业最终胜利的信心。

我与潘伯顿就维克斯堡投降进行谈判不久，就通知了谢尔曼，命令他做好准备，维克斯堡一投降，就进攻敌人，将其赶出密西西比州。那时，他的部队分布在从左边的海恩斯崖到右边的维克斯堡至杰克逊路与大黑河交叉点。斯蒂尔和奥德奉命随时准备与谢尔曼一起进攻约翰斯顿将军，

奥德全名为爱德华·O.C.奥德（1818—1883），他是美国南北战争中联邦军方面的将领。右图为奥德将军和妻子、女儿的合影

谢尔曼本人也知道此事。谢尔曼立即行动，多路纵队从 3 个不同地点渡过大黑河，在杰克逊以西 20 英里的波尔顿会合。

几乎维克斯堡刚一投降，约翰斯顿就得到了消息，便马上退到杰克逊。7 月 8 日，谢尔曼离杰克逊不到 10 英里，11 日逼近该城的防御工事，炮轰该城。围攻一直持续到 17 日上午，他们发现敌人前一晚逃跑了。天气很热，路上尘土飞扬，水流湍急。约翰斯顿所到之处道路全毁。他已经逃跑很久了，我们再追已经没有意义了；但谢尔曼还是派了一个师——斯蒂尔师，去了杰克逊以东 14 英里的布兰登。

联邦军在第二次夺取杰克逊时，死伤失踪等损失不到 1000 人。邦联方面的损失不算俘虏的话可能更少。落到我们手中成为战俘的人数更多一些。

我们给不能带走的邦联伤病员留了药品和食物，还给没离开杰克逊的居民分发了大量补给，给雷蒙德的伤病员和穷困家庭也送去了医药和食品，因为我认为，我们应当把在当地行军时盘剥走的物资，归还一部分给当地人民。我给谢尔曼写信说："要让部下牢记有序行军的重要性，行军途中禁止索取非生存所绝对必需的任何物品。应尽力给当地人留下好印象。"只要从布鲁因斯堡到杰克逊再到维克斯堡的居民需要，我们就把补给和草料分发给他们。他们的物资曾经养活了我们的部队。大量食品和补给都以这种方式分发出去了。

谢尔曼被召回维克斯堡，部队的位置和以前的差不多——从大黑河到海恩斯崖。肃清了维克斯堡周围，俘虏或击垮各个方向超过 100 英里范围内的所有邦联正规军后，我觉得我们的军队既然已经做到这种地步，就应该趁敌人还没从打击中恢复过来再接再厉，可能无须流血牺牲就能攻占更多地方。于是，我向总司令建议从庞恰特雷恩湖出发进攻莫比尔，但哈勒克则更青睐另一种做法。在他的脑海中，联邦部队占领跨密西西比地区，似乎比在密西西比河东面发动任何战役都重要。我深知总统急于在得克萨斯找到一个落脚点，以堵住一些外国政府的嘴。一些外国政府正愁没有借口插足这场战争，至少它们也要找个理由承认邦联的交战国权利。然而，只要马上派一支守军到格兰德河上的布朗斯维尔，而无须在西路易斯安那和东得克萨斯费一兵一卒，就能很容易地为总统解忧。

哈勒克不同意我进军莫比尔的建议，我只好安顿下来，再次处于一年前在西田纳西所面临的防守境地。其实，在我提议的时间进军莫比尔，可以易如反掌地占领该地。以那里为基地，部队可以插入敌人的腹地，并对布拉格将军的部队采取行动。而布拉格的后方遇袭，他必然分兵抵御，否则，我方莫比尔的部队就会对他和李将军赖以获取补给的大部分地区造成不可估量的损失。我非常倾向这个想法，所以 7 月下旬和 8 月 1 日两次重提这个建议。我还提出会派遣全部所需部队，只需海军在莫比尔或附近协助、保护部队登陆即可。我同时请假想到新奥尔良去。如果我进攻莫比尔的建议得到批准，我就更希望能准假，那可实在太好了。不过，按照我与哈勒克将军打交道的经验，我知道，有求于他，被拒绝的可能性更大。但我不认为这是在求他，因为我有权力这么做。

布拉格全名为布拉克斯顿·布拉格（1817—1876），他是美国南北战争时期邦联军方面七名上将之一。图为布拉格将军，摄于美国南北战争时期

总司令与我背道而驰的心意已定，结果一支曾经赢得了一场场伟大胜利的军队开始被肢解。一年前攻占科林斯后，部队被派往最无法施展的地方。现在的情形完全一样。按照命令，我派 4000 人给班克斯；把第

9军团调回肯塔基，交通工具一筹备好，就派一个5000人的师到密苏里的斯科菲尔德，普赖斯正在那里为害一方。我还派兰塞姆的一个旅到纳齐兹，在那里永久驻扎。最后的这个行动倒是非常幸运。兰塞姆到达时，碰巧有一大群属于敌人的，约5000头从得克萨斯出发的肉牛正走在路上，准备供给东部的军队，还有一大批可能从格兰德河出发穿过得克萨斯的战争物资也在运往李将军和东部其他部队的途中。

和我一起留在维克斯堡的部队则疲于对付游击队和骑兵小分队的骚扰。他们在南方腹地大肆作乱，破坏矿井、桥梁，往铁路上扔树干。游击队和骑兵不是真想打仗，只是来捣乱，所以我们的部队一到，他们就一溜烟似的跑了。

维克斯堡后方到处是潘伯顿部队的逃兵。据说，也有很多是从约翰斯顿部队跑出来的。他们决心再不打仗了。那些家在邦联军势力范围外的人想回家。家在邦联控制下的则想去北方干活谋生，等待战争结束。除此之外，密西西比州的民众一时间相当和睦，但这种平静的感觉很快就减退了。潘伯顿带到他计划中的营地的人数不会超过4000，而那些人士气十分低迷。

8月7日，我又把奥德将军指挥的第13军团派给班克斯，这进一步削弱了我的部队。此外，我还收到命令，要与班克斯将军合作，在密西西比河以西展开行动。收到这个命令后，我就赶到新奥尔良，跟班克斯协商行动计划，但所有的行动毫无结果。

其间，我在卡罗尔顿上游不远的地方检阅了班克斯的部队。我骑的马很不驯服，而且少有人骑。回新奥尔良的路上，它撒欢乱跑。到了街上，它受到一辆机车的惊吓，结果摔倒了。它可能压在了我身上，我当即不省人事。等恢复知觉时，我发现自己在一家旅店里，周围有几个医生在护理我。我的一条腿从膝盖到大腿肿胀得很厉害，几乎要炸开了，肿块沿着身体蔓延到腋窝。我疼得几乎无法忍受。我在旅馆里躺了一个多星期，其间在床上我都无法自行翻身。我让一艘轮船停在最近的地方，然后被人用担架抬上了船；之后，被送到维克斯堡，很长一段时间都动弹不得。

谢尔曼将军拒绝在我不在的时候接管指挥权。他说这样会混淆视听，但他以我的名义下达命令，并乐意提供任何力所能及的帮助。我的参谋如果不与谢尔曼商量，得不到他的同意，决不会下发任何命令，更不用说重要的命令。

9 月 13 日，我还在新奥尔良时，哈勒克曾发电报让我把所有可用的部队派到孟菲斯，再到塔斯坎比亚，与罗斯克兰斯联手解救查塔努加。

美国南北战争期间，一艘在塔斯坎比亚地区
河流上航行的联邦小货轮

15 日，他又发电报让所有部队到罗斯克兰斯。27 日，我收到了电报。当时虽然我仍然卧病在床，没人帮忙我起都起不来，但我还是立即命令谢尔曼一安排好运输工具，就马上派一个师到孟菲斯。麦克弗森军团的一个师在这之前就出发了，正赶往阿肯色与斯蒂尔会合。这时，这个师也被召了回来，重新被派往孟菲斯的赫尔伯特处报到。赫尔伯特奉命要将这两个师连同他自己军团的两个师立刻运走，同时还要运走其他任何可能回到那里的部队。哈勒克建议我派像谢尔曼或麦克弗森那样的得力之人到孟菲斯，负责向东运送部队。于是我派了谢尔曼，因为他是能独立指挥的最佳人选，而且如果必须选一个人的话，他绝对是不二人选。他奉命从自己的军团再抽调一个师。这样，他就只剩一个师没有带走了。不过，因为麦克弗森的一个师在他那里，所以他指挥的仍然是一个军团。

我接到这些命令之前，奇克莫加战斗已经打响，罗斯克兰斯被逼退到查塔努加。政府当局和总司令对那里的局势急得几乎发狂。陆军部官

奇克莫加战斗中，联邦军队与邦联军队爆发激烈战斗。
阿尔弗雷德·R. 伍德（1828—1891）绘

员查尔斯·A. 丹纳先生被派到罗斯克兰斯的指挥部。我不知道他身负何种使命，但我后来到查塔努加的时候他还在那里。

哈勒克可能建议我一能走动，就赶到纳什维尔，统率从西部来的军

队。我收到下面这封日期为 10 月 3 日的电报："陆军部部长希望格兰特将军身体一恢复即马上赶到开罗，并电报汇报行程。"我那时还跛得厉害，但仍然毫不延误地出发了。我 16 日到达哥伦布，用电报回复道："3 日，您由开罗发电报，命我从开罗汇报行程，电报已于 10 日 11 点 30 分收到。我于当天携参谋与指挥部出发，现在正在去往开罗途中。"

第二十五章
指挥密西西比军区

    1863 年 10 月 16 日，我从开罗发了一封电报，告诉哈勒克我已经到达指定地点。17 日早，我收到哈勒克回复的电报，内容是要求我马上赶往路易斯维尔的高尔特豪斯酒店，去谒见陆军部的一位要员，并接受该要员的指示。看完电报后不到两小时，我就乘火车离开了开罗。途中，火车暂停在印第安纳波利斯站。就在火车快要离开印第安纳波利斯站时，一位信使急匆匆地跑到我跟前，说陆军部部长斯坦顿先生的专列马上到站了，他要接见我。

    当时我与斯坦顿先生从没见过面，尽管去年我在田纳西时，我们之间的电报往来频繁。有时，他甚至会在夜里下令接通陆军部与司令部的电报，与我通话，并且通话时长达到了一两小时。这次，斯坦顿先生在俄亥俄州长布拉夫的陪同下前来。我与布拉夫州长也从没见过面，但他是我父亲的旧识。斯坦顿先生下令开走专列，接着陪我去了路易斯维尔。

    这时，我已经从哈勒克的电报中得知，我应该去纳什维尔，指挥军事行动，以便增援罗斯克兰斯，但除此之外，我并不晓得离开维克斯堡后的其他任务。从印第安纳波利斯站动身不久，斯坦顿先生就向我下达了两个命令，并说我可以二选一。两个命令的内容基本相同，但细节上略有不同。相同点是要创建由我担任指挥的"密西西比军区"，该军区的辖区包括俄亥俄军团、坎伯兰军团和田纳西军团的防区，以及从阿勒格尼山脉到密西西比河、西南班克斯军团的防区以北所有的地区。不同点是，第一个命令强调保留原来的指挥官，第二个命令强调让罗斯克兰斯去职，并由托马斯接任。我选择了后者。夜深了，我们到了路易斯维尔，住进了旅店。如果我没有记错的话，当时冷气嗖嗖，细雨绵绵。后来，斯坦顿先生告诉我，那天他受了风寒，并且到现在也没有好利索。

斯坦顿全名为埃德温·麦克马斯特斯·斯坦顿（1814—1869），他是美国法学家和政治家，在美国南北战争期间担任陆军部部长，对北方的胜利起到了重要作用。图为斯坦顿和他的同僚们，从左到右依次为：埃德温·麦克马斯特斯·斯坦顿、萨蒙·P. 蔡斯、亚伯拉罕·林肯、吉迪恩·威尔斯、迦勒·B. 史密斯、威廉·H. 苏华德、蒙哥马利·布莱尔、安德鲁·杰克逊，弗朗西斯·比克内尔·卡彭特（1830—1900）绘

在路易斯维尔我们待了一天。斯坦顿先生先是跟我讲了首都华盛顿那边的一些军事消息，接着表达了对几次战役的不满。一天下来，我们把该谈的都谈了。夜幕降临时，我带着随行的太太离开了旅店，去探望我们在路易斯维尔的亲戚。其间，一封 C. A. 达纳先生从查塔努加发来的加急电报交到了斯坦顿先生手上。达纳先生提醒，如果不阻止罗斯克兰斯，他肯定率部撤退；他建议应该严禁罗斯克兰斯撤退。

在前面我已经讲到，攻陷维克斯堡后，我便竭力呼吁政府进攻莫比尔。罗斯克兰斯将军当时在田纳西州的默弗里斯伯勒驻扎。从 1863 年年初开始，他就统率一支装备精良的大军。一开始，罗斯克兰斯部的实力与守敌布拉格部的实力难分伯仲，形成了对峙。然而，自我军包围维克斯堡后，为了给密西西比的约翰斯顿解围，布拉格部被大量抽调。在这种形势下，我多次写信给哈勒克将军，请他下令罗斯克兰斯抓住战机，进攻布拉格，这样要么可以阻挡布拉格部的攻势，要么可以占领查塔努加。哈勒克将军对我的建议深表赞同，但遗憾的是，他最终却来信说，虽然他多次催促罗斯克兰斯发起进攻，但罗斯克兰斯却始终不为所动，并且经过作战会议讨论，他回复了一句军事准则"同时进行两场决战，实为兵家大忌"。就算该准则是颠扑不破的真理，此时此地也不适用。同时进行两场决战，既有失败的可能性，也有取胜的可能性；况且这也算不上决战，维克斯堡深陷包围后，罗斯克兰斯的前线上的大量敌军被调走，取胜的可能性远远超过了失败的可能性。6月24日，也就是维克斯堡投降10天后，罗斯克兰斯终于发起进攻，但布拉格被抽走的兵力这时已经返回了。

恰在这时，我建议总司令哈勒克进攻莫比尔。我深知坎伯兰军团陷入了困境，该部日常人员伤亡频频，同时还要分派兵力去保护不断延长的补给线，而前线敌军的增援却源源不断。对敌人来说，莫比尔非常重要；由于没有受到威胁，所以防守这里的只有炮兵。如果我军水陆并进，那么攻克莫比尔易如反掌；如果敌人来援，那么援军必定自布拉格部抽调。哈勒克拒绝了我的建议，同时把我的部队分派至全国各地，因为有人认为，那样能更充分地发挥作用。

没过多久，罗斯克兰斯部陷入危险境地的事实就被华盛顿那边发现了；华盛顿那边要求解救罗斯克兰斯部。然而，当时的局势岌岌可危，攻打布拉格后方的莫比尔，就仿佛远水难救近火，万难奏效，所以只能直接增援。于是，援军从各地赶往罗斯克兰斯那里。

罗斯克兰斯曾施妙计，迫使布拉格部撤到田纳西河南岸，甚至一度追击布拉格部到查塔努加以南地区。如果当时他停止前进，修建防御工事巩固住阵地的话，那么形势就会一片大好；就算他当初错失战机，也能得到某种程度的补偿。遗憾的是，他求胜心切，轻敌冒进，加之所部过于分散，当他与布拉格的密西西比部队遭遇时，战场的主动权就为布拉格所掌握了。于是，罗斯克兰斯被迫撤退，并在奇克莫加收拢部队准备大战，奇克莫加位于查塔努加东南数英里。9月19日、20日，罗斯克兰斯与布拉格激战两天。战役的结果是罗斯克兰斯大败：其部大炮损失

奇克莫加之战中，联邦军队损失惨重。这幅描绘奇克莫
加之战场景的图画现藏于美国国会图书馆

严重，死、伤、被俘16000人。除乔治•H.托马斯少将率部坚守阵地外，罗斯克兰斯、克里滕登、麦库克纷纷撤回查塔努加。接着，托马斯也撤了回来。罗斯克兰斯部的士气低落。布拉格率部尾随而来，攻占俯瞰查塔努加的传教士岭以及罗斯克兰斯放弃的卢考特山。卢考特山的位置极为重要，有了它就能控制从田纳西河到布里奇波特的交通要道，而联邦军就深陷在查塔努加谷地。很快，布拉格部又占据了查塔努加东西两侧

的制高点，接着构筑了一条包围线，该线始于传教士岭，经查塔努加溪，穿查塔努加谷地，终于卢考特山。

19日，哈勒克发来一封电报，将上述情况告诉了我；他命令我，凡是可抽调的兵力均前去解救罗斯克兰斯。在我收到该电报前，谢尔曼早就率部出发了，麦克弗森也率维克斯堡大部分守军东进。

这时，如果罗斯克兰斯下令撤退，其后果非常严重：战略要地查塔努加会落入敌手，坎伯兰军团剩下的大炮也会悉数失去；最终罗斯克兰斯部溃不成军，要么被俘，要么士气一蹶不振。

罗斯克兰斯部的所有补给均来自纳什维尔。从纳什维尔到田纳西河南岸的布里奇波特之间的铁路掌握在联邦政府手里。通过铁路，从纳什维尔到查塔努加，路程只有区区26英里。然而，布拉格攻占了查塔努加西面的卢考特山和拉孔山，控制了田纳西河南北两岸查塔努加与布里奇波特之间的铁路、河流以及最便利的货运道路后，罗斯克兰斯部的补给就得从田纳西河北岸的山路上迂回运来，而路程也增加到60多英里。

查塔努加这里的草料实在太少了，致使上万头牲口饿死，剩下的连一门大炮也拉不动，甚至拉不动运送伤员的救护车。在很长的一段时间里，干面包的供应量只相当于正常时期的一半，其他食物的供应只有来自纳什维尔的牛肉。运送牛肉的驮兽由于途中草料严重缺乏，到达查塔努加时，活着的驮兽已经变得羸弱不堪，而牛肉也所剩无几了。士兵们常常用滑稽的口气说，他们是靠"半量供应的干面包和牛蹄子上的干牛肉"维持生存的。

运来的只有食物，没有衣服、鞋和帽，于是部队只得穿着破衣烂衫抵御即将来临的寒冬。罗斯克兰斯部的燃料已经耗尽，连树桩都刨出来烧了。虽然河对岸有木柴，但罗斯克兰斯部的力量用于防守尚嫌不足，更不用说分兵去取柴了。因此，在我来之前的很长一段时间内，获取木柴的唯一方式是驻扎在河北岸很远的上游地区的军队伐树，然后绑成木排；接着木排顺流而下，到罗斯克兰斯防区后，他的士兵就用桨或长竿把木排钩住，弄到岸上，然后再抬回营地。

总之，毋庸置疑，如果罗斯克兰斯部这时撤退，就算勉强到达铁路，但因为受到敌人的追击，也很可能损失惨重。

因此，一看完达纳先生的加急电报，斯坦顿先生就派人来找我。听说我不在旅店，他变得既紧张又焦虑，逢人就问我去了哪里，连旅店的客人也问。他命令下属以最快的速度找我，并让我立即回来见他。快到11点的时候，我回到旅店；回旅店的路上，我遇到的所有人都成了斯坦顿先生的信使，而且没有一个不火急火燎的。于是，我匆忙来到斯坦顿先生的房间，只见他身穿睡衣，不安地踱着步。他马上让我看了加急电报，并说必须阻止罗斯克兰斯撤退。于是，我立刻以密西西比军区统帅的名义，草拟了一份命令，然后发给了罗斯克兰斯，接着又将华盛顿方面的命令转给了他，这份命令的内容是由托马斯指挥坎伯兰军团。最后我电令托马斯，不惜一切代价坚守查塔努加，同时告诉他我会以最快的速度赶到前线。很快，我就收到了托马斯的复电。他在电报中说："就算饿死，也要坚

托马斯全名为乔治·亨利·托马斯（1816—1870），美国南北战争时期的联邦军少将，他为人淡泊名利，成为战争中联邦军最容易被忽视的一员猛将。左图为乔治·亨利·托马斯将军

守查塔努加。"后来，我目睹了当时的情况，暗自庆幸这份命令下得既及时又有效，因为托马斯部危如累卵，要么饿死，要么投降，要么被俘。

10 月 20 日上午，我带着参谋人员从路易斯维尔出发，并于当天到达纳什维尔。由于纳什维尔前方的路夜间不太安全，所以我们就在纳什维尔住了一夜。我在这里第一次见到了安德鲁·约翰逊，他是田纳西军政府的首长。为了欢迎我的到来，他做了一个演说。他演说时表现得从容不迫，

安德鲁·约翰逊是美国南北战争时期在参议院里受到北方欢迎和林肯总统信任的唯一的南方人，亚伯拉罕·林肯遇刺身亡后，他继任为美国第 17 任总统。图为当时的一幅讽刺漫画，寓意是约翰逊不听林肯总统的忠告，坚持分裂联邦，但他的处境危险，很容易被林肯总统击败

显然这不是他第一次演说。他的演说很长。我坐立不安，因为我担心有人会提议我即兴说几句。幸运的是，没有人让我讲话，因为在场的人听得都失去耐心了。最后，在场的人开始礼貌地握手。当然，人实在太多了，

手不停地握下去也是一种折磨，但在紧急情况下，我紧张的情绪似乎稍稍得到了缓解。

当晚我从纳什维尔发出三封电报，一封发给伯恩赛德，他现驻扎在

摄于美国南北战争时期的军官合影，坐于树下者为伯恩赛德将军

诺克斯维尔，我命令他要加强重点防守，用最少的人员守住阵地；第二封发给波特海军上将，他正驻扎在开罗，我告诉他谢尔曼的部队已经过了密西西比的伊斯特波特，并请求他派一艘炮舰护送可能已经从圣路易斯起航的给养船；第三封发给托马斯，我建议他抽调士兵在驻地到布里奇波特之间修建货运道路。

21日上午，我们乘火车向前线赶去。夜幕降临时，我们到了亚拉巴马的史蒂文森。正北上的罗斯克兰斯碰巧经过这里，于是他就来到我的车厢，与我谈了一会儿话。他将查塔努加目前的形势明白无误地讲给我听，

最后还给了我一些极佳的建议。令我想不通的是，他自己为什么没有实践这些建议。于是，我们继续赶路，最后来到布里奇波特，并在这里住了一夜。从布里奇波特开始，我们去查塔努加就要骑马了，先是经贾斯珀，接着越过沃尔德伦岭。当时，由于雨下个不停，所以道路变得泥泞难行；有的路段因为积满了从山上冲下来的淤泥，一脚踩下去，很快就没到了膝盖。我在新奥尔良坠马摔伤后就一直拄着拐。现在有些路段骑马不安全，我只得靠别人背过去。一路上，破烂的货车到处都是，饿死的骡马的尸体成千上万。贾斯珀离布里奇波特 10 到 12 英里；到这里后，我们暂歇。这里驻有 O.O. 霍华德将军的指挥部。我从他那里给伯恩赛德发了一封电报，命令想尽一切办法弄到 500 发炮弹和轻武器弹药。从贾斯珀动身后，我们又走了不到 12 英里。当夜晚来临时，我们留宿在一个小村庄。第二天太阳还没落山，我们终于来到了查塔努加。我直接去了托马斯将军的司令部。在我自己的司令部建好前的这几天，我会一直待在他那里。

晚间，大部分将官都过来拜访我，向我致意，还谈了时局。他们指着地图上的一条路线，该路线是用红蓝铅笔标记的，说罗斯克兰斯正是打算按该路线撤退的。他们肯定都反对撤退，否则就不会跟我讲这些了。我意外地发现坎伯兰军团的总工程师正由 W.F. 史密斯将军担任。在西点军校时，我们就认识；但自 1843 年毕业后，我们至今再没见过面。这时，他给我清楚地解释了敌我两军的位置与查塔努加的地形。我无须勘察，便一目了然。他还告诉我，他在附近找到了一台旧发动机，并依托该发动机在河岸上建起了一个锯木厂；然后他把从北岸上游漂来的木料加工成木材，并用这些木材造出架桥船、桥面板。架桥船、桥面板是建浮桥用的。浮桥已经建好一座了，现在正在建第二座。同时，他还在加紧为建第三座浮桥和造船准备材料。此外，他还造了一艘蒸汽船；一旦我军获得了制河权，轮船就可以在查塔努加与布里奇波特之间往返了。蒸汽船的船底是用锯木厂的木板造的，船尾的轮桨是用另一台发动机推动的，该发动机不是从某个商店，就是从某个工厂找来的。

当晚，我给华盛顿的哈勒克将军发了一封电报，告诉他我已经来到查塔努加，请求他让谢尔曼将军指挥田纳西军团，并允许我把我的司令部设在战场上。我的要求马上获得他的批准。

第二十六章
华海特齐之战

10月24日，参谋人员、托马斯以及史密斯陪我去勘察地形。我们涉水来到北岸。这边有一处突出的山嘴，我们就向山嘴方向前进。最后我们到了布朗渡口；该渡口位于田纳西河上游，距卢考特山约三英里。敌人无法观测到该渡口。我们舍马而行，徒步走到河边。敌人就在哨所对岸，那里约有20个人。敌情被我们看得一清二楚，同时我们身处敌人的射程之内。不过，他们既没有射击也没有干扰我们。我猜，虽然他们肯定看出我们这些人都是军官，但他们认为，我们在查塔努加的军队跟战俘别无二致，深陷重围，败亡在即，如非出于自卫，杀死我们是不人道的。

当天晚上，我下令开通从查塔努加到布里奇波特的运输线；该运输线被士兵们形象地称为"饼干线"。相当长一段时间来，供应给他们的食物严重不足，因此我首先想到的就是要建立一条食物运输线。

田纳西河有一段几乎向正西流去。查塔努加就位于这段河流的南岸，一条宽五六英里的河谷的北端。查塔努加河就从该河谷流过。河谷东侧的传教士岭高出河床500英尺，延伸到离田纳西河半英里的地方。河谷西侧的卢考特山高出河面2200英尺。田纳西河城池经过查塔努加后，就向南流去，直奔卢考特山脚。山与河之间的地势起伏不平。从孟菲斯到查尔斯顿的铁路就从坡度最大的地方经行。南奇克莫加河在传教士岭东边静静地流着，卢考特溪在卢考特山西边滚滚地淌着。卢考特山的西面是拉孔山。卢考特山的北坡最上面是悬崖峭壁，越往下地势越平缓。向上望去，只见开垦的良田鳞次栉比，一直向山上延伸。一个农舍建在缓坡上，一条小路通向东侧的河谷。

始于传教士岭北端的敌军的堑壕，沿着传教士岭顶向南延伸，经查塔努加河谷，止于卢考特山。敌军在卢考特山上修了工事，并驻守在这里；敌军还驻扎在卢考特山谷和拉孔山。警戒线密布在田纳西河北岸的公路，致使我军无法沿公路行进。此外，敌军在查塔努加河谷修了一条堑壕。该堑壕始于查塔努加东侧的密西西比河，止于卢考特山。就这样，查塔努加河被围得水泄不通。除传教士岭上的防线，山脚下还有一条防线。防线上的掩体密密麻麻，一直延伸到半山腰。敌军从查塔努加城下到查塔努加河谷设有许多警戒哨。于是，前线的两军哨兵挨得很近，甚至能够对话。前线的一段是狭窄的查塔努加河，敌我就在两岸对峙，并且都在该河水取水。与敌军的防线相比，我军的防线要短。

毋庸置疑，敌人部署在查塔努加东、南、西三面的兵力占据了绝对优势；而在查塔努加的北面，敌人依托密西西比河天险进行防守，这就意味着坎伯兰军团已经深陷重围，距离灭顶之灾不远了。密西西比河北岸，运输弹药和药品的火车受到敌人的骑兵袭扰，致使联邦军药品和弹药匮乏，几乎连一天的战斗也维持不了。

　　早在我来这里以前，哈勒克将军就已经命令第 11 军团和第 12 军团分派部分兵力，经波托马克部驻地，前来增援罗斯克兰斯部。第 11 军团的指挥官是霍华德，第 12 军团的指挥官是斯洛克姆；胡克统一指挥两军团的军事行动。命令这两个军团驰援查塔努加愚蠢至极，因为他们只会吃光所剩无几的给养。最终，他们留在了补给充足的铁路附近。我来之前，霍华德和斯洛克姆已经接到托马斯的命令，向布里奇波特集结。

　　当时，W. F. 史密斯将军虽然只是一个不指挥军队的参谋人员，但他却在查塔努加突围行动中发挥了至关重要的作用。我发现，他对行动策略的判断非常准确，所以我觉得这次行动应该完全由他来指挥。

　　10 月 24 日，我回到了查塔努加，然后就做出了安排，具体情况如下：命令驻扎在布里奇波特的胡克将军率部渡河至田纳西河南岸，经怀特赛德，过华海特齐，赶往布朗渡口；命令帕尔默将军率领第 14 军的一个师，沿密西西比河北岸走小路，进至怀特赛德对面，并在胡克部经过后，渡过田纳西河，控制这里的公路；命令史密斯将军率领 4000 人，出查塔努加，实施具体的突围行动，其麾下的黑曾将军率领 1800 人，带 60 艘架桥船，在夜色掩护下，从敌军卢考特山脚的哨兵旁潜行而过，到达布朗渡口后从田纳西河南岸登陆，俘虏或驱散那里的哨兵；史密斯则策应突围行动，

在卢考特山上拍摄的查塔努加河谷全景。乔治·N. 巴纳德摄于美国南北战争时期

带上架桥材料，在夜色掩护下，沿着田纳西河北岸前往布朗渡口，一旦渡河成功，就马上架桥。

26日，胡克在驻地渡过密西西比河，并向东前进。27日凌晨3点，黑曾带着60艘架桥船和1800名武器精良的士兵，顺流而下。史密斯的行动早就开始了，他接近渡口时黑曾部尚未到达。查塔努加对面的河北岸有一些山口，山口背面是一条与河平行的公路，但站在卢考特山上，完全看不见该公路，而史密斯部就行走在该公路上。5点，黑曾部登陆布朗渡口，袭击了敌人的哨所，敌人的哨兵几乎悉数被擒。7点，史密斯部已经成功渡河，并趁机攻占了布朗渡口的一个制高点，接着以最快的速度修建防御工事和架设浮桥。10点，浮桥建好。这时，在卢考特山谷的我军右翼也修建了工事，很快就接上了其他部队。田纳西河上的浮桥数量增至两座，原先的一座在查塔努加，新建的一座在布朗渡口，加上田纳西河北岸的公路既是敌人炮火炸不到的，也超出了敌人的观察范围；至此，我军的交通恢复畅通了。胡克部前进途中遇到的抵抗有限；28日下午，该部进至华海特齐的卢考特山谷。霍华德部继续向布朗渡口前进；在该渡口南3英里处，驻有第12军的一个师，指挥官是吉尔里。现在，我军已经切断了河上的敌军哨兵的后路，很快他们就缴枪投降了。

这时，卢考特山谷到布里奇波特的河段已经畅行无阻了。从布朗渡口到凯利渡口的那段田纳西河从一条狭窄的峡谷蜿蜒流过；在这里，田纳西河变得很窄，所以水流湍急，致使普通蒸汽船无法正常通航。普通蒸汽船如要通过这里，必须让岸上的纤夫用纤绳拉过去。但从布里奇波特到凯利渡口航行没有障碍。从凯利渡口到查塔努加的航行状况很好，距离也近，只有8英里。普通蒸汽船只需穿过河南岸拉孔山上一个地势较低的关口，就可到达布朗渡口，然后到达查塔努加对面的河北岸。布里奇波特有几艘蒸汽船以及大批草料、衣物和其他物品。

为了解决我军长期缺乏蔬菜和小额配给品这一难题，我在去查塔努加的路上向纳什维尔发了一封电报，要求纳什维尔大量供应。充足的牲口又被胡克从东部送来。这些牲口状态良好，因为它们没有饿着肚子干过累活。我到达查塔努加五天后，通往布里奇波特的道路已经恢复了畅通。在胡克的援助下，在汽船运输的努力下，一周后我军的给养就够用了。

胡克全名为约瑟夫·胡克，他在美国南北战争中立下赫赫战功，
但在钱诺斯维尔战役中被罗伯特·李打败而被人诟病。图为胡克
将军（坐者右二）和属下的合影，摄于 1863 年

如果不是亲眼所见，很难想象足够的给养对提振士气的作用。很快，士兵们的新军装穿上了身，不必为食物发愁了，并且分到了弹药补给。几个星期来愁眉不展的士兵们露出了久违的笑容。将士们的绝望情绪、疲劳之态和羸弱之色一扫而光。我不知道我军士气的恢复是否影响了敌人，但可以设想敌人肯定很忧郁，就像我们过去一样。不久前，亲临布拉格的阵地的戴维斯先生肯定发现了我军士气的变化。后来，布拉格在报告中说："只要把我军的部署坚定地执行下去，那么敌人的粮道会被切断。敌人很快就得从查塔努加撤离。敌人最短的补给路线和增援路线已经被我军控制，所以我军可以任意处置敌人，而消灭他们只是时间问题。"

然而，他们的部署并没有被"坚定地执行下去"。我相信，成千上万要"坚定执行部署"的士兵，现在都因该部署的破产而欢喜。平息南方叛乱期间，我时刻在想，也经常在说，因为北方的人民、制度和领土能确保国家的伟大、繁荣和富强，所以北方打败南方，受益的是南方；南方的制度与世界文明背道而驰，它蔑视劳动阶层，欺骗劳动人民，最后统治阶层的力量也受到削弱。南方外面的世界都会反对它的制度，所以它的生存空间会变得越来越小。南方的劳动阶层缺乏技术，而且南方的制度本身会阻止劳动人民掌握技术。那里的白人如果不劳而获，就会受到称赞，否则就会受到讥讽："贫穷的白色垃圾。"在南方的制度下，繁荣不会出现，百姓陷入了贫困。没有奴隶的人被迫离开，小奴隶主的家产卖给了富有的奴隶主。奴隶的数量已经远超奴隶主的数量；用不利于他们的话来讲，长此以往，不堪忍受压迫的奴隶们必定揭竿而起，消灭奴隶主。虽然战争的代价对南北双方都是非常高昂的，需要流血牺牲和消耗财富，但从某种意义上讲又是非常值得的。

我军的行动确保了补给线的畅通，这令敌人非常惊讶。这条补给线有多么重要，敌人心知肚明，所以想马上夺回。然而，敌人在卢考特山的兵力难敌卢考特山谷里的胡克部。如果传教士岭的敌军过来增援，那他们要走的路程相当于我们从查塔努加到卢考特山谷距离的两倍。虽然如此，但28日到29日夜间，驻扎在华海特齐的朗斯特里特还是下令进攻吉尔里部。战斗一打响，胡克就命霍华德率部从3英里外的布朗渡口赶去支援吉尔里。途中，路左边高地上的敌军向霍华德部开火。霍华德立即下令调转枪口，进攻高地。敌人的工事还没有开建，高地就被霍华德部占领。霍华德部抓了许多俘虏。霍华德在高地上派驻足够的兵力后，就继续挥军前进，去增援吉尔里。到达吉尔里的阵地时，吉尔里已经与兵力远超自己的敌人打了快3小时。天已经黑了，这时要想辨别敌我，就得借助步枪发出的火光。夜幕下，喧嚣中，胡克部的一些战马受到了惊吓，它们挣脱了缰绳，疯狂地奔向敌人的阵地。敌人误以为我军骑兵杀来了，他们惊慌失措，纷纷溃逃。凌晨4点，战斗彻底结束；从此，敌人再也无力袭扰我们的"饼干线"了。

为了攻占卢考特山谷，史密斯部牺牲了一人，伤了四五人，俘虏了敌人在布朗渡口的大部分哨兵。在28日到29日的战斗中，胡克部伤亡416人，其中牺牲人数超过了150人，另有不少于100人被俘；至于敌人的损失，我不得而知。

打通补给线后，我去勘察了敌我双方的警戒线。如前所述，查塔努加河从山谷穿过，绕查塔努加城约一英里后折而向西，再转而向西

骑在马上的胡克将军

北，最终在卢考特山脚下注入田纳西河。从西向的转弯处到河口，查塔努加河两岸驻有两军哨兵。他们隔河相望，都在查塔努加河汲水。因此，空旷的警戒线上充满危险，很容易遭受近距离的火力攻击。如果我没记错的话，我当时只带了一名号手；他远远地跟在我后面。我骑马从右翼转到左翼，来到我军哨兵的露营地。这时，一声号令传来："警卫人员集合，确保司令安全。"我回答道："没关系。"然后，我命令他们解散返回营帐。我的背后是邦联军的哨兵，他们离我的距离与离河流的距离差不多远。这时，正在执勤的哨兵开始集合，我再次听到号令："警卫人员集合，确保司令安全。"接着，我又隐隐约约听到一句："格兰特将军。"哨兵们列队站好，向我敬礼，而我也向他们还礼。

敌我双方的哨兵的关系看起来非常好。有处河面上倒着一根树干，

双方士兵都利用它来汲水。驻扎在这里的是朗斯特里特部；该部士兵的军装是蓝色的，其色调与我军的服装略有不同。这时，我看到树干上有个穿蓝色军装的士兵。于是，我骑马上前，然后跟他说起话来。我问他是哪个部队的。那个士兵彬彬有礼，先是向我施了军礼，接着告诉我他属于朗斯特里特部。我又问了他一些问题；我可不是想通过他搜集情报。他一一回答了我。之后我就骑马离开了。

第二十七章
伯恩赛德将军的处境

为坎伯兰军团解围后，我开始考虑我担任总指挥后面临的其他难题。现在，伯恩赛德部的处境跟前面我讲到的坎伯兰军团一样艰难，只是还没有被敌军包围。坎伯兰河沿岸的大南福克是离他最近的根据地，100 多英里；而我军控制的铁路离他们就更远了。一条公路翻山越岭通到了伯恩赛德部，但该公路运来的给养早就消耗殆尽。大量牲口饿死了；从坎伯兰加普到肯塔基州的列克星敦到处都是牲口的尸体。东田纳西仍向伯恩赛德部供应牛肉、面包和草料，但弹药、衣物、药品以及小额配给品，如咖啡、糖、盐、大米等却断供了。

为了恢复运送给养的道路，10 月 11 日，谢尔曼从孟菲斯赶往科林斯。孟菲斯距科林斯约 330 英里。虽然道路很快恢复畅通了，但由于他的兵力不足，无法保障道路的安全；不久，桥梁接连被毁，道路无数段遭到破坏。一路上，敌人密布：神出鬼没的游击队袭扰各处，骑兵经常进攻道路的西段。最终，谢尔曼部刚走，刚刚恢复的道路就毁坏殆尽了。

孟菲斯至查尔斯顿的铁路经过密西西比州的伊斯特波特与田纳西河交叉处。谢尔曼很难从孟菲斯获得给养的消息传来后，我命令从圣路易斯向伊斯特波特运送给养，并且要求这次使用小型蒸汽船，由海军护送。后来，我又命令谢尔曼放弃修复道路，率全军立即赶往亚拉巴马州的史蒂文森，不得有误。接着，我派信使去送信。乘坐独木舟的信使顺田纳西河而下，经过马斯尔沙洲于 27 日到达谢尔曼的驻地艾尤卡，并将信交给了谢尔曼。我在信中说，一股叛军正向田纳西东部的克利夫兰移动，其进攻的目标可能是纳什维尔；在这种情况下，谢尔曼部的位置最适合击敌了。于是，一向雷厉风行的谢尔曼立即停止修路，率军驰援纳什维尔。11 月 1 日，他到达伊斯特波特，并在这里渡过田纳西河；当天，他的先

一艘在伊斯特波特河流中执行任务的联邦海军舰只。摄于 1863 年

头部队已经进至亚拉巴马州的弗洛伦斯，但后续部队尚未渡河。后续部队的指挥官是布莱尔。

谢尔曼部是一支加强部队，骑兵、炮兵、辎重队应有尽有。该部所有给养都是从纳什维尔经一条狭窄的公路运来的。现在的迹象表明，田纳西东部的伯恩赛德部的人数达 25000，该部的给养也全靠这条公路；显然，一条公路的运输能力是远远不能满足两支部队的需求的。为了解决这个棘手的运输难题，我从谢尔曼部抽调了约 8000 人，他们属于 G. M. 道奇部，驻扎在阿森斯。我命令他们去重建迪凯特—纳什维尔铁路。该铁路所经之地的地形起伏，河川密集，沟壑纵横。敌人破坏了途中的所有桥梁，撬起、折弯了铁轨，毁掉了没有运走的车厢和车头；这些车厢和车头就

算维修也用不成了——因为他们破坏了。他们将铁路一直破坏到史蒂文森，这里是孟菲斯—查尔斯顿和纳什维尔—查塔努加两条铁路的交会处。如果重建了迪凯特—纳什维尔铁路，那么我军就拥有了两条运送给养的、远至史蒂文森的铁路，而史蒂文森向东不远，从布里奇波特开始，内河航运也能在运送给养方面发挥作用了。

美国南北战争期间联邦铁路公司在史蒂文森的驻地

道奇将军不但是战场上的一员猛将，而且拥有丰富的筑路经验。他使用的工具跟拓荒者使用的工具一样，只有斧、镐和铁锹。他就是用这些工具建起了抵御小股敌人的偷袭的工事。解决了安全问题后，解决粮草问题就迫在眉睫了。由于到纳什维尔的铁路尚未修好，所以他缺少获得给养的根据地。在这种情况下，他下令搜集周围地区凡是能找到的所有粮食、牛以及其他食物；周围地区的磨坊应派专人管理，这些人要从士兵中挑选，远离军队的磨坊的安全如无法保证，那就把磨坊的工具运回来；运回铁匠铺里的所有存铁，并雇铁匠去打造修铁路、架桥梁所需的工具；斧头工负责用木料架桥，在铁路修好后，继续砍伐木材，这些木材用作火车机车的燃料；车辆制造工负责修理机车和车厢。于是，各工种的人员既各司其职，又互相配合，他们的工具是自备的，食物是自带的；虽然他们没有外来技工和劳力的帮助，但当开工的号令下达时，他们还是毫不犹豫地干了起来。要想铺铁轨、造车厢，就得有材料，还得有运送材料的足够的车辆。为了弥补材料和车辆的不足，我命令从维克斯堡的麦克弗森将军那里抽调8辆机车和所有的车厢，其实，麦克弗森将军那里总共10辆机车，最后，除了10节车厢要用而留下外，其余的车厢以及8辆机车都送到了纳什维尔；我命令西田纳西河上一些据点的兵力和孟菲斯至查尔斯顿铁路沿线的兵力赶往道奇将军那里；我命令，

美国南北战争期间，道奇将军（握手者右）和塞缪尔·S. 斯塔古（握手者左）与修筑铁路的工人的合影。安德鲁·J. 拉塞尔摄

凡是孟菲斯—纳什维尔与查尔斯顿—纳什维尔两条铁路之外的所有车厢、机车以及铁轨都要运过去；我命令负责铁路管理的军队人员尽量多提供车辆和架桥的材料。道奇将军接到命令后，用了不到 40 天的时间就完成了任务：架设了 120 座桥梁，修复了 102 英里铁路。

敌军到达克利夫兰后，前进的步伐便停止了。现在，我不知道敌军是去攻打伯恩赛德还是纳什维尔。然而，他们刚在克利夫兰落脚，华盛顿方面就产生了惊慌；与此同时，查塔努加无助的形势令我非常不安。一封封电报不断发来，不是在提醒我认识坚守田纳西东部的重要性，就是催促我采取行动去减轻伯恩赛德的压力，或者向我强调那里的人民是支持北方的，总统认为应该有力地保护他们……现在，查塔努加的牲口连一门大炮也拉不动，补给车辆更是少之又少；伯恩赛德部的给养已经严重不足，甚至面包和肉食都面临断供的危险，并且弹药已经极为匮乏；加之，只有赶走逐传教士岭上以及查塔努加周围的敌人，才能减轻他的压力；所以在这种形势下，我率军去增援他是不现实的。

11 月 4 日，朗斯特里特部 15000 人、惠勒部 5000 名骑兵离开与我们对峙的前线去攻打伯恩赛德了。形势变得岌岌可危，但更糟糕的是，如果谢尔曼部不能及时赶到，我们根本无计可施。华盛顿方面越来越担忧伯恩赛德部的安全了。发自华盛顿的电报变得更加频繁了，内容是催我想方设法去给伯恩赛德解围。7 日，趁朗思特里特还没进至达诺克斯维尔，我命令托马斯立即进攻敌人的右翼，从而迫使已经前出到山谷地带的朗斯特里特回援。我要求托马斯用骡子、军官的坐骑以及一切能搞到的牲口去拖动作战需要的大炮。然而，他告诉我现在哪怕移动一门炮也是不可能的，所以我的命令执行不了。我没有办法了，只得开始考虑如何给华盛顿回电报了。我严令谢尔曼从速来援，虽然他已经竭尽了全力。同时，我鼓励伯恩赛德继续坚守待援，并向他承诺他的压力很快就会减轻。伯恩赛德来信表示，只要有维持战斗的弹药，他守住阵地的信心就不会丧失。他甚至建议，通过放弃诺克斯维尔的南部和西部将敌人吸引过来；

这样一来，敌人就会远离他们的根据地，而当打响查塔努加的战斗时，他们就来不及回援了。朗斯特里特的铁路到劳登就不通了；军队从劳登到诺克斯维尔要坐马车。因此，伯恩赛德提出了一个非常高明的计谋，我决定采纳。14日，我给他发了一封电报：

> 谢尔曼部之先锋现已至布里奇波特；全军最迟到星期二集合完毕，然后立即开拔。如果你部能顶住朗斯特里特部的进攻，等待他的到来，或者通过小规模的袭扰来赢得时间、避免士兵严重伤亡，那么我就能在查塔努加迫使敌人撤退，甚至能在朗斯特里特和布拉格之间部署军队。这个目标一旦实现，那么朗斯特里特要想获得给养的话，就得翻山越岭了。谢尔曼部之所以现在还没有赶到，是因为埃尔克河的水位涨得过高；为了渡河，他只得逆河跋涉了30英里。

当天晚些时候，我又把我们的救援计划向他做了以下说明：

> 我刚收到你和达纳的电报。你对战场实际更了解，所以在抵抗朗斯特里特进攻方面，你的心里应该比我更有数。正如你所建议的，当最后关头来临，为了保住富饶的地区，最好应该放弃金斯顿。目前，谢尔曼部已经做好了渡河的准备，渡河的位置定在了奇克莫加河口。一旦谢尔曼部赶到，我就会命令托马斯向敌军的左翼发起进攻；在占领传教士岭后，继续向前进占克利夫兰—多尔顿铁路。与此同时，胡克部也将进攻敌人，如有可能，占领卢考特山。现在敌人似乎也巴不得我军进攻其左翼，这正合了我们的意。为了达到目的，谢尔曼部之先锋会直接从怀特赛德出发挺进特伦顿；为了引诱敌人相信我军全部正攻向卢考特山谷，谢尔曼的后续部队则会通过怀特赛德到凯

利渡口的一条新路赶来。谢尔曼的先头部队已经抵达布里奇波特，后续部队最迟 16 日定会赶到。在这种情况下，我们期待已久的联合行动最早开始的时间得到 19 日了。如果你能坚守到 19 日，请告诉我。我几乎不敢想象敌人突破金斯顿，接着攻向肯塔基的情景；然而，如果这种情况真的出现，那么我们就得解决新出现的问题。托马斯已经命令一个骑兵师赶往斯巴达附近。待我确定该师是否已经出发后，我会通知你。增援你 10000 人是不符合现实的；兵力倒有，但如何解决从查塔努加向东至你处这一天的吃饭问题呢？

或许因为铁路只能通到劳登，所以朗斯特里特接到上峰命令后一直在这里待到 13 日。从劳登的地理位置看，他既可以威胁诺克斯维尔，也可以随时快速撤回查塔努加。14 日，也就是朗斯特里特离开劳登的第二天，谢尔曼本人到了布里奇波特。黄昏时分，他向查塔努加赶来，并于第二天见到了我。

在谢尔曼到达之前，我已经拟出了一份作战命令；只是因为作战部队不在查塔努加，所以作战日期没有定下来。目前，对我们来说，虽然攻占了卢考特山，但我们并没有获得特别的优势。我命令胡克派霍华德部进至田纳西河北岸，然后从这里至卢考特山的背面布阵待敌；胡克则亲率余部，翻过卢考特山西坡上的两个峭壁，继而进入查塔努加河谷。

根据作战命令，谢尔曼应攻击敌人

朗斯特里特全名为詹姆斯·朗斯特里特（1821—1904），他是美国南北战争时期邦联将领。图为朗斯特里特将军

右翼，成功后就建立一道跨越卢考特山谷的防线，这样一来，我军的左翼防线就能延伸至南奇克莫加河，而布拉格部腹背的铁路就会遭到威胁甚至失守，在这种情况下，他不得不派部队增援，其他防线的力量也就变得大不如前，我军可趁机切断其与补给基地奇克莫加站的交通。胡克部的行动应在查塔努加右侧展开，并迅速翻越卢考特山谷赶至查塔努加河谷，然后尽快穿过查塔努加河谷，直逼罗斯维尔。布拉格的传教士岭防线之南即敌人在罗斯维尔的防线，该防线自山脊面延伸至山背面，其右翼直达岭东的奇克莫加河谷。托马斯应指挥坎伯兰军团，趁敌人主力集中在左右两翼之机占领中央地区，并择机发动攻势。

为实施该作战计划，谢尔曼必须在布朗渡口渡过田纳西河，然后挺进查塔努加以东，抵达与传教士岭北端相对的位置时在小山丘背面布阵，这样岭上的敌人就监视不到了。查塔努加东面有两条叫奇克莫加的河流：发源于田纳西州的北奇克莫加河向南流，到离查塔努加不足 8 英里的地方汇入田纳西河；发源于佐治亚州的南奇克莫加河向北流，到离查塔努加不足 4 英里的地方汇入田纳西河。目前，我军的 160 艘架桥船已经在北奇克莫加河备下了，而敌人尚不知情。

晚上，我军一个师将抵达北奇克莫加河；凌晨 2 点，该师登船，每船载 30 人，顺流而下。该师之一部的登陆点在南奇克莫加河口东侧；登陆后，俘虏哨兵，然后搭桥连接两岸。该师之余部的登陆点则在田纳西河南岸；如果在田纳西河南岸待得过久，那么传教士岭的敌人必然来袭。该师应抓紧时间尽快派足人手，驾小船赶至北岸，将谢尔曼部的主力运过河；而留在南岸的部队应挖壕沟，修工事，以便固守。托马斯在留给帕尔默足以抵御敌人袭击卢考特山谷的兵力后，将率余部离开防线进军传教士岭进发。现在，卢考特山谷对我军的意义已经不大了。只要我军攻下传教士岭，就算敌人占领了卢考特山谷，那他们也不可能守住。最终，我改动了计划下达给胡克的命令，命令他部沿田纳西河北岸新建的公路进至查塔努加，然后右转赶往罗斯维尔。

只要敌人包围查塔努加一天，胡克部在卢考特山谷的位置就对我们极其重要，因为它攸关我军补给线的安全；然而，一旦我军击溃前线的敌人，那它也就不再重要。因此，我命令胡克部翻越卢考特山，穿过查塔努

陡峭的卢考特山。摄于美国南北战争时期

加河谷，向传教士岭上的敌人发起进攻。胡克部只要从卢考特山北面过去，就能进入查塔努加河谷，然后抵达敌人谷中防线的背部；在这种情况下，敌人只得撤退。因此，一开始，我下达给胡克部的命令是按这条路线行军。然而，战斗打响前几日，经过认真研究我发现胡克部翻山越岭时需要面向敌人，这不但危险，而且浪费时间，甚至到最后会错过来之不易的战机。加之，该部进入查塔努加河谷后，要想渡过水流湍急的查塔努加河，也是困难重重。因此，在我军攻占传教士岭前，我宁愿敌人一直在卢考

特山上守着。于是，我改动命令，让胡克部沿田纳西河北岸向上游行进，然后于查塔努加过河后可以在任何指定的时间进入阵地。该阵地背靠查塔努加河，因此一旦我军在这里向传教士岭发起进攻，谷中防线以及卢考特山上的敌军就只能撤退了。需要强调的是，虽然我现在改动了下达给胡克的命令，但最终还得回到最初的命令上来，因为在我调集所有部队攻打传教士岭的时候，适逢河水泛滥，在这种情况下，从布朗渡口的桥过河是非常危险的。关于这一点，我另有解释。

谢尔曼到达查塔努加后，他与托马斯将军、史密斯将军以及其他军官在我的带领下，一起来到河北岸勘察地形。我命令大家看了谢尔曼部行军路线的地形，并把他下面该做的大致说了一下。这时，伯恩赛德的安全不仅令华盛顿方面担心，也令我愁眉不展。我觉得现在仍然淡定的也许只有身经百战的伯恩赛德了。虽然一直很着急，但在谢尔曼到达之前，

骑在马上的伯恩赛德将军。摄于美国南北战争期间

我与华盛顿方面都无能为力。于是，勘察一结束，为了尽快实施作战计划，谢尔曼就立即赶回布里奇波特了。我记得，他在凯利渡口是亲自划船走的，这表明现在时间有多么重要，他是心知肚明的。

由于路况和季节原因，行军就像是在探险。20 日，他本人及其所部先锋已经抵达布朗渡口，但主力却还远在后面。其中，该部的尤因师仍在特伦顿，这给人一种我军要从南侧攻击卢考特山的假象。谢尔曼在渡口接到命令，问他第二天进攻的准备是否已经做好了。原来，诺克斯维尔战斗开始的消息传来了，敌人已经切断伯恩赛德的电报。总统、陆军部部长以及哈勒克将军忧心忡忡，我自己也充满了焦虑，但我尚能挺住。得益于我现在所处的位置，我可以马上反击敌人，力挽狂澜。谢尔曼部第二天无法赶到，我又问他 22 日上午能否发动攻势。与此同时，我又命令托马斯亦于 22 日上午发动攻势。遗憾的是，20 日、21 日大雨下个不停，河水暴涨，致使浮桥摇摆不定。

当时，伯恩赛德部的奥兰多·B. 威尔科克斯师长尚能通过电报与北方部队联系，因为他位于山谷中一处比诺克斯维尔更靠上游的地方，也就是在梅纳德维尔附近。他发来一份电报，告诉我敌人正威胁他的东面。我给他以下回复：

> 你一旦联系上伯恩赛德将军，就立即告知他：凌晨时分我们会进攻布拉格部。如进攻得手，而他的阵地尚能坚守，那么为了减轻东田纳西方向的压力，我会继续采取行动。就算朗斯特里特突破我们的防线，并向肯塔基州转移，我军也无须着慌。他会发现他所经地区格外荒凉；在进入肯塔基州前，他部的辎重、炮兵就会损失殆尽。只要与我军相遇，他部就有去无回。

与此同时，谢尔曼部正在尽可能快地渡河，一刻也不敢停留，因为该部始终受到卢考特山上敌人的监视。然而，渡河后不久，该部队就绕到了北岸的一座小山后面，卢考特山、传教士岭的哨兵再也监视不到他们了，直到他们出现在山间，向河岸奔去。当谢尔曼部的先锋进至查塔努加对面时，一直在北岸山中藏身的霍华德部过了河，与南岸的部队会了师，尽管渡河时他们受到传教士岭和卢考特山上的敌人的监视，因为敌人显然认为渡河的仍是谢尔曼部。这样一来，谢尔曼到达指定位置时就没有被敌人发现。

第二十八章
谢尔曼攻克传教士岭

20日，天公不作美，大雨滂沱，致使在布朗渡口的部队渡不了河；暴涨的河水随时可能冲毁浮桥。这时，消息从诺克斯维尔传来了：那边军情紧急，并且从东面来的敌人开始威胁威尔科克斯。这时，布拉格的一封信发到了我这里，信上说："我认为我应该通知你，请从速撤走查塔努加的非战斗人员。"我当然知道他是在使计，但我搞不懂他的真实用意。然而，22日，我从邦联军的一个逃兵那里获悉，布拉格已经做好撤退的准备，并且他当天已经命令巴克纳部的一个师去增援在诺克斯维尔驻扎的朗斯特里特，另一个师跟着前往，但又被召了回来。现在，布拉格来信的目的明了啦：阻止我派军支援诺克斯维尔，等他攻克诺克斯维尔后，就率部返回，继续围攻查塔努加。

21日晚上，我军把已经造好的160艘架桥船开到了北奇克莫加河；而架桥的材料则在桥北端田纳西河岸早就藏好，距离桥头有数百码，也就是桥北端的位置。

现在，华盛顿方面极其担心已经失联的伯恩赛德部，所以我不能推迟救援他的行动。因此，我决定调整打响战斗的时间——由24日调整成23日。坎伯兰军团负责执行这次军事行动。

在被敌人包围的这几个月里，坎伯兰军团经过努力，其阵地已经固若金汤，足以抵抗敌人的进攻。这天，坎伯兰军团的防线离城大约一英里，左起西提柯溪，右至查塔努加河；西提柯溪流经传教士岭，于离南奇克莫加河口约两英里处汇入田纳西河。只要是制高点，没有不修筑防御工事、配置炮兵的；防线内越是军事价值高的的高地，其上修建的工事就越坚固，配备的武器就越精良。其中，城东有一个名为"伍德堡"的高地，位置尤为重要，因为它位于查塔努加城与敌人主力所在的传教士岭之间。这里配备了22门大炮，其中大部分能射到离敌人防线内较近的哨所。23日上午，托马斯根据指示，令谢里丹和T. J.伍德将军各率领格兰杰部的

美国南北战争期间，谢里丹将军和同僚的合影，从左到右分别为：
亨利·E.戴维斯、戴维·格雷格、菲利普·谢里丹、韦斯利·梅
利特、阿尔弗雷德·托伯特和詹姆斯·H.威尔逊

一个师，赶至伍德堡高地脚下。接着，他们排成一线，谢里丹在右，伍德在左，一直延伸至西提柯溪，看起来就像军事演习一样。第14军由帕尔默统率，部署在南、西南一线。他麾下的贝尔德师与谢里丹协同作战，而约翰逊指挥的那个师则留在战壕内备战，无论哪里吃紧，该部均可随

时增援。位于战线中央的是霍华德部，执行殿后任务。下午 2 点，各部厉兵秣马，万事俱备。这时，天放晴了，乌云散去了，于是我军的动向就很可能为高处的敌人看清。这时，伍德堡及其据点的加农炮响起，这是发起进攻的信号。很快，叛军的哨兵向一些主要据点撤退、收缩。这些据点散布在主岭和我军防线之间的一些较小的独立高地上；没过多久，我军就攻下了这些据点。战斗结束时，敌人的援军甚至还未来得及派出。然而，双方都有损失。与早上相比，我军通过这次行动，将防线前推了一英里。这样一来，敌人的那些当初对着我军的防御工事开始对着他们自己了，到了晚上我军又对这些工事进行了加固。在这次带有预演性质的进攻行动中，我军伤亡 1100 人，敌人伤、亡以及被俘的加起来也在 1100 人左右。就这样，第一天的战斗结束了。不过，直到夕阳西下时，炮声仍时不时从传教士岭和伍德堡传来。

现在，我军已经具有较大优势。现在，如果伯恩赛德部能够坚守阵地十天，我就能睡个安稳觉了。然而，为了他们以及大家共同的事业，我必须殚精竭虑。

23 日夜，谢尔曼部除了尚未从布朗渡口过河的奥斯特尔豪斯师外，其余各师就已准备开拔了。这时，随着田纳西河的水位不断上涨，部队已经不能经浮桥过河了。虽然奥斯特尔豪斯师没有赶到，但我仍然决定按计划在当日展开行动。我向奥斯特尔豪斯下达了指示，如 24 日上午 8 时仍未能渡河，就率部向胡克报到。

W. F. 史密斯将军现在已经升任军区总工程师了。我向他下达的指示是，部队自北奇克莫加乘船渡河的任务完成后，架设浮桥以及继续履行其他与总工程师职位相关的职责。当晚，摩根•L. 史密斯师来到藏有架桥船的地方。他命令，摆渡的任务由贾尔斯•A. 史密斯旅具体负责；过河后，该部将对南岸的敌哨发起突袭。J. M. 布兰南将军是坎伯兰军团的炮兵长官，他运过来 40 门大炮；为了压制南岸的敌人，确保前往浮桥南端的道路安全，他将这些大炮安置在河北岸。为了完成该任务，他不得不向谢尔曼借用运送大炮的马匹。

11 月 24 日凌晨 2 点，贾尔斯·A. 史密斯部从北奇克莫加河分乘装满货物的 116 艘船，每艘载 30 名全副武装的士兵出发了。那些向敌人传递情报的密探都没有注意到这些悄悄顺流而下的船。到达南奇克莫加河口后，部分船只靠岸。接着，士兵们上了岸，然后立刻突袭岸上的哨兵，最后生擒了 20 名。其他士兵到达建桥地点后登陆，并成功地执行了任务。于是，谢尔曼部马上开始经架桥船过河。此外，一艘从查塔努加城开来的蒸汽船也协助该部过河。首先过河的是摩根·L. 史密斯师余部，约翰·E. 史密斯师紧随其后，而已经登岸的部队则开始修建防御工事。黎明时分，已经过河的师已经达到两个，就地在工事里进行了隐蔽。

架设骑兵、炮兵的渡河桥的工作也开始了；与此同时，步兵或用架桥船，或乘蒸汽船，继续渡河。正午刚过，桥架完了，步兵和炮兵统统过了田纳西河，来到南岸。两岸的部队的联系已经贯通，因为南奇克莫加河的桥也架起来了。

于是，谢尔曼马上集合部队，然后向传教士岭发起攻击。下午 1 点开始，谢尔曼部分成 3 支纵队，先后出发。最先出发的是摩根·L. 史密斯指挥的左翼部队，该部沿奇克莫加河向前挺进；紧跟其后的是约翰·E. 史密斯指挥的右翼部队；位于最右边的尤因部的任务是为约翰·E. 史密斯殿后，一旦敌人来袭，该部可随时做相应调整部署。三支纵队前方都有散兵线。没过多久，部队就进至山脚下，散兵迅速往前冲去，后面的部队紧跟在后面。下午 3 点 30 分，谢尔曼部占领了传教士岭，伤亡不大。现在，各师都有一个旅已经到达指定地点，并且大炮已经被士兵拉上了山顶。山顶失陷后，一直蒙在鼓里敌人才明白了我军的意图。整个白天，乌云低垂，小雨淅沥，在山谷中甚至很难看清卢考特山之巅和传教士岭之顶。这时，敌人已经射击我进攻部队，虽然他们很想赶走我军的散兵，但未能如愿。到了傍晚，敌人又发起了一次猛烈的反击，仍以失败告终，最后只好作罢。于是，谢尔曼部在占领区站稳了脚跟，并掘壕坚守。

浮桥建好后，谢尔曼部的骑兵开始过河了。下午 3 点 30 分，骑兵全部过河后，就去摧毁了敌人在奇克莫加火车站的通信。这时，谢尔曼部已经全部来到田纳西河南岸。也是在这个下午，贾尔斯·A. 史密斯将军受了重伤，只得从战场上撤了下来。

托马斯部已经于 23 日结束了本定于 24 日的战斗，这一天只是执行了加固阵地的任务。霍华德部渡过了西提柯溪，按照指示，赶去向谢尔曼报到。上午，他率不到 3 个团的兵力，沿田纳西河岸行进，最后来到建造浮桥的现场。桥南头有一部分刚建好，他就走了上去，只见谢尔曼正在北岸指挥。因为桥尚未修通，所以霍华德就隔着一段缺口向他的新上司报了到。不一会儿，那段缺口就合拢了，桥修通了。

查塔努加城东面，战斗正在进行；西面，胡克部也正在激战。他指挥 3 个师：奥斯特尔豪斯师、吉尔里师和克鲁夫特师。这 3 个师分别属

托马斯将军发起查塔努加之战。库尔茨＆艾利森
出版公司印刷，现藏于美国国会图书馆

于田纳西军团第 15 军、波托马克军团第 12 军和坎伯兰军团第 14 军。吉尔里部驻扎在华海特齐，担任右翼；奥斯特尔豪斯部驻扎在布朗渡口附近，担任左翼；两者之间夹着克鲁夫特部，该部担任中军。这 3 支部队均位于卢考特溪西岸。敌人的哨兵与防御工事则密布在卢考特溪东岸。这些敌人的防守非常严密，他们后面还有 3 个旅。一旦他们遭袭，这 3 个旅就会赶来增援。他们驻扎在山顶上，其指挥官是卡特·L. 史蒂文森将军。令我诧异的是，除了炮兵和少数步兵哨，为什么还要在山顶上部署这么多部队。要想到达山顶，必须经过一个 30 多英尺高的峭壁，因此，只要有 100 人在山顶驻守，无论胡克部如何进攻，都不足为虑。

卢考特山时高时低，蜿蜒崎岖，树木繁茂，沟壑纵横，就算敌人没有阻拦，胡克部要想前进也不容易。不过，再往上走一段，地势就变得平缓了，经过开垦，变成了良田已被开垦耕种；山东坡的地势更加平缓，一条状况良好的路从查塔努加城开始，一直向山顶通去。

24 日一大早，胡克就派吉尔里师，赶往卢考特溪上游渡河，同时派克鲁夫特部一个旅担任吉尔里师的后援。而克鲁夫特师余部则被派去夺取铁路附近的一座桥。奥斯特尔豪斯部随后赶到这座桥，然后经桥过河。格罗斯旅经过小规模战斗，击溃了敌人的守桥士兵，随后便全面占领了这座桥。在这种情况下，敌人被吸引到了这边，而吉尔里部的行动再也不会引起敌人的注意了。这时，因为雾太浓了，所以该部的行踪没有被山顶上的敌人发现。就这样，该部神不知鬼不觉地过了河。不一会儿，河岸附近哨所里的 40 多名敌人就成了该部的俘虏。接着，该部直接开始登山。这时，为阻止我军过桥，山坡上营地中的敌人冲了下来，进入散兵壕。11 点，我军抵挡住了敌人的反击，夺桥这才成功。过了一会儿，奥斯特尔豪斯部冲了上来，与敌人厮杀在一起；几个回合下来，敌人损失惨重，有的被击毙，有的被俘虏，只得退出了战斗。

与此同时，吉尔里部克服艰难险阻，不断向山上推进；其对面的敌人抵抗得非常激烈。一时之间，山顶上的枪炮声轰隆隆响个不停。敌人发现其左翼和后方已经危如累卵了，所以不敢恋战，赶紧撤离。克鲁夫特与奥斯特尔豪斯两部尾随而来，没过多久就赶上了吉尔里部。于是，三支纵队合兵一处，向山上发起进攻。到了中午，吉尔里部已经占领了山北坡的开阔地，其右翼甚至前出到山顶峭壁下。然而，敌人在这里的工事密密麻麻，难以逾越。接着，后续部队也上来了。于是，一条战线就在绝壁到查塔努加河口之间形成了。

我与托马斯登上了奥查德丘顶。随着胡克部的进攻，我军的战线连了起来。放眼望去，战线始于谢尔曼部在田纳西河上渡河之处，经奇克

格兰特将军和托马斯将军登上奥查德丘，遥望查塔努加战场形势

莫加河，至传教士岭，越岭北端，进入查塔努加河谷，有一英里多与传教士岭平行，然后穿过山谷，来到查塔努加河口，接着自卢考特山坡而上，最后止于山上的绝壁下。这天浓雾沉沉，当云层间或上升时，胡克部的行动才隐约可以看见，其他时候就几乎看不见了，只有枪炮声不停

地传来。前线的敌人虽然获得了部分增援，但没过多久他们还是败退了。这天上午乌云压得很低，所以看不清山上的情况；到了下午，乌云压得更低了，胡克部所在位置漆黑一片，不得不停止了行动。4点，胡克报告说，无法攻克阵地。5点多，直接联络建立起来了，我从查塔努加派出一个旅去增援。该旅渡查塔努加河时，受到敌人的袭击，但很快就打退了敌人。到了晚上，旅长卡林将军向胡克报了到。胡克将卡林部安排在左翼。我向华盛顿发了电报："今天，战斗进行得非常顺利。传教士岭北端已经被谢尔曼部占领，右翼部队到达隧道，左翼部队进至奇克莫加河。敌人在卢考特山上的据点已经悉数被我军在山谷的部队拔去，东面山坡以及一个较高的据点现在也已被该部攻占。胡克报告说，2000名敌人被俘虏，传教士岭也有少数俘虏。"第二天总统给我回电："我已经收到你发来的关于星期一和星期二战斗的电报。打得不错。向全体将士致谢。记住伯恩赛德。"哈勒克也来电说："祝贺你目前取得的胜利。伯恩赛德已经承受了巨大压力，这令我很是担心。如果再不去救援，他部恐怕会全军覆没，望尽力解救。"

架桥船留在了北奇克莫加河，坎伯兰军团的杰弗逊·C.戴维斯师奉命前去守护，严禁人们来往于河上。24日夜，谢尔曼部渡河后，从北奇克莫加河上游浮桥到传教士岭山脚北面的大片平原地带均被杰弗逊·C.戴维斯部攻占。该部发起的战斗很晚才结束，但与其他任何地方的战役没有发生联系。

第二十九章
查塔努加战役的评论

　　午夜 12 点，我先是把第二天的作战命令下达了，接着给威尔科克斯发了一封电报，让他给伯恩赛德鼓鼓劲儿。我命令谢尔曼部于第二天白天继续发起攻势，又命令胡克部同时进攻敌人，如果遇到撤退的残敌，就尽力阻截；如果敌军彻底溃败，就直接向罗斯维尔挺进，然后趁机进攻在传教士岭的敌人的左翼及后方。托马斯部则原地待命，等待胡克进抵传教士岭；况且我和他都在奥查德丘，没有接到我的命令，他也不会随便展开军事行动。

　　25 日，一整天天气晴好，站在奥查德丘上，整个战场一览无余；布拉格指挥部的情况也看得很清楚，军官——大概是参谋人员，从指挥部里进出个不停。

　　谢尔曼 24 日攻占的阵地与敌人所据的主岭几乎没有连在一块，之间有一个低低的关隘。一条货运道路从关隘通过，关隘附近有火车隧道。现在，攻克主岭是我军的主要目标，但敌人在这里置有重兵把守；主岭的后边地势更高，这里建有敌人的第二个要塞，该要塞正好能控制前方的要塞。东方一现鱼肚白，谢尔曼部就出发了。当旭日东升，该部便开始展开军事行动，除了三个旅留守已经攻下的小山，其余各部的情况是：摩根·L. 史密斯部沿传教士岭山脚东侧前进；卢米斯部沿山脚西侧前进，该部的后援是约翰·E. 史密斯师的两个旅；夹在摩根·L. 史密斯部与卢米斯部之间的是科斯部的一个旅，该旅在科斯的亲自指挥下，向山上挺进。

传教士岭东侧的地势又陡又险，树木繁茂，摩根·L. 史密斯部正是要从这里上山；岭西侧地势平缓，树木稀疏，从这里上山的卢米斯部进军的速度很快，不一会儿敌人的全部防御工事均被占领。摩根·L. 史密斯部插入敌军与铁路桥之间，于是敌人通向奇克莫加车站仓库的铁路线就被切断了。为了击退我军，敌人发起多次猛烈进攻，但都铩羽而归。双方的争夺战持续了两小时，骁勇善战的科斯受了重伤。这时，布拉格的右翼和粮草储备已经遭到谢尔曼部的威胁，在这种情况下，敌人不得不从别的地方抽调兵力来增援右翼。布拉格多个增援纵队纷纷赶去抵御谢尔曼部，这种情形我从我所在的位置能看得很清楚。邦联的部队集中了所有调过来的枪炮，然后对准了联邦部队。接着，两个旅在约翰·E. 史密斯的率领下，先是经过一片开阔地带，然后穿过岭西侧去支援科斯。他们冲过枪林弹雨，进

科斯全名为约翰·M. 科斯（1835—1893），他是美国南北战争期间联邦军的一名军官。图为科斯，摄于美国南北战争期间

抵敌人的工事附近，然后埋伏下来。不一会儿，大批敌人向他们的右翼直扑而来。约翰·E. 史密斯不得不率部撤退。敌人紧紧追赶，尾随而来，迫使约翰·E. 史密斯部撤入几百码外的树林里。约翰·E. 史密斯迅速调整了部署，然后指挥全军冲向敌人，最后敌人被赶回了战壕。

我从所处的位置看到了约翰·E. 史密斯部的进攻与撤退。当他第二次进攻敌人时，我命令托马斯派麾下一个师赶去增援。他派去的是贝尔德师，该师一直驻扎在奥查德丘右侧。该师要想到达增援地，必须穿过

敌人的火线，行经相当长的一段距离。这时，布拉格已经开始把兵力往同一方向集中，这正是我所乐见的。然而，太阳快下山的时候，胡克部仍然没有翻越罗斯维尔附近的山岭，从而压迫布拉格向胡克部所在的方向集结兵力。

夜里，卢考特山上的敌人撤走了，这种情况是在意料之中的。穿越谷地时，他们把查塔努加河上的桥梁烧毁了，一路上还留下许多障碍。第二天一大早，胡克部开拔了。长途漫漫，道路悉数被敌人破坏，因此胡克部要渡查塔努加河时，已经耽误四小时了。于是，我期望的直接优势没有出现。我本想在胡克部赶到达布拉格的侧翼并将其包围起来时再发出信号命令托马斯部向山脊发起进攻，但谢尔曼部却陷入危险境地；形势已经岌岌可危，为了缓解他部的压力，必须马上发起攻势。

谢里丹师与伍德师也已经准备好战斗，只等一声令下了。这时，我让托马斯命令他麾下的各部马上进攻敌人。虽然我很着急知道结果，但托马斯部一直没有进攻的迹象，最后我有些失去耐心了。我要进攻的是中央战线，距离我和托马斯所在的地方不远，只是因为中间隔着森林，所以看不见。我转向托马斯，询问到现在也没有发起进攻的原因。令我吃惊的是，他正在与伍德师长说话。于是，我就问伍德将军，进攻敌人的命令已经发下去一小时了，为什么他还待在这里。他马上回答道，他一直在待命，但这是第一次听到命令。我告诉他马上发起进攻。他立刻离去。没过多久，冲锋的呼啸声就传来了，时间之短，实在难以置信。伍德与谢里丹率部直扑传教士岭的敌人。邦联军在山顶修建了牢固的防御工事，在山腰和山脚掘有散兵壕。不一会儿，山脚下的散兵壕就被我军之一部攻克，后续部队紧跟着往上冲了，差不多与叛军同时越过第一道防线。我军俘虏了许多叛军，然后在炮火中将他们押送到后方。我军在那些没有被俘的撤退的敌人后面穷追不舍；有些被冲散的叛军夹在自己的部队与我追击部队之间，为了不伤到自己人，只得冲天放枪。在这种情况下，联邦军离敌人越近，安全就越有保障。新的命令尚未下达，停战休整也没有进行，我军就扑上了第二道防线，接着向山顶发起了进攻；最后，我 18 日下达的战斗命令与 24 日下达的冲锋命令一起变成了现实。

我兴致勃勃地看着战况：敌人防线上的炮火猛得吓人，空中加农炮炮弹与步枪子弹横冲直撞。我军在弹药方面损失不是很大。不久，我军就进至山顶。接着，谢里丹与伍德率部在不同的地点越过了敌人设下的障碍。敌人大败，惊慌失措，彻底失去了对战局的控制。布拉格与军官束手无策。最终，除了大批士兵沦为俘虏，更有成千上万的士兵偃旗息鼓，狼狈奔逃。

谢里丹部一直追到敌人在奇克莫加河的渡河之处。敌人之一部也许是为了掩护主力部队、炮兵和辎重队撤退，就在传教士岭后面的一座小山上阻截我军。虽然天渐渐黑了，但谢里丹并没有停止追击的步伐；他命令部队不要引起敌人的注意，慢慢向第二个山头进攻，然后兵分两路把敌人的阵地包围了。当谢里丹完成了部署，敌人这才警惕起来。不一会儿，敌人撤退了；撤退得如此匆忙，以至于大炮、辎重马车和大批俘虏都丢给了我们。这天，谢里丹应该受到坎伯兰军团甚至整个国家的感谢，因为如果不是他率部猛攻敌人，如此多的大炮和轻型武器就不可能成为我军的战利品，如此多的敌人就不可能沦为我军的俘虏。

攻打传教士岭的战斗激烈进行时，我与我的参谋人员、托马斯将军和他的参谋人员以及指挥进攻的格尔登·格兰杰将军都在奥查德丘上，我们在这里能尽览整个战场的情景。叛军最后一道防线一被我军攻破，我就立刻命令格兰杰返回自己的部队，而我则骑上战马，向前线赶去，托马斯将军差不多同时离开。现在，最右翼的谢里丹部追击敌人至岭东；左翼的伍德将军骑着战马，不是与谢里丹一起追敌，而是与战士一起冲锋。伍德师的左边就是贝尔德师，该师的正面就是布拉格集结起来抵抗谢尔曼部的兵力。这部分敌人拼命抵抗，因此双方的战斗持续了很长时间。我命令格兰杰与伍德两位将军一起率部追击敌人，但他们的士兵们太亢奋了，不停地往敌人的方向打枪；当我命令他们停止打枪时，敌人已经逃掉了。谢尔曼正面的敌人见大势已去，也逃跑了。晚上，谢尔曼接到

传教士岭之战。上图为赛勒斯·麦考密克绘于1886
年的传教士岭之战；下图为库尔茨 & 艾利森出版公司
印刷的传教士岭之战，现藏于美国国会图书馆

了第二天清早追敌的命令，这时他才知道我军已经取得大捷。

谢尔曼一发现敌人撤退，就马上命令后备部队——坎伯兰军团的戴维斯师，通过奇克莫加河口的浮桥，赶往奇克莫加车站；命令霍华德部沿河而上两英里，连夜修复那里的一座破损的桥梁，并于凌晨4点时随戴维斯部出发；命令摩根·L.史密斯去隧道侦察，以确定那里还有没有敌人，侦察后发现那里只有双方士兵的尸体；命令霍华德指挥其余各部天亮赶往通向格雷维尔的铁路。

我在前面已经提到，胡克部因为敌人破坏了桥梁而受阻于查塔努加河。直到这日下午3点多，他的部队，除了炮兵，才都过了河；桥修好后，炮兵才能过河。过河的部队继续向前挺进。快到罗斯维尔时，胡克指挥部队侧袭敌人某师。不一会儿，敌人就沿山脊溃逃，没想到他们又遭到帕尔默部的阻截。没怎么抵抗，他们一部分缴械投降，一部分逃跑，还有一部分被俘。25日夜，胡克率部进至罗斯维尔附近，接着令各部沿山岭东侧展开。帕尔默部正在胡克部的左翼，该部正赶往格雷维尔。

当晚，我发电报给威尔科克斯，告诉他我军已经大破布拉格，如果伯恩赛德能坚持，援军不久即至。同时，我向哈勒克发去了捷报，并告诉他我马上派军队去救伯恩赛德。

查塔努加战役还没打响，我就下定决心，一旦交通恢复，就马上采取措施去救伯恩赛德。我命令托马斯往建于查塔努加的那艘小汽船上装粮草和弹药；命令格兰杰部随船同行。船靠着田纳西河南岸行驶，到达霍尔斯顿河口后，继续赶往诺克斯维尔。除了小汽船上的补给，士兵每人配发40发装入弹夹的子弹和4天装入帆布袋的干粮。

查塔努加战役期间，大雨瓢泼，河水暴涨；在这种情况下，波托马克军团、田纳西军团、坎伯兰军团进行了调整，这样一来，原有的编制就打乱了。胡克指挥的右翼部队由吉尔里师、奥斯特尔豪斯师和克鲁夫特师组成；其中，吉尔里师原属波托马克军团的第12军，奥斯特尔豪斯师原属田纳西军团的第15军，克鲁夫特师原属坎伯兰军团。谢尔曼指挥的5个师，其中3个是自己原来部队的，另外两个——霍华德师原属波托马克军团，戴维斯师原属坎伯兰军团。各师精诚团结，不存私心，不追私利，协同作战，我甚至觉得，上自军官下至士兵根本不在意打乱建制，无论被安排在哪个军团都无所谓，他们关注的只有四周环布的敌人，并且都理所当然地认为，一切努力都是为了打败敌人。

占尽地利的敌人却使我军在查塔努加之战中反败为胜，而且我军胜得比预想的更轻松，其主要原因是布拉格犯下三次致命的错误：首先，他麾下的猛将以及两万大军被他调到了别的地方；其次，大战在即又一个师被他调走；最后，太多兵力被部署在要塞下的平地上。

据说，杰弗逊·戴维斯先生在我到达查塔努加前不久，来视察传教士岭的布拉格部。现在流传着这样一种说法，他来传教士岭的真正目的是调和布拉格与朗斯特里特的尖锐的矛盾；最后，他以失败告终，便打算调走朗斯特里特，让他去指挥诺克斯维尔战役。内战爆发前，我就认识布拉格和朗斯特里特，对朗斯特里特尤为熟悉。在西点军校时，我们当了3年的同窗；毕业后我们进了同一个团，并事共过一段时间；后来，我们都参加了墨西哥战争。在墨西哥时，我结识了布拉格，后来又见过他几次。他们存在难以调和的矛盾，这倒在我的意料之中。

无论是从职业上还是从其他方面来看，布拉格都智慧超群，见多识广，而且他耿介正直，脾气急躁，喜欢争辩。他具备高尚的品德，但在军队里却不得意。作为下级，他厌恶上级的越权行为；而作为上级，他难以容忍下级玩忽职守。

我在昔日的部队听说过一件与布拉格有关的逸事。一次，布拉格带一个连队驻扎在哨所，该哨所由一个校级军官主管。这时，布拉格既担任连长，又担任该哨所的军需官。当时，他的军衔是中尉，但那个校级军官被派去执行别的任务了。作为连长，他请求军需官，也就是他自己，给他一些短缺的东西；而作为军需官，他拒绝了"连长"的请求，并写出了拒绝理由。作为连长，他的回应是，向军需官索要短缺的东西是他的权利，而满足他的要求则是军需官的义务；作为军需官，他拒绝"连长"的要求，并深信这是正确的。因为这件事根本无法解决，布拉格只得去找哨所的那个校级军官，并向他说明了事情的原委。那个军官情不自禁地感叹道："天哪，布拉格先生，你已经跟所有的军官吵遍了，现在你又跟自己吵了！"

朗斯特里特的秉性和行事风格与布拉格截然不同。他诚实，勇敢，机智，善战，服从上级，亲和、公正地对待下级，不允许他人侵犯自己的权利。虽然他不拘小节，但明察秋毫，一旦别人想干什么，他马上就能发觉。

可能正是因为上述原因，布拉格没有被派往诺克斯维尔指挥战斗。然而，戴维斯先生高估了自己的军事天赋，认为这正是他驾驭这两名猛将的时机。内战期间，他出色的"军事天赋"几次令联邦军化险为夷。

我说戴维斯先生高估了自己的军事天赋，绝不是臆断。其实，当初在回复邦联总统提名通知时，他自己也说过这种话。邦联政府被推翻后，他的一些将领在他们的文章中也说过。

回想查塔努加之战，我发出的命令非常契合战场的形势。我命令谢尔曼进攻传教士岭，结果他确实占领了传教士岭；我命令胡克沿卢考特山北端前进，渡过查塔努加河，再从罗斯维尔附近越过山脊南侧，结果他确实做到了。胡克完成任务后，坎伯兰军团就从中央向敌人发起进攻。不过，谢尔曼率部到达前，我对命令做了一些调整——胡克部改从田纳西河北岸前往查塔努加，但大雨瓢泼，河水暴涨，该部无法经布朗渡口的桥过河，所以给该部的命令又改了回去，并发电报告诉了胡克。

第三十章
总部搬往纳什维尔

毋庸置疑，联邦军已经牢牢地控制了查塔努加，于是我的注意力就转向救援诺克斯维尔了。诺克斯维尔的形势岌岌可危，这令总统忧心忡忡。查塔努加之战尚未打响，我就下定决心，一旦该战役结束，就立即派援军给诺克斯维尔的伯恩赛德解围。我军有两艘经旧船改装而成的、运行正常的小汽船。其中一艘已经由托马斯将军装满粮草和弹药，然后逆流而上赶往霍尔斯顿河口，而另外一艘与部队同行。第四加强军共两万人，在格兰杰将军的指挥下攻克了传教士岭；之后，他也立即率部去增援。现在，伯恩赛德部获得了托马斯将军送来的补给，加上当地供应的少数粮草，应该能坚持到击溃朗斯特里特部。朗斯特里特部被击溃后，东田纳西就可以源源不断地向伯恩赛德部输送补给了。

26日至27日上午，为了追击敌人，我军有时会使用通往灵戈尔德的铁路。其间，托马斯接到了我的一个口头指令：在接到我的新命令前，格兰杰不得行动，并转告他，我要到前线对战局进行全面研究。唯一令我担心的是，逃到多尔顿的布拉格部一旦获得喘息之机，很可能会沿着铁路返回克利夫兰，然后直趋诺克斯维尔，接着与朗斯特里特部会合并对伯恩赛德部发起突袭。

27日，我来到灵戈尔德。我发现，除了在后方承担掩护撤退任务的克利伯恩师外，敌人其余各部士气涣散，失去了战斗力，只想着撤退，大炮、弹药、轻武器甚至给养到处乱扔。胡克部从罗斯维尔赶往灵戈尔德，帕尔默师沿铁路、谢尔曼率部出契卡莫加车站各自赶往格雷斯维尔。
现在灵戈尔德的战局我已经了如指掌了，所以就派一个参谋回到查塔努
加，将情况告诉了托马斯，并让他以我的名义命格兰杰部立即行动。因
为去救伯恩赛德部的军队已经赶去了，所以我也就不急着回查塔努加了，
加之我想迎接大军凯旋，于是就在灵戈尔德整整待了一天。

　　灵戈尔德是在东契卡莫加河与泰勒岭之间的山谷中，周围群山连绵。
从查塔努加出发，往东南走 20 英里，就到灵戈尔德。我到灵戈尔德时，
从查塔努加河赶来的胡克部的炮兵也到了，并立即向克利伯恩师发起进
攻。克利伯恩师驻扎在灵戈尔德附近的一座小山中，承担掩护经此撤退的
邦联军的任务。该山崎岖难行，易守难攻。小山外面，河道纵横，一英
里内就要多次渡河。这次战斗的结果令人遗憾，虽然我军缴获了 3 门大炮，
俘虏了 230 名敌人，击毙了 130 名敌人，但我军阵亡的士兵死得不值。

灵戈尔德之战，联邦军与邦联军在进行战斗

　　我命胡克将军去附近的磨坊寻找可供部队使用的面粉和小麦，然后
破坏磨坊及一切可以资敌的物品，但不得随便破坏。

　　这时，谢尔曼部到了。在这之前，该部先到了格雷斯维尔，他们发现帕尔默部先到了一部。一路上，帕尔默收拢了许多战俘，收集了不少被遗弃的物品。这天晚上，我与谢尔曼一起来到格雷斯维尔，并过了一夜。第二天，也就是29日傍晚，我们回到了查塔努加。这时我才发现托马斯没有命格兰杰率部出发。这就意味整整一天的时间白白浪费了；在我看来，这天关乎诺克斯维尔的命运。其实，托马斯和格兰杰的心里跟明镜似的，因为23日伯恩赛德发来的电报说得很明白，再过10天，最多12天，他部的给养就断了；其间抵御朗斯特里特的进攻不成问题，但一旦给养不能及时送到，那么他要么投降要么撤退。然而，现在的情况已经令他部的撤退变得不可能了，因为弹药已经所剩无几，敌军穷追不舍，给养更是难以征集。

　　这时，我发现格兰杰不仅没有行动，而且压根不愿意去。在他看来，该行动没有意义。在这种情况下，我不得不改派谢尔曼将军去解诺克斯维尔之围。我把严峻的形势向他和盘托出，那就是伯恩赛德部的给养只能支持4到6天，诺克斯维尔之围必须在这期间完成。

　　幸运的是，由于谢尔曼部的一个分队去执行摧毁多尔顿至克利夫兰和诺克斯维尔铁路的任务，至今尚未归队，所以谢尔曼就没有从格雷斯维尔班师。其实，我是被迫派谢尔曼前去解诺克斯维尔之围的，因为他部先是从孟菲斯长途跋涉而来，接着在查塔努加打了一场攻坚战，所以急需休整。然而，格兰杰将军是指望不上了，只有谢尔曼率部赶去救援，伯恩赛德才能逃脱灭顶之灾；想到这里，我不禁感到一丝宽慰。

　　谢尔曼部在查塔努加附近的田纳西河北岸安营。23日晚，该部携带两天的给养，从这里开拔。因为预计两天就能返回，加之在外面要行军打仗，所以该部没带大衣和毯子。然而，天气已经转凉，晚上肯定难挨。最后，两天的给养吃成了五天。现在，邦联军时常袭扰该部所在的地区，致使粮食难觅，幸亏先是寻到了少许面粉，接着在磨坊里搜集到许多麦麸。该部用这些面粉和麦麸做面包充饥。该部克服千难万险，顽强地生存下来，最后成功进军至诺克斯维尔。

为了让伯恩赛德部在危急时刻坚持住，我非常着急地让伯恩赛德尽快获悉我们的救援计划。于是，我决定派参谋 J. H. 威尔逊上校去诺克斯维尔给他送信。如果他能够及时把目前的战局告知伯恩赛德，那么伯恩赛德必定备受鼓舞。在我到任前，查尔斯·A. 达纳先生就在查塔努加驻扎。会战期间，他仍然在这里。这时，他自告奋勇与威尔逊上校共赴诺克斯维尔。我将救援诺克斯维尔的计划写成书面材料，命令他们将材料的副本通过某种方式秘密地穿过朗斯特里特部的防区。最后两人安全抵达诺克斯维尔。现在，朗斯特里特将军已经得知谢尔曼在他之前赶来的消息，而伯恩赛德部也准备好固守待援了。

围攻诺克斯维尔期间拍摄的诺克斯维尔一隅。摄于 1863 年

为了堵截漂向霍尔斯顿河下游的平底船，伯恩赛德在霍尔斯顿河上设置了水栅。平底船上载有面粉、玉米、草料以及其他给养，是忠于联

邦的田纳西东部的人民提供的。于是，伯恩赛德不必再为生活日用犯愁了。霍尔斯顿河东面尚未被敌人封锁，于是他们趁机把牛群赶到诺克斯维尔。在这种情况下，谢尔曼部到来时，伯恩赛德部的给养比上次报告的多。接下来，敌我双方接战几次，我军阵亡 757 人，伤 4539 人，失踪 330 人，伯恩赛德部的损失没有计算在内；俘敌 6142 人——比敌方公布的多一半，缴获大炮 40 门、炮兵车 69 辆、弹药无数以及超过 7000 件轻武器。敌人损失的武器实际上更多，因为许多都被丢弃了。

虽然我军在查塔努加的人数约为 60000 人，而布拉格部只有 30000 人，但他部占据地利，所处位置易守难攻。是他自己犯下错误才造成现在的兵力不足的局面。当初，他将朗斯特里特部外派时，朗斯特里特不仅带走了所部人马，还带走了其他一些人员，总数超过 20000 人，这样一来，布拉格减少的兵力超过了三分之一，同时最骁勇善战的将军也离开了。他犯的错误还有多次：我军为了确保各种军需的供应而修建经布朗渡口与凯利渡口到布里奇波特交通线时，他听之任之；他获悉援军到来却依然撤退。现在，我军已经占领查塔努加，对他而言，再攻诺克斯维尔已经失去战略意义。然而，如果他获得援军后，趁机夺回查塔努加，那么诺克斯维尔及其驻军便不攻自破。因此，我认为，他固执地继续围攻诺克斯维尔愚蠢至极。

谢尔曼部到达后驻扎在田纳西河北岸，虽然布拉格对此了如指掌，但他仍命巴克纳师去增援朗斯特里特。第二天，另一个师也被他派了出去。然而，这两个师尚未抵诺克斯维尔，我军就发起了进攻。布拉格见状，不得不命令他们撤回。但他们已经走远，及时撤回是不可能的了。前面已经提到，早在发起进攻前几天，谢尔曼部就在驻卢考特山顶的布拉格部监视之下，堂而皇之地过了布朗渡口，到达田纳西河北岸后消失在小山后。直到遭到谢尔曼部攻击时，传教士岭的敌人这才又见到他们。虽然布拉格知道谢尔曼部已经渡河，但因为一直没再见他们，所以他有可能误判——他们沿田纳西河北岸，解诺克斯维尔之围去了。这样一来，朗斯特里特部就危在旦夕了。因此，派走朗斯特里特无疑是他所犯的最大的错误。至于个中原因，我搞不清楚。假如他克复查塔努加，那么占领田纳西东部简直易如反掌。

在这次战斗中，作为进攻方的我军，阵亡人数可能会更多一些。根据敌方的通报，其阵亡361人，失踪4146人，而我军俘敌超过了6000人，如果再算上敌人的逃兵——即使没有几千人，几百人应该是有的——数量就更大了。因此，基本可以断定敌方的报道是失实的。而且布拉格一

葛底斯堡之战中战死的联邦士兵。摄于1863年

贯粗暴对待士兵，士兵只要有机会，就离营而去。加之，半年之内邦联军先败于东部的葛底斯堡战役和西部的维克斯堡战役，又败于查塔努加战役，想必南方人的沮丧不亚于一年前秋冬时北方人的沮丧。如果南方像北方一样给予人民和报刊自由的话，那么他们肯定会说，查塔努加之战可能是保卫邦联的最后一战了。

在查塔努加之战中，威廉·F.史密斯将军的作用至关重要。在我看来，

他获得晋升是实至名归。我听说，总统从前向参议院提议晋升他为少将，但该提议遭到参议院的否决；其中原因，不得而知。这次，我强烈建议晋升他为少将，最后参议院采纳了我的建议。

现在，我已经亲自向华盛顿方面——总统与陆军部部长汇报了诺克斯维尔解围始末。他们欢喜极了，令总统尤为高兴的是，诺克斯维尔解围是在牺牲甚少的情况下实现的。几个月以来，伯恩赛德部以及东田纳西忠于联邦的人民的安危一直令总统牵肠挂肚。在那段日子里，为了改善战局，他殚精竭虑：派新指挥官率数千人经坎伯兰加普前去救援；每天，他差不多每小时都发电报给我，提醒我"记着伯恩赛德""为伯恩赛德做点儿什么"以及其他要求。直到查塔努加大捷，他一直认为，东田纳西会陷于敌手。就算我军占领了查塔努加，他仍然觉得弹尽粮绝的伯恩赛德部会全军覆没。最后，朗斯特里特溃逃而去，他悬着的心才放了下来。

伯恩赛德判断，溃败的朗斯特里特会离开田纳西州，所以他率部追击朗斯特里特时至斯特罗伯里草原东20英里左右就裹足不前了。但朗斯特里特部其实没有离开，而是在溃逃不远一段距离后安营扎寨。朗斯特里特部位于田纳西东部偏远的地方，安全地过了一冬。现在，福斯特接替了伯恩赛德。根据指示，谢尔曼部沿田纳西河一线驻扎。12月20日前后，我将司令部从托马斯部防守的查塔努加迁至田纳西州的纳什维尔。

纳什维尔位于我的整个军区的中央。我从纳什维尔既可以联系到整个军区的各支部队，还可以联系到华盛顿当局，但在查塔努加时，我的电报线经常被敌人切断，致使我与各部以及华盛顿方面的联系中断。

整个冬天，纳什维尔没有发生重大军事行动，所以我趁机一方面将部队调整到有利位置，另一方面征集必要的给养。待春回大地，天气变暖，我打算把敌人的注意力吸引过来。我希望我能继续担任该军区的指挥，并准备发起亚特兰大战役。我还盼着发起从莫比尔湾进攻莫比尔的战役。我的目标是，先占领亚特兰大，接着长期固守，控制从奥古斯塔到亚特兰大再到西南的铁路，切断李将军的部队与西线的联系。我打算用少量军队守住亚特兰大，而主力部队继续向前挺进。如果莫比尔也被我军攻克，那么就将亚特兰大与莫比尔连接起来；如果莫比尔未被我军攻克，那么就将亚特兰大与萨瓦纳连接起来。一旦实现上述目标，那么唯一一条连接东西的铁路大动脉就会控制在我军手里，而敌人只能望洋兴叹了。出乎意料的是，春天到来时，莫比尔战役并没有打起来。

一直以来，俄亥俄军团的给养都是经坎伯兰加普运送来的，最后该部的牲口饿死殆尽。于是，为了确定这条补给线是否能继续使用，我决定亲往视察；如不能使用，就断然放弃。于是，12月下旬我先是离开纳什维尔乘火车来到查塔努加，接着从查塔努加改乘上面提到的小汽船，连人带马赶至克林奇河与田纳西河的交汇处。这里至诺克斯维尔的铁路不但已经修好，而且向东一直延伸到斯特罗伯里草原。因此，我坐火车

美国南北战争时期的斯特罗伯里草原，联邦士兵在霍斯顿河上简易铁路桥上警戒。摄于 1863 年

来到诺克斯维尔，并在这里小住几日。现在，约翰·G.福斯特将军是俄亥俄的军团司令。那段时间，零度以下的寒冷天气持续的时间超过了一周。

我骑马来到俄亥俄州的列克星敦，然后换乘火车返回纳什维尔。

应该注意的是，来列克星敦的途中，我发现破烂的货车、饿死的牲口尸体遍布坎伯兰加普的道路，此情此景跟我第一次经沃尔德伦山脉到查塔努加的路上所见何其相似。经骡马车辆的反复碾压，路已经变得凹凸不平，还结了冻。因此，从斯特罗伯里草原到列克星敦六天的行程，一路颠簸，令我颇感不适。

从田纳西到肯塔基，这里的人们大都忠于联邦。一听到我们到来的消息，他们为了见我一面，络绎不绝地赶到我们将要下榻的地方。人们一般认为，在部队里，年龄最大的人就是司令——那时，我才41岁，而我的医生比我大一旬还多，头发都花白了——于是，人们就向他直奔而去，而我则趁机跳下马并进了屋。他们许多关于所谓将军的言论传到了我耳朵里，大都对"将军"所致力的事业赞不绝口，而很少对将军的外貌评头品足，因为我的医生戴着口罩，加上连日奔波，疲惫不堪，浑身污垢，所以其貌不扬，很难引起关注。1864年1月13日，我回到了纳什维尔。

这次出发，因为我每天甚至每小时都会收到电报，所以随行的人一定要精通电报密码。根据陆军部当时的规定，电报系统归斯坦顿先生管理；使用密码的方式和人选都有严格要求；电报密码操作员及其使用的密码不受直接指挥官的约束，而且接发的全部电报必须经斯塔格将军向陆军部汇报。

无奈之下，我只好命电报操作员留在纳什维尔，因为我所有的电报都是先经这里然后才送到我手中的。然而，我视察期间也需要一个懂密码的操作员，只有这样，我沿途才能给部队和陆军部发电报，并避免电报在传送过程中被所有操作员看到。于是，我就命令译码员把密码本交给塞勒斯·B.科姆斯托克，他是工程兵部队的一名上尉。他既聪明又谨慎，而且值得信任，将密码交给他跟交给司令部的操作员一般无二。

然而，操作员拒绝执行我的命令，不同意将密码本交给科姆斯托克上尉，理由是根据陆军部下达的命令，他无权将密码本交给任何人，不管是司令还是其他人。我说，我想看看他会不会交出；他说如果交出密码本，他可能会受到陆军部的处罚；我说，如果不交，就更有可能受到处罚。最终，他发现如果再不交出密码本的话，处罚就在眼前了，加之他也许心里想，就算违令交出了，那陆军部也远在天边，于是他就屈服了。回到诺克斯维尔后，操作员挨了一顿狠批，还被撤了职。我告知陆军部部长斯坦顿先生，准确地告知了斯塔格——斯坦顿先生的助理、电报系统的实际主管。我强调，该操作员交出密码本服从的是我的命令，所以不能撤他的职，而且我当时急需密码，如果他不交出密码本，肯定会受到惩罚，所以如果非要惩罚的话，那就先惩罚我，惩罚我下的命令。

这次，我与陆军部部长的争吵大概是战争期间唯一一次不快；内战结束时，我们又发生了一次小争吵——是他独断专行的性格导致的，手握指挥大权的他一方面强调他不会越俎代庖下达命令，另一方面却规定，未获他批准，我的命令绝不能从副官办公室向下传达；为达到该目的，副官办公室在他的指示下，扣留了我所有的命令，在他阅罢批示前不得向下传达。然而，他优先完成自己的工作，只有在方便时，才看我的命令。于是，我的命令得到他的批准，一般是在三四天后了。我写信提出抗议。为了表达歉意，他就恢复了我总司令的权力。然而，没过多久他继续我行我素，像以前那样霸道地控制着一切。

解了诺克斯维尔之围后，谢尔曼向伯恩赛德提议，一起把朗斯特里特赶出田纳西州。不过，伯恩赛德信誓旦旦地说，解决朗斯特里特部只需自己的余部与格兰杰带来的援军就够了，所以他拒绝了谢尔曼的提议。前面已经提到，谢尔曼部赴援时所带给养只够维持两天，没带大衣毯子，也没带多少货车，只想着两天就能够回来。此时，天气寒冷，士兵们深受其苦，但为了联邦的事业，他们仍然甘受苦难。当解围的任务完成后，谢尔曼率部浩浩荡荡地回到了田纳西河的旧营地。

第三十一章
第一次见林肯总统

谢尔曼从诺克斯维尔回来后，我很快就给他下达了指令：他的部队应沿史蒂文森—迪卡特—纳什维尔一线部署。这时，密西西比河两岸存在邦联的一些残余力量，给密西西比河的航运造成严重威胁，所以他向我请求，允许他返回密西西比军团，率领他的主力部队，在班克斯配合下，彻底清剿邦联的残军。我同意了他的请求。

1月10日前后，谢尔曼回到了孟菲斯，赫尔伯特正率部在此驻守。他先是集合队伍，并令队伍前往维克斯堡，然后他也到了维克斯堡。接着，谢尔曼去了麦克弗森的防区，令他马上集合部队。最终，谢尔曼召集了两万人。

谢尔曼获悉，默里迪恩正被毕晓普·波尔克将军占领，这里还有他的指挥部。他拥有两个步兵师以及驻扎在默里迪恩以西人数不菲的骑兵。于是，他决定率部攻打默里迪恩。

我早已命苏伊·史密斯将军率2500名骑兵去支援谢尔曼。因此，该部先于谢尔曼抵达孟菲斯。赫尔伯特部的骑兵有7000人，谢尔曼就将其中的4500人调拨至史密斯处。于是，史密斯的骑兵就达到7000人了，对付孟菲斯西南的福里斯特部就游刃有余了。2月1日，史密斯将遵命率部出发。

谢尔曼在维克斯堡等赫尔伯特的余部赶来。其间，为了搞清敌人的位置和兵力，他派侦察兵去侦察，并命他们尽可能多地搜集各种情报。

侦察兵回来后，立刻将波尔克将军正坐镇默里迪恩、他的兵力及部署等情报报告给谢尔曼。

默里迪恩是美国密西西比州中东部城市，靠近亚拉巴马州界，1854 年
修建铁路后迅速发展起来。图为 19 世纪末期的默里迪恩市中心

福里斯特的骑兵在 4000 人左右，训练有素。他有勇有谋，所以在他的指挥下，他的骑兵的战斗力凶悍异常。虽然史密斯的骑兵几乎是福里斯特的两倍，但根本打不过他，因为论战斗经验，双方真是天壤之别。其实，只要打上几次胜仗，任何部队的战斗力都会提高。因此，决定胜败的关键因素包括战斗经验和主将的指挥方式。而在骑兵作战方面，福里斯特绝对是骑兵指挥官中的翘楚。

2 月 3 日，谢尔曼率部出发。出乎意料的是，该部都渡过大布莱克河了，竟然未见敌人的踪影，并且在到达密西西比的杰克逊之前，只是遭到敌人的微弱抵抗。6 日或 7 日，到达杰克逊，8 日到达布兰登，9 日到达莫顿。到达莫顿前，为了及时获得充足的草料，并加快行军速度，谢尔曼部一直是两列并进。然而，莫顿出现了敌人步兵集结的苗头。在这种形势下，他马上收拢了部队。虽然真正的战斗没有发生，但在密西西比的迪卡特他们遭到敌人的袭击。最后，敌人摧毁了我军的几辆车，并且差点儿俘虏谢尔曼。

14日，谢尔曼部进入默里迪恩，迫使敌人撤往亚拉巴马的迪莫波利斯。敌人之所以在默里迪恩待了几天，一方面是为了彻底毁坏南北铁路大动脉，另一方面是为了打探苏伊·史密斯的消息。谢尔曼预计，史密斯应该已经与福里斯特遭遇；他盼着史密斯能充分利用兵力优势，取得决定性的胜利。然而，史密斯的消息迟迟未至，于是谢尔曼就回了维克斯堡。在维克斯堡，谢尔曼终于搞清楚：2月1日，史密斯并没有率部出发，而是一直在等在俄亥俄河冻伤的士兵，一直到11日才出发；虽然史密斯与福里斯特也遭遇了，但取得决定性胜利的却是福里斯特。

谢尔曼给班克斯写了一封信。在信中，他建议两军合攻什里夫波特，但前提是获得我的批准。虽然我认可了他的建议，但因为我想让他去办别的事，所以我拒绝了他带兵亲往的请求。我没有批准谢尔曼亲自前去的要求，因为还有其他要事让他去做。一开始我同意他派部队去协助班克斯，但后来一想，春季战役一打响，他的部队必须参战，在鱼和熊掌不可兼得的情形下，我最终否决了跨密西西比联合行动。

犹记得维克斯堡战役期间，我那伴随左右的大儿子染上了疾病，并且不断恶化，甚至危及生命，后来他去了圣路易斯疗养。24日，上级批准了我去看望的请求，但我不能确定见面时他是否尚在人世。上级对我离开维克斯堡设置了限制条件，那就是为了使我与各部队和华盛顿的联系一如我在纳什维尔一样，指挥权不得交给任何人，并且司令部应随我前往。

批准生效时，我正在查塔努加。我之所以再来这里，是因为我想命驻扎在田纳西南的托马斯部配合谢尔曼在密西西比的行动。现在，约翰·E. 约翰斯顿已经接替了布拉格。为了给约翰斯顿造成威胁，从而牵制他的兵力，我命令托马斯和洛根率部向南运动，洛根部目前驻扎在亚拉巴马州的斯科茨博罗。

　　有情报从邦联那边传来，为了对付谢尔曼，约翰斯顿已经派两个师去了莫比尔，而为了援助东田纳西的朗斯特里特，他也派了两个师。面对约翰斯顿大规模增兵的形势，我命令托马斯，在已经赶往东田纳西的斯坦利师的基础上至少再增调一万人。当时，斯科菲尔德正负责东田纳西的防务，我将在他的防区所展开的行动以及朗斯特里特的受援情况做了通报。我的目标是把朗斯特里特逐出东田纳西，同时这是我为即将发起的春季战役所做的准备之一。

　　福斯特将军继伯恩赛德后担任了俄亥俄军区的指挥官，不久斯科菲尔德将军接替了福斯特将军。这时，他给我分析道，让朗斯特里特留在东田纳西利大于弊，因为他在这里难有作为，但他一旦被迫离开，其麾下精兵有可能去往其他地方，从而派上大用场。我觉得他的分析很有道理，于是收回了逐朗斯特里特出东田纳西的命令。

　　2月12日，我命托马斯部进攻多尔顿，一旦占领就尽量守住。虽然我的命令是要他马上行动，但直到17日他仍然未动，于是我就再次催促他，并告诉他，如果他再不

福斯特全名为约翰·格雷·福斯特（1823—1874），他是美国南北战争期间联邦军的将领。图为福斯特，摄于1863年

行动，正向东挺进的谢尔曼部可能会陷入危险境地。21日，托马斯还是没有出发。在这种情况下，我就问他第二天究竟能否出发。最后，他在22日或23日终于出发了。他部尚未与敌人接战，敌人就主动后撤，很快又在较远的地方立足固守。托马斯报告说，由于铁路没有修好，部队的给养很难及时供应，继续追敌已经不可能了。最后，在断粮的威胁下，

他就率部撤退了。

同样是因为给养运送的问题，斯科菲尔德也被迫撤了回去。朗斯特里特部处于仅剩的补给存放地和斯科菲尔德部之间。在撤退过程中，他不断靠近自己的补给地，而我军如果继续追击，必然远离自己的补给地。3月2日，谢尔曼取胜的消息传来了，我悬着的心终于放下了。第二天，我奉命前往华盛顿。

国会已经通过了恢复中将军衔的议案，该议案在2月26日成了法案。3月1日，我的中将军衔委任状被送往参议院，第二天得到参议院的批准。3日，我赴华盛顿接受任命，4日便动身了。9日，林肯总统在白宫亲自将委任状颁发给我，现场还有内阁成员、我的长子、我的参谋人员以及一些来宾。

颁发委任状时，总统发表书面讲话（需要特别指出的是，总统知道我不喜欢在公开场合演讲，所以在此之前他写了书面材料，并誊抄一份给我，让我提前准备几句话作答）。总统说：

> 格兰特将军，在这场伟大的斗争中，你为国家建立了功勋。国家给予你嘉奖，相信你能够完成今后的任务；现在把合众国陆军中将军衔授予你。在你获得这一崇高荣誉的同时，你需要肩负起国家交托给你的重任。因为国家信任你，所以上帝会保佑你、支持你，这无须赘言。我在此代表国家所说的话其实也代表了我的心意。

我回答道：

> 总统先生，您给我的荣誉至高无上，我接受您的委任状。对此我由衷表示感谢。我们伟大的军队在为国家冲锋陷阵。在这支优秀队伍的支持下，我誓将全力以赴，不负所望。我已经

深切感受到自己重任在肩。我心里很清楚，要想完成重任，必
须依靠军队，尤其要依靠上帝，他好比国家与人民的指明灯。

10 日，我来到布兰迪基地，视察完波托马克军团的指挥部后回到华
盛顿，接着为了确保西部指挥权顺利交接，我匆匆赶回西部，同时为准
备春季战役，我下达了重要指示。

波托马克军团侦察兵指挥官和其下属的合影。马修·布雷迪摄

之前，我的想法是，就算升为中将，也要继续在西部指挥军队。但
到了华盛顿后，我发现中将确实有必要待在这里。有时，为了其他理想，
人们会终止原有的计划，而且没人能违背这种自然规律，我也一样，所
以在回西部前我就决定由谢尔曼接替我担任军区司令，麦克弗森接替谢
尔曼担任军团司令，洛根指挥麦克弗森部，并且我在我的推荐信里对这
些人事调整做了认真记录。前面已经提到，3 月 9 日总统授予我中将军衔。
次日，我视察了位于拉皮丹以北的布兰迪基地，访问了波托马克军团司
令米德将军。我与米德相识于墨西哥战争期间，此后再未谋面。波托马

克军团大部分人我都不熟悉，当然因为其中一些正规军官参加过墨西哥战争，所以我是认识的。在我晋升中将前，该军团发生过多次人事变动，其中一次五个军合并成三个。在这种情况下，一些军官不得不卸职。于是，米德想当然地认为我又要进行人事调整了，下达正式命令是早晚的事。他说，也许我需要一个以前与我同在西部战斗的将军来接替他，他特别提到了谢尔曼；如果他猜得没错的话，他恳请我不要犹豫。他还说，由于当前所进行的战争攸关整个民族的命运，所以私情或者个人意愿都不应该影响人才的选拔。就他个人来说，无论去哪里任职，他都会兢兢业业，竭尽所能。我对他说，我从未考虑过让任何人来接替他，况且西部也需要谢尔曼。

米德给我留下了良好的印象。去年7月，在他的指挥下，葛底斯堡战役取得大捷。这种人不喜欢溜须拍马，谦虚低调，恪尽职守，办事效率非常高。

葛底斯堡战役中米德将军的指挥部。亚历山大·加纳德（1821—1882）摄

后来，虽然米德担任的职位连我都觉得尴尬，但他视若平常，毫不在意。在我成为全美陆军最高统帅之前，近一年的时间里，除华盛顿方

面的官员外，他一直担任波托马克军团的司令。别的将军一旦担任某个军团的司令，就肯定不受其他任何人的干扰。于是，我告诫米德将军，不要因为我在他的军团而束缚手脚，而应该像我在华盛顿或者别的地方一样放得开、干得好。于是，我决定，凡是下达给波托马克军团的命令均由米德执行。我把司令部设在他部驻地附近，并且如果没有特殊原因，我的司令部也不会迁往他处，目的是避免将命令直接下达给他的部队。有时会发生一些特殊情况，我只得直接向有关部队下达命令。11日，我回到华盛顿；次日，陆军部颁令，由我指挥全美陆军。接着，我离开华盛顿，去了我在西部的指挥部。到那里前，谢尔曼接到了来纳什维尔见我的电报。

3月18日，谢尔曼正式接替我担任密西西比军区司令。我们一起离开了纳什维尔，前往辛辛那提。我之所以让谢尔曼陪我走这么远的路，是因为我想听听他对一些事情的看法，这样不会浪费他太多的时间，从而不会耽误他新的指挥工作。我们首先讨论的问题是，春季战役发起后，两方面军如何进行合作；接着我们探讨一些与战争相比确实很小的问题：恢复一些以前担任要职的将领的职务，这些将领包括东部的麦克莱伦、伯恩赛德、弗里蒙特和西部的布尔、麦库克、尼格利、克里滕登。

我记得，1863年冬有段时间，上任总司令曾让我谈谈我部（现在由谢尔曼指挥）与敌人对峙形势的看法。我分析到，约翰·E.约翰斯顿将军率军在亚特兰大及佐治亚内地驻防，并且其主力集中在多尔顿。多尔顿在查塔努加南约38英里处，两条铁路在此交会，这两条铁路分别是克利夫兰至多尔顿的铁路与查塔努加至亚特兰大的铁路。

总司令和我还谈到了密西西比军区的首要任务，对此我们的意见一致——该军区首先应打击约翰斯顿，其次是铁路交通枢纽亚特兰大。我担任全美陆军最高统帅时，班克斯将军已奉命出战。到我写信给哈勒克将军陈述我对即将到来的战役的观点时，也就是上面提到的我与谢尔曼会面时，我原以为班克斯将军已经完成了战斗任务，并准备好配合密西

麦克莱伦全名为乔治·布林顿·麦克莱伦（1826—1885），他是美国南北战争时期联邦军著名将领，为战争胜利做出了杰出贡献。上图为一幅关于麦克莱伦的漫画；下图为安蒂特姆河战役后林肯总统接见麦克莱伦，亚历山大·加纳德摄

西比河东岸的部队发起进攻了。他的新任务是在海军封锁莫比尔后，率部从陆路进攻莫比尔。在这种情况下，根据作战计划，谢尔曼应向约翰斯顿发起攻击，如有可能，予以击溃，然后占领亚特兰大，并牢牢地守住；谢尔曼的目标实现后，班克斯应与他通力合作，确保亚特兰大至莫比尔的铁路畅通，或者说至少守住亚特兰大，控制东西向的铁路，再分派一部相机夺取敌人控制的唯一一条东西向公路。一旦目标实现，我们就会再次将邦联切成两截，形势将恢复到我们以前占领密西西比河时的样子。遗憾的是，一方面班克斯没有及时准备好，另一方面出现了一些突发状况，最后这场战役只能推迟。

关于起用撤职将领一事，西部由谢尔曼负责，东部由我负责。不过，我告诫他，未获我与陆军部部长批准，他不得擅自任命任何人。过了不久，我向陆军部部长建议重新启用布尔将军。部长批准了，但后来他告诉我，布尔拒绝了他委派的职务，并且说如果他接受，就会令他蒙羞。一段时间后我才"悟"出来，他不想在谢尔曼和坎比手下任职，因为他们都是

坎比全名为爱德华·理查德·斯普里格·坎比（1817—1873），他是美国南北战争时期联邦军的将领，后来在与印第安人的冲突中被杀害。图为印第安人杀害坎比将军

他的老部下。不过，他们都比他毕业早，并且军衔都在他之上，甚至比我都高——当时谢尔曼和比尔是陆军准将。如果因为现在的上司是自己的老部下就拒绝接受，那么，作为战士，这个托词实在很难令人信服。

3月23日，我返回华盛顿。26日，我将指挥部设在了卡尔佩珀县政府所在地，往南走数英里就是波托马克军团的司令部。

虽然我和总统都是伊利诺伊州人，但在我来首都接受中将军衔的委任前，我一次也没见过林肯先生。其实，我对他神往已久。因为我在西部时，我部下有些军官对他很熟，常常向我提起他，并且对他赞不绝口。几年前，我还读过他与道格拉斯竞选参议院时的辩论，当时我住在密苏里，虽然我尚不算他的"支持者"，但他那出色的才能还是折服了我。

与林肯先生第一次单独见面时，他对我坦言，由于他不懂军事，所以他从不说自己是军人，从未想过干预军队的事情，但面对指挥官的拖沓、北方人民的殷切希冀和国会的压力（这些似乎与他结下了不解之缘），他不得不持续发布一条条"军事命令"。他不知道这些命令是否全错了，但他很清楚，事实表明，其中一些确实是错误的。他需要一个可堪大任并且行动务实的人，有了这样一个人，他就可以用总统的权力号召全国全力支持他。我向总统保证，我会竭尽所能，用好现有的资源，尽量不给他或陆军部添麻烦。就这样，我们结束了这次会面。

我与陆军部部长以前只见过一面，不过我觉得他已经是我的老相识了。犹记得我在田纳西时，晚上电报线路不忙时，我们偶尔会发电报交流。他与哈勒克将军都曾劝我切勿将作战计划告诉总统，因为他很正直，如果他的朋友问起，他也许会实话实说。这样一来，他的朋友就会知道该作战计划了。其实，我与总统会面时，他对我说，我不必向他汇报我的作战计划，而是希望我听听他的作战计划，但最终是否采用，决定权在我。他取出一张弗吉尼亚州地图，上面清晰地标注着联邦军和邦联军的各处阵地以及汇入波托马克河的两条支流。他建议部队乘船至两河口之间登陆。一旦登陆成功，我们不仅能就近从波托马克获得源源不断的补给，而且能在战斗打响后，使我军的侧翼获得两条支流的保护。我一直恭敬地听着，但我没有向总统直言，敌之李将军部的侧翼同样能获得两条支流的保护。

最终，我没有向总统汇报我的作战计划，也没有告诉陆军部部长和哈勒克将军。

3月26日，我的指挥部迁到了卡尔佩珀。春季战役也在加快准备。

第三十二章
再次侥幸躲过一劫

　　我担任全美陆军统帅伊始，全国的军事形势如下：我军守住了密西西比河自圣路易斯以下至河口一线，控制了阿肯色州，这就意味着，密西西比河西北所有地区均为我军所有；在路易斯安那州，我军占领了离密西西比河不远的一些地方以及格兰德河口；密西西比河以东，孟菲斯至查尔斯顿铁路以北，向东一直到查塔努加的广大地区均被我军控制，这片地区差不多相当于整个田纳西州；我军光复了西弗吉尼亚州；我军还占领了老弗吉尼亚州以及拉皮丹以北、蓝岭以东的地区；海滨城市或岛屿——弗吉尼亚州的门罗堡和诺福克，北卡罗来纳州的普利茅斯、华盛顿和新伯尔尼，南卡罗来纳州与佐治亚州的博福特、福利岛、莫里斯岛、希尔顿黑德岛、罗亚尔港和普拉斯基堡，佛罗里达州的费尔南迪纳岛、圣奥古斯丁、基韦斯特、彭萨科拉先后被我军占领。敌人目前仍控制着南方其余广大领土。

　　谢尔曼所指挥的密西西比军区，其防区在阿勒格尼山脉以西及纳奇兹以北。该防区的所有军队以及驻扎在查塔努加周围的为数众多的机动力量均归谢尔曼节制。军区辖四个军团，谢尔曼接受各军团司令的汇报，各军团司令绝对服从他的命令。在这种情况下，我们在密西西比军区的通信畅通有了保障。只要敌人向该军区发起袭击，在这种特殊情况下，各军团司令可以不必等谢尔曼的军令，就可以立即行动。

　　在东线，双方军队继续在联邦与邦联的首都之间对峙，形势几乎跟三年之前一样，或者说，跟战争开始时没有太大不同。唯一不同的是，我军在弗吉尼亚及北卡罗来纳州的海岸成功登陆，但双方仍然势均力敌。战斗依然在那片广阔的战场——始于里士满附近的詹姆斯河和奇克哈默尼河，终于宾夕法尼亚州的葛底斯堡与钱伯斯堡——激烈地进行着，但没有一方取得决定性胜利，时而联邦军占上风，时而邦联军占上风；凡是南方报界自认为胜利了——虽然军官不见得这样认为，北方报界就一概不承认；北方总有一些灭自己威风长他人志气的人，也总有一些渴望通过一场决定性胜利，使联邦政权得到巩固的人，但如果取得的胜利不彻底，就会引起他们的愤怒。

拉皮丹河北岸驻扎着波托马克军团的部分兵力，不承担保护交通线的任务。拉皮丹河南岸为北弗吉尼亚军团，该部拥有坚固的工事，其指

北弗吉尼亚军团在美国南北战争期间为邦联军的中坚力量，指挥官为罗伯特·E. 李将军。图为北弗吉尼亚军团的军旗

挥官是一位邦联军中公认的奇才。两部隔拉皮丹河对峙。从拉皮丹河至詹姆斯河，溪涧纵横，大都既窄且深，只有架设桥梁的地方，才可以通过。这片地区分布着茂密的森林。道路逼仄，每逢雨天，就变得泥泞难行。从这里到里士满，北弗吉尼亚军团在一切可修筑工事处建起了工事，于是，一旦我军攻击其中一个工事，他们在不敌的情况就可以退到另一处工事防御。

在这种地区，与这般强大的敌人作战，确保军队补给单靠马车是不

可能实现的。现在，要想取得胜利，制度与纪律是关键。

目前，联邦军队一共有 19 个军团，其中，西部各军区下辖四个军团。波托马克军团单独设立，不受区域限制。迄今为止，各军团的行动都是独立的，各自为战，互不配合，敌人由此获得了可乘之机。现状堪忧，我不得不做出改变——从波托马克军团向西到孟菲斯一线，右翼是波托马克军团，左翼是詹姆斯军团，其指挥官是巴特勒将军，后备力量是南部所有部队。因为后备力量的作用与其人数不能成正比，所以其人数就被我减到最低，如果其能守住阵地，顶住敌人攻击，那就好了；如果这也做不到，就果断地放弃阵地。这样一来，南卡罗来纳州能额外贡献一万人的大军，该部的指挥官是吉尔摩将军，不久被编入詹姆斯军团。出乎吉尔摩将军意料的是，他竟会被调离原来的军团；因为前线需要援军，所以他的大部分将士被调到前线去了，于是他请求和他们一起走，我对此予以批准。现在，数以万计正在休假的军官士兵返回部队，重新进入了自己的岗位。集结部队虽然已经迫在眉睫，但在恶劣路况的限制下，很难确定部队集结完毕的时间。

吉尔摩全名为昆西·亚当斯·吉尔摩（1825—1888），他是美国南北战争期间联邦军将领。图为吉尔摩肖像，他正在观察敌情，绘于 1863 年

伯恩赛德部两万多人是波托马克军团的增援部队，该部为与波托马克军团会师，开始赶往马里兰州的安纳波利斯，其任务是攻打敌人的援军。伯恩赛德部打援的位置得天独厚，而且如果波托马克军团陷入困境，还可以及时来援；甚至可前往弗吉尼亚州诺福克南面的海岸或北卡罗来纳州的海岸，从这些地方进攻里士满。事实上，陆军部认为，伯恩赛德

部应该成为紧要关头的一支奇军。

现在，从整体上讲，我的计划是集中全部兵力向邦联军发起进攻。我们发现，密西西比河以东只有两支邦联军：一支是北弗吉尼亚军团，其统帅是罗伯特·爱德华·李将军，驻扎在拉皮丹河南岸，与北岸的波托马克军团对峙；另一支的统帅是约瑟夫·E. 约翰斯顿将军，该部驻扎在佐治亚州的多尔顿，其对手是驻扎在查塔努加的谢尔曼部。这两支是邦联军的主力，另有一支邦联军正扼守谢南多厄谷，这里有一个大仓库，用来专门存放部队的给养；里士满到田纳西的铁路也经过这里。福里斯特将军骁勇善战，他率领战斗力强悍的骑兵活跃在西部，如果他打算夺回我军在田纳西中西部占领的地区，那估计不是什么难事。为了确保北方各州不会面临邦联军入侵的危险，我军决不会放弃两军对峙线以北的任何领土。在这种情况下，波托马克军团进攻李将军部的前提是保护华盛顿。实际上，凡是西进的部队以及詹姆斯军团，无论是调离还是留守，都是在执行特殊使命。更有意义的是，随着这些部队的作用不断发挥，敌人被迫走更远的距离，而且为了确保防线和资源安全，不得不投入更多的兵力，甚至都抽不出一支去破坏桥梁铁路、烧毁仓库的小分队。在这种形势下，我决定向敌人发起全线进攻。谢尔曼部奉命从查塔努加出发，奔袭约翰斯顿部与亚特兰大。西弗吉尼亚州的克鲁克率领骑兵和炮兵从高利河口出发，奔袭弗吉尼亚州和田纳西铁路。如果敌人不及时投入兵力来保护交通，要么我军就会摧毁之；这样一来，敌人急需的草料、粮食就会悉数成为我军的战利品。此时，据守弗吉尼亚谷地的西格尔部将出谷地北上，但不远离哈珀渡口，目标是确保北部安全，防止敌人从北入侵。西格尔部每前进一英里，李将军所依赖的物资储备就会被缴获一些。巴特勒部则沿詹姆斯河向前挺进，奔袭里士满和彼得斯堡。

巴特勒部出动前，我来到门罗堡，拜访了巴特勒将军，这是我们第一次会面。向他下达命令前，我让他谈谈对接下来的战役的看法。他的看法和我要下的命令以及我临走之时最终的书面命令都几乎一致。

查塔努加会战结束后不久，我向参议院提议晋升 W.F. 史密斯为少将，但我的建议被驳回。我发现，显而易见的是，参议院大部分人是心存偏见的。不过，我坚持认为，史密斯恪尽职守，理应晋升。现在，参议院终于认可了我的提议，尽管是那么不情愿。我将他调到巴勒特那里。没过多久，我就意识到，史密斯一直难晋升，是有充分理由的。

一次，进见总统时，谈到骑兵目前的战绩，我深表不满。在我看来，如果有一个擅长指挥骑兵作战的统帅，骑兵就能打得更漂亮。我对总统说，骑兵需要军队中最合适的人来指挥。当时，在场的哈勒克大声说："谢里丹如何？"我回答道："正是合适的人选。"总统说，无论是谁，都由我选。当天，我就给谢里丹发了电报，让他过来。他一到，我就让他接替艾尔弗雷德·普莱增顿将军担任波托马克军团骑兵团指挥官。艾尔弗雷德·普莱增顿将军指挥的骑兵战绩不出彩，看不出他比其他骑兵指挥官强在哪里，当然这不意味着他在其他方面有问题。

格尔夫军团接到命令，部队务必按时赶到新奥尔良集结，参加总攻莫比尔的战斗。

这时，我还没有最终决定，波托马克军团是进攻敌人右翼还是左翼。两种方案都是有利有弊。如果波托马克军团的左翼进攻敌人右翼，那么，从拉皮丹到詹姆斯河，无论我军打到哪里，都能近距离地从切萨皮克湾及其支流获得补给；然而，一旦李将军分军北上或者命全军北上，我军的战线就只能向内地收缩。如果波托马克军团的右翼进攻敌人左翼，虽然能避免上述弊端，但我军的补给就会面临危险，要想完成任务，就只能依靠出发时所带的军需物资了。最后，经过权衡，我决定放弃第二个方案，这是因为如果按照该方案，一方面我军出发时所带军需物资有限，另一方面我军所经地区物资匮乏，无法就地解决补给问题，严重依赖运输。

当我军的准备紧张进行时，敌人也没有闲着。在西部，敌之福里斯特部突然向西田纳西发起进攻，穿过我北方边界，占领尤宁城，并俘虏了卫戍部队，其人数在 400 到 500 人之间。之后，该部开始进攻帕迪尤卡；帕迪尤卡建在肯塔基州俄亥俄河岸边。虽然该部攻进了帕迪尤卡，但既没有攻克要塞，也没有俘虏卫戍部队。获悉福里斯特的进攻方向后，我立即给谢尔曼发了电报，福里斯特部既然敢孤军深入，就应该立即率领全部骑兵去围攻，决不能放走敌人。实际上，在收到我的电报前，谢尔曼已经让他的骑兵行动了。

没想到的是，福里斯特先是迅速率部撤退，接着奔袭皮罗堡去了。皮罗堡对于确保密西西比河航运安全至关重要，目前一个黑人步兵团和田纳西兵团的一个骑兵队在这里驻守。当敌人来袭，他们勇敢地战斗，但双方力量相差太大，最终战败。要想了解福里斯特在这场战斗中的所作所为，我们不妨看一下他在电报中的说法："血流200码，河水因之变色。敌人战死500多人，但若干军官侥幸逃脱。我军阵亡约20人。经过这场战斗，希望北方人民明白，黑鬼士兵是打不过南方人的。"随后，他做了一个总结，这段令人瞠目结舌的话就此中断。

福里斯特攻陷皮罗堡后对联邦守军展开疯狂屠杀

在东部，敌人也很活跃。我向哈勒克建议，继续坚守北卡罗来纳州的普利茅斯与华盛顿已经没有意义了，两地的卫戍部队尽量编入巴特勒部。如果我军在接下来的战役表现出色，那么我军不仅能收复这两个地方，还能收复其他失地。联邦军在我担任全美陆军统帅前就占领了这些地方，所以我知道让政府放弃，就等于让其割肉。在这种情况下，我只得做出解释。不幸的是，我的建议尚未落实，普利茅斯的卫戍部队就成了敌人的俘虏。我当机立断，弃守华盛顿。然后，我下令攻击新伯尔尼，而且无论付出何种代价，都要夺取。新伯尔尼这个港口城市具有重要的战略位置，很可能成为敌人突破封锁的关键。

在我担任全美陆军统帅前，班克斯将军就已经向雷德河上游远征了。虽然一开始我就极力反对他的行动，但因为当时这是我的上级下的命令，所以我无权取消。我曾奉哈勒克之命，从谢尔曼部抽调 10000 人由 A. J. 史密斯率领去增援班克斯。这支部队出发后，我就急于将其撤回来。然而，这时班克斯已经深入敌境。在这种情况下，最优决策是攻取雷德河上的什里夫波特，之后沿河防务由驻扎在阿肯色州的斯蒂尔部负责。为了让 A. J. 史密斯的骑兵及时从班克斯那里回来，我一边申请立即结束战役，一边及时赶回新奥尔良，目的是参加制订总体作战计划。然而，班克斯因为远征失败，没有率部及时赶回。至于 A. J. 史密斯，直到 1864 年 5 月的战役打响很久，他才率四万战斗经验丰富的士兵回来。士兵数量之多，对于格尔夫军团进行必要防守，是绰绰有余的，但最后却没有用上。现在我要说句公道话，班克斯率部远征是执行来自华盛顿的军令，他本人是反对远征的，所以他只对远征负责，不必对胜败负责。

1864 年 4 月 27 日，面对盎然的春意，我隐约感觉到，在这样的日子发起重要战役是明智的。这天，伯恩赛德离开了安纳波利斯，来到米德部的阵地，也就是布尔河到拉帕汉诺克河一线。米德奉命率部出发了。28 日，我向巴特勒下达军令，令他 5 月 4 日夜出发，并于天亮前赶到詹姆斯河，然后继续前进。我还告诉他，增援部队已经在华盛顿集合完毕。

待敌人撤回里士满的战壕，这些部队就会出动。也是在 28 日这天，我向谢尔曼下达军令，让他准备于 5 月 5 日发起进攻。驻扎在温切斯特的西格尔得到的命令是，与其他部队联合行动。

关于拉皮丹河—詹姆斯河战役，曾有作家批评说，如果用船将部队送过河，就会避免伤亡。这次战役的首要目标不是进攻工事坚固的里士满，那里的守军能以一抵五；而是打败李将军的部队。只要李将军的部队被击溃，那么攻取里士满易如反掌。与其与他在铜墙铁壁般的工事里鏖战，不如与他在工事外决战。如果波托马克军团全部从詹姆斯河上进军，李将军很可能一方面分军回防里士满，一方面令博勒加德部自南部赶来增援，另一方面会率余部进攻华盛顿。与此同时，我军主力部队已经在詹姆斯河集结完毕，于是我命令其向詹姆斯河上游进发，与波托马克军团联合行动。

从 3 月 26 日到 5 月 4 日，库尔佩珀一直是我的司令部所在地。一般情况下，为了与陆军部部长及总统商谈战局，我每周往返华盛顿一次。然而，大战在即，也就是我军行动前几日，一件事突然发生，几乎葬送了这次行动。很久以来，约翰·S. 默斯比上校担任一支游击部队，或者说一个游击兵团的指挥，活动在波托马克军团后方。这次回前线，我坐的是火车；快到沃伦顿车站时，我发现铁路东侧尘土飞扬，好像有骑兵发起冲锋。进站后，我下令停车，询问尘土飞扬的原因。车站上只有一个人，他对我说，几分钟前默斯比的游击部队越过铁路，拼命追击联邦骑兵。一旦他发现我的火车，他肯定放弃追击，掉头攻打我的火车。如果没记错的话，我乘坐的是没有卫兵随护的专列。

战争结束后，我和默斯比上校变得越来越熟，关系变得越来越密切。他跟我想象的完全不一样。他的个子不高，虽然身材清瘦但很结实，看上去仿佛他的能量无穷无尽。在敌人控制区，他能在艰难的环境下指挥一支游击部队持久作战，一直活跃，这表明他不仅精明，而且具有出色的指挥才能。当时在整个邦联，像他这样的人寥若晨星。

这天，在我赶赴詹姆斯河前线前，我去华盛顿谒见总统，没想到的是，这也是我最后一次见他。当然，我下达全线攻敌的作战令他已经获悉，在他看来，战争呈现了新特点。我解释道，与其占用大量部队去防守既占领土和抵御邦联军北犯，不如让这些部队以攻为守，这样一来，北犯的敌人不得不分军回援，最终其很难深入北方。总统听完，回答道："哦，是的！我明白了，就像我们西部人所说的，如果你不会剥皮，那别人剥皮时，你就得去拽腿。"

在这里我要提前说说后话。莽原战役打响后，一场风波发生了。现在提提该风波，一方面没有什么不合适的，另一方面不至于后面跑了题。

我离开库尔佩珀前几天，出身名门的 E.B. 沃什伯恩来访。他跟着我的司令部一路向南，经过莽原战役的战场，最后很可能到了斯波特西尔法尼亚。他有个叫斯温顿的同伴。他介绍道，斯温顿是历史学家，为了在战后创作一部战争史，他想过一段时间的军旅生活。沃什伯恩信誓旦旦地向我强调，斯温顿不是报社的记者。我说，就算他是记者，同样非常欢迎，并且允许他随军，只是他报道的内容会受到限制。就像战争没有发生似的，里士满的报纸总能传到我们这里，我们的报纸也总能传到邦联那里，在这种情况下，我们理应防止敌人的间谍冒充记者的身份潜入我军防区。

斯温顿先生似乎很想成为我司令部的上宾，但令他格外失望的是，无论什么场合，我都没邀请他出席。过了没多久，我发现他和一家报纸有联系（具体是哪家，我已经记不得了），这与沃什伯恩当初对我的承诺背道而驰。虽然他随军已经有段日子了，但从认识到下面的风波发生，我再没见过他。

5月5日晚，我军渡过了拉皮丹河的第二天晚上。在指挥部当值的是 W.R. 罗利上校，他是参谋部的一位参谋。快到午夜时，我口头向他下达了指令。三天后，该指令出现在里士满的一家报纸上。读后我发现这就是我下的那个指令。

又过了几个晚上（可能是第二天晚上，也可能是第三天晚上，总之是在莽原战役开始的那个晚上），为了商议军情，米德将军带着几个参谋进了我的帐篷。因为我和米德将军的谈话要保密，所以那几个参谋退到距帐篷有好几码的篝火旁。帐篷和篝火间有个树桩。T.S. 鲍尔斯上校是我的参谋，他觉得有人背靠树桩席地而坐，正在偷听我和米德的谈话。于是，他便叫罗利注意一下。罗利马上赶过去，一把抓住了那人的肩膀，接着大声质问他在那里干什么。出人意料的是，那人竟是"历史学家"斯温顿。他躲躲闪闪地回答着，我们警告他不得再来偷听。

后来，斯温顿先生的消息在科尔德港传得绘声绘色，当时我的司令部正设在那里。一天，米德将军过来对我说伯恩赛德将军抓了斯温顿，准备当天下午以叛国罪枪毙他。我一听，一边赶忙下令释放他，一边警告他，如果他再来我军阵地，后果自负。

第三十三章
奇袭里士满

现在，为了取得战争的决定性胜利，我军各部已经万事俱备。虽然战线很长，但不会影响各部行动。这次战役的首要目标是击溃李将军部，然后相机夺取邦联首都里士满。要想实现该目标，有颗眼中钉是一定得拔除的，那就是约翰斯顿的亚特兰大军团。于是，击败约翰斯顿可以称为本次战役的次要目标。之所以说它是次要的，是因为就算击败约翰斯顿部，也不会对战局产生决定性影响，而一旦击溃李将军部、攻克里士满，那么战争也就结束了。接着，敌人其他部队将树倒猢狲散，无一例外。计划就是这样了，现在我尽量简单介绍一下战斗实施的方案。首先，有些协同作战的小分队参加了这次军事行动，下面我将简明扼要地谈谈它们。

我在前面已经提到，班克斯远征雷德河以失败告终，致使四万战斗经验丰富的士兵没有参加这次大反攻，其中谢尔曼部一万人，进攻莫比尔的部队三万人。

对西格尔的记载同样简单。他的行动确实遵照了计划，但就在我盼着好消息从山谷传来时，哈勒克却发来电报："西格尔正率部向斯特拉斯堡撤退。他以前的战绩寥寥，除了逃跑，他什么也不会。"最后，西格尔部在纽马基特被敌人包围。敌人发起猛烈进攻，缴获6门大炮。战斗结束后，西格尔部伤亡惨重。

按照计划，西格尔部是分两个纵队行进的。东路在他亲自指挥下，一败涂地；西路在布鲁克与埃夫里尔的指挥下，从西弗吉尼亚州的高利出发，一路颇有斩获——破坏了弗吉尼亚至田纳西铁路、长达数英里的都柏林段，炸了敌人的一座补给仓库，烧了纽约大桥。之后，这支部队翻越阿勒格尼山脉，抵达梅多布拉夫斯，并在这里等待新命令。

巴特勒部在门罗堡登船，骑兵和炮兵沿詹姆斯河南岸向上游行进。汽船在切萨皮克湾与约克河逆流而上，看起来像是要去进攻李将军的后方；午夜时，出乎意料地掉转了方向。天快亮时，巴特勒部抵达詹姆斯河上游，接着，锡蒂波因特与百慕大翰卓德清晨很快被该部攻克。该部无一伤亡。毫无疑问，敌人必然惊讶不已。

现在，我给巴特勒指示的第一个目标已经实现，下一个目标是里士满。我给他的新指示是，如果李将军不撤退，就在拉皮丹河与里士满之间与他一决雌雄；如果他撤向里士满，就穷追不舍，并在詹姆斯河与波托马克军团和詹姆斯军团会师。我向他强调，务必打到詹姆斯河南岸，并建立据点；该据点建成越早越好，越靠上游越有利。

5月6日，巴特勒部在进入阵地后立即修建工事。7日，巴特勒派骑兵从萨福克出发，去切断韦尔登铁路；他派出一支分队，去破坏彼得斯堡至里士满的铁路，遗憾的是，胜利都不算大。当时，彼得斯堡防守空虚，敌人撤得已经所剩无几，不知怎么的，他却没有发起进攻。途中，巴特勒部进展缓慢，大约11日到德鲁里布拉夫，这是百慕大翰卓德与里士满之间的一个城市。与此同时，博勒加德不断调集援军。16日，他指挥部队猛攻巴特勒。战斗结束后，巴特勒麾下的詹姆斯军团损失惨重，在接下来的战斗中，该军团的战斗力受到极大限制。在这种情况下，我将詹姆斯军团一部编入波托马克军团，留给巴特勒足够的兵力守住工事和已经占领的据点，同时威胁邦联的首都后方。

巴特勒将军的阵地定在詹姆斯河与阿波马托克斯河之间，占尽了地利：战场虽大，但一条堑壕线就围了起来；右侧是詹姆斯河，左侧是阿波马托克斯河，后面则是两河的交汇处，形成天然屏障；两河的弯曲一方面使防线进一步缩短了，另一方面使防线内的面积扩大。

　　巴纳德将军是波托马克军团总工程师，在我下令从巴特勒那里调出部队前，他就奉命前往詹姆斯军团，目的是视察巴特勒的阵地；在得到他汇报后，我将根据实际来确定巴特勒将军是否可以协助我的行动，因为我当时距里士满已近在咫尺。如果不能派出援兵，他的阵地是否坚固，是否可以抽调一部分军队，沿水路到怀特豪斯与我会合，增援波托马克军团，这都是我要考虑的。巴纳德将军报告说，作为防御，工事非常坚固，我可以放心抽调部队，无安全之虞。但是，巴特勒将军却无法离开协助作战。他说，巴特勒占领了詹姆斯河与阿波马托克斯河之间的一处要地，可谓固若金汤，可以以劣势的兵力，抗击强大的敌人，要守多久，就能守多久，但是，他却无法发动进攻。我问他为什么巴特勒无法离开自己的防线，越过里士满至彼得斯堡的铁路，转移到后方和里士满的南面。他回答说，这是不可行的，因为敌人也有同样一条

巴纳德全名为约翰·格罗斯·巴纳德（1815—1882）。马修·布雷迪摄

防线横穿颈口。他拿出铅笔，将其位置画成草图，说这一位置像个瓶子。巴纳德将军非常形象地对阵地做了描述，尤其是他匆匆画下的草图给我印象很深。我在后来的报告里使用了他的表达方式，只是没加引号罢了，当时做梦也没有想到这会引起注意——然而，却引起了注意，这无疑让巴特勒将军颇为不快，也使我自己烦恼。后来我发现，这在巴多将军书中的注释中有所记叙，他让我看了，我要求他删去，但他却没有按照我的意思删去。

我之所以在这里说这些，因为我以前虽然常常说起，但无能为力还历史一个公道，现在旧事重提，目的是澄清历史。我以前可能冤屈了某些个人，尤其是那些在战争最艰难的紧要关头为祖国、为维护联邦勇敢作战的军官，希望能借此机会予以纠正。的确，巴特勒将军热心支持战争，为镇压叛乱做出了最大的努力。

詹姆斯军团下一步的行动，最好与波托马克军团联系起来叙述。因为两个军团关系非常密切，似乎完全是一个不可分割的整体，侧翼各部已完全融入这一整体当中了。

下面我首先简要地谈一谈谢里丹第一次袭击李的交通线的情况，然后再回过头来总结一下谢尔曼指挥的伟大的亚特兰大战役的情况，并以此来结束对中线军事行动开始之前各路部队协同行动的描述。虽然说袭击交通线在全线行动中并非什么大事件，而且在原始计划中也没有列出，但这次行动的胜利，就其执行过程和所取得的战果而言，其重要性绝不亚于一次独立的战役。这样一来，在我描述从拉皮丹出发向敌军进攻的情况时，就可以完全按照时间顺序来描述我直接指挥的战线上发生的事件了。

5月8日，莽原战役之后，我军继续向斯波特西尔法尼亚前进。我口头命令谢里丹脱离波托马克军团，从李将军的左翼迂回过去，袭击他的骑兵，切断两条铁路。一条通向西方，途经戈登斯维尔、夏洛茨维尔和林奇堡，另一条通往里士满；完成上述任务后，如缺乏粮草，前往詹姆斯河，从巴特勒那里获得补给。完成这一行动需要穿越李军整个后方。米德以书面形式下达了上述命令。

这次行动有三方面的目的。第一，如顺利完成（事实上，已经顺利完成），就展开骚扰活动，切断其补给线和电报通信系统，破坏敌人在后方贮藏的补给，同时解决补给问题。第二，牵制敌人骑兵，保护我军两翼、后方以及辎重车辆，以免落入敌人之手。第三，既然他转战敌后，就无须再用火车从根据地腓特烈斯堡为他运输粮草。第二天，天刚蒙蒙亮，他就出发了，取得超乎意外的战绩，16天后，回归波托马克军团。

　　谢里丹部的目标是直接进军里士满。这时，邦联军斯图尔特将军率骑兵迂回到了谢里丹部的后方。谢里丹没有害怕，继续挥军前进。渡过北安娜河后，我军一举光复弗吉尼亚中央铁路上的比弗丹站，解救了400名战俘，这些战俘正要被送往里士满。接着，铁路被我军捣毁，生活与医疗品储备不是被我军征用，就是被我军破坏。

联邦军依托防御工事向比弗丹站的敌军射击

　　10日早上，看到我军骑兵正冲向里士满，斯图尔特停止追击，绕路疲奔，在里士满北约6英里的耶洛客栈拦截谢里丹，而谢里丹则在阿什兰破坏了铁路及更多补给，11日与斯图尔特遭遇，双方展开激烈的战斗，各自都伤亡惨重，但谢里丹最终击败了叛军，缴获了数门大炮，俘获许多战俘，斯图尔特身负重伤。

　　里士满的外围防线首先被谢里丹部突破，接着内部防线也被突破了。不过，谢里丹见附近没有援军，就放弃了继续进攻。于是，为了联系巴特勒部，并获得补给，他一安置好伤员，便率部向詹姆斯河赶去。

一开始，谢里丹部在奇克哈默尼河与詹姆斯河之间活动。12日上午，该部抵达梅卡尼克斯维尔，没想到敌人突然发动袭击，被迫向奇克哈默尼河北岸的梅多布里奇赶去。到达后，他发现，由于先前被击溃的邦联军骑兵已经重整旗鼓，占据了河对岸，所以他的部队已经不能继续前进了。当初，随着谢里丹部冲破里士满外部防线，敌人惊慌失措，现在已经镇定下来，就派兵出来断了谢里丹的后路。

现在谢里丹部已经陷入危境，而谢里丹一筹莫展，束手无策。他的右侧是里士满的设防区，左侧是没有大桥的奇克哈默尼河，河对岸的敌人布有重兵，后方是来自里士满的敌人。为了摆脱被歼的危险，谢里丹决定冒险突围。他命威尔逊师与格雷格师进攻来自里士满的那部分敌人，命余部冒着敌人的炮火，在奇克哈默尼河上架桥。桥架成后，他立即命部队抢渡。过河后，立即猛攻敌人。敌人迅速溃散。

13日，谢里丹到达博特姆桥，该桥位于奇克哈默尼河上。14日，过河后，他率部当天来到詹姆斯河上的哈克塞尔码头，并在这里扎营。他马上联系了巴特勒将军，接着巴特勒将军很快送来各种补给。

自从谢里丹部在斯波特西尔法尼亚脱离波托马克军团，该部就与波托马克军团失去了联系，现在又不知李将军到了哪里。在这种情况下，该部返回时必须异常小心。17日，该部已经休整三天了，现在开始经怀特豪斯返回。敌人已经烧毁了帕芒基河上的桥。为了过河，谢里丹急忙建桥。桥一建成，骑兵就迅速通过。22日，谢里丹率部抵达马特波尼河，在这里他终于获悉了两军的位置。24日，谢里丹部来到切斯特菲尔德附近，与经北安娜河前往科尔德港的波托马克军团相遇。

这次突袭值得永远铭记，谢里丹部绕李将军部整整走了一圈。该部与李将军的骑兵交锋四次，不仅四次连胜，而且解救了400名战俘。敌人被杀的若干，被俘的亦若干。敌人的补给、军需、铁路和电报线均受重创。接下来两周多时间里，敌军骑兵再也没有来袭扰我军。

图书在版编目（CIP）数据

美国南北战争回忆录 /（美）格兰特著；孔令会译.
— 长春：吉林出版集团股份有限公司，2017.6
书名原文：The Civil war of American
ISBN 978-7-5581-2229-3

Ⅰ.①美… Ⅱ.①格… ②孔… Ⅲ.①美国南北战争
– 史料 Ⅳ.① K712.43

中国版本图书馆 CIP 数据核字（2017）第 116443 号

美国南北战争回忆录（上）

著　　者	[美]U.S. 格兰特
译　　者	孔令会
出　　品	吉林出版集团 · 北京汉阅传播
总 策 划	王　宁
责任编辑	李　楠
封面设计	观止堂 _ 未　氓
开　　本	720mmx980mm 1/16
字　　数	272 千
印　　张	20
版　　次	2018 年 1 月第 1 版
印　　次	2018 年 1 月第 1 次印刷

出　　版	吉林出版集团股份有限公司
发　　行	北京吉版图书有限责任公司
地　　址	北京市西城区椿树园 15—18 号底商 A222
	邮编：100052
电　　话	总编办：010—63109269
	发行部：010—63104979
官方微信	Han-read
邮　　箱	jlpg-bj@vip.sina.com
印　　刷	北京欣睿虹彩印刷有限公司

ISBN 978-7-5581-2229-3　　　　　　定价：98.00 元

版权所有　侵权必究